Über dieses Buch

Vom Patrizierhaus in Lübeck bis zum Begräbnis in Kilchberg, von den ersten literarischen Bemühungen des Schülers bis zu den letzten Schriften verzeichnet diese Chronik mit Akribie das Leben und Werk Thomas Manns. In jahrelanger Forschung haben die beiden Herausgeber diese Daten und Fakten zusammengetragen, die durch Zitate aus Schriften und Briefen Thomas Manns und durch Äußerungen von Zeitgenossen belegt werden. So entsteht nicht nur ein detailliertes Bild von der privaten Existenz des Schriftstellers; sondern diese Chronik eines achtzigjährigen Lebens spiegelt darüber hinaus die geistigen und politischen Ereignisse einer Epoche.

Thomas Mann

Eine Chronik seines Lebens

Zusammengestellt von
Hans Bürgin und Hans-Otto Mayer

Fischer
Taschenbuch
Verlag

Fischer Taschenbuch Verlag
Mai 1974
Ungekürzte und durchgesehene Ausgabe
Umschlagentwurf: Jan Buchholz/Reni Hinsch
Fischer Taschenbuch Verlag GmbH, Frankfurt am Main
Lizenzausgabe mit freundlicher Genehmigung
des S. Fischer Verlages, Frankfurt am Main

Gesamtherstellung: Hanseatische Druckanstalt GmbH, Hamburg
Printed in Germany
ISBN 3 436 01891 0

VORBEMERKUNG

Ein Jahrzehnt nach Thomas Manns Tode scheint uns die Zeit gekommen, diese Chronik der Öffentlichkeit zu übergeben. Seit einer Reihe von Jahren schon haben wir unsere Vorstudien für sie betrieben, doch sind wir uns dessen bewußt, daß noch manche Lücke auszufüllen bleibt. Die Tagebücher allein, die Thomas Mann von 1933 regelmäßig geführt hat und die seinem Willen gemäß erst 1975 entsiegelt werden dürfen – sie befinden sich im Zürcher Thomas-Mann-Archiv –, werden die Kenntnis seines Lebens und seines Werkes mehren und vertiefen. Eine Arbeit wie die nun vorliegende sollte aber nach gewissenhafter Erforschung der bis jetzt zugänglichen Quellen einmal abgeschlossen und publiziert werden; Ergänzungen und Berichtigungen werden wir für spätere Auflagen dankbar begrüßen.

Unsere Chronik soll Einblick geben in das Dasein und die Werkstatt eines Schriftstellers, der zum großen Repräsentanten deutscher Geisteskultur im 20. Jahrhundert wurde. Wir haben versucht, das an äußeren Ehren reiche, aber auch von vielen Sorgen belastete Leben des Dichters, seine Umwelt und die Entstehungsgeschichte seines breiten Werkes, seine enge Verbindung mit den literarischen und politischen Strömungen seiner Zeit nachzuzeichnen und aus der Fülle der Zitate eine Art kurzer, anschaulicher Selbstbiographie zu gewinnen, die nicht nur seiner Lesergemeinde und der Wissenschaft, sondern auch dem gesamten In- und Ausland sein Wesen und sein Werk erschließen soll.

Es ist verständlich, daß die einzelnen Teile der Chronik an Umfang und Gewicht ungleich sind. Im Anfang war der Wirkungskreis Thomas Manns noch verhältnismäßig begrenzt, und die Quellen sind entsprechend spärlich. In den späteren Jahren begannen sich sein Einfluß und sein Wirken auf die ganze zivilisierte Welt auszudehnen; das nun zur Verfügung stehende Übermaß an Zeugnissen seines Lebens zwang zu einer Auslese, die vielleicht manchen Wunsch offenläßt, aber zur Erhaltung der Ein-

heitlichkeit notwendig war. Für die Auswahl der Zeugnisse und die Formulierung des Textes sind wir allein verantwortlich.
Unser besonderer Dank gilt Frau Katja Mann, die den Nachdruck unserer Zitate aus dem Werk und aus den Briefen ihres Gatten gestattete, und Frau Erika Mann für vielerlei Hilfe und Rat. Fräulein Ida Herz, London, seit Jahrzehnten Thomas Mann und seinem Werk verbunden, hat das Manuskript durchgesehen und auf Grund ihres reichen Wissens wesentliche Ergänzungen beigesteuert. Dr. Hans Wysling, der Leiter des Thomas-Mann-Archivs in Zürich, gab wertvolle Hinweise. Professor Klaus W. Jonas, Pittsburgh, Pennsylvania, Professor Herbert Lehnert, Houston, Texas, Erich Neumann, Leiter des Thomas-Mann-Archivs der Deutschen Akademie der Wissenschaften zu Berlin, Heinz Saueressig, Biberach an der Riß, und Dr. Georg Wenzel, Begründer und Vorsitzender des Thomas-Mann-Kreises im Deutschen Kulturbund, unterstützten unsere Arbeit durch Auskünfte. Ihnen allen sagen wir unseren herzlichen Dank.

Kappeln/Schlei und Düsseldorf
Juni 1965 *Hans Bürgin* *Hans-Otto Mayer*

Lübeck

DIE ELTERN

Thomas Johann Heinrich Mann, geboren am 22. August 1840, Sohn von Johann Siegmund Mann (1797–1863) und dessen zweiter Ehefrau Elisabeth Marty (1811–1890) zu Lübeck, wohnhaft Mengstraße 4 (›Buddenbrook-Haus‹), Kaufmann, seit 1863 Inhaber der Firma ›Johann Siegmund Mann, Getreidehandlung, Kommissions- und Speditionsgeschäfte‹, seit 1864 Königl. Niederländischer Konsul. »Wie oft im Leben habe ich mit Lächeln festgestellt, mich geradezu dabei *ertappt*, daß doch eigentlich die Persönlichkeit meines verstorbenen Vaters es sei, die als geheimes Vorbild mein Tun und Lassen bestimme. Vielleicht hört heute der eine oder andere mir zu, der ihn noch gekannt, ihn noch hat leben und wirken sehen, hier in der Stadt, in seinen vielen Ämtern, der sich erinnert an seine Würde und Gescheitheit, seinen Ehrgeiz und Fleiß, seine persönliche und geistige Eleganz, an die Bonhomie, mit der er das platte Volk zu nehmen wußte, das ihm in noch ganz echt patriarchalischer Weise anhing, an seine gesellschaftlichen Gaben und seinen Humor. Er war kein einfacher Mann mehr, nicht robust, sondern nervös und leidensfähig, aber ein Mann der Selbstbeherrschung und des Erfolges, der es früh zu Ansehen und Ehren brachte in der Welt – dieser seiner Welt, in der er sein schönes Haus errichtete.« (›Lübeck als geistige Lebensform‹).

4. Juni 1869

Eheschließung mit Julia da Silva-Bruhns, geboren 14. August 1851 in Angra dos Reis, Brasilien, als Tochter des Plantagenbesitzers Johann Ludwig Bruhns aus Lübeck (1821–1893) und dessen Ehefrau Maria Luiza da Silva (1828–1856), »einer portugiesisch-kreolischen Brasilianerin«. ». . . meine Mutter . . . war von ausgesprochen romanischem Typus, in ihrer Jugend eine vielbewunderte Schönheit und außerordentlich musikalisch. Frage ich mich nach der erblichen Herkunft meiner Anlagen, so muß ich an Goethes berühmtes Verschen denken und feststellen, daß

auch ich ›des Lebens ernstes Führen‹ vom Vater, die ›Frohnatur‹ aber, das ist die künstlerisch-sinnliche Richtung und – im weitesten Sinne des Wortes – die ›Lust zu fabulieren‹, von der Mutter habe.« (›Lebensabriß‹).
Nach dem frühen Tode der Mutter wird Julia 1856 nach Lübeck gebracht und im Pensionat von Therese Bousset vor dem Mühlentor erzogen; im Hause des Onkels Peter Eduard Bruhns auf der Parade wächst sie auf.

1870

Konsul Heinrich Mann und Frau beziehen eine Mietwohnung in der Breiten Straße 54.

27. März 1871

Luiz Heinrich Mann geboren; getauft am 7. Mai 1871 von Pastor Trummer in der Marienkirche.

1872

Konsul Mann erwirbt das Haus Breite Straße 38 (im Zweiten Weltkrieg zerstört).

KINDHEIT UND JUGEND

6. Juni 1875

Paul Thomas Mann geboren. »Ich bin geboren am Sonntag den 6. Juni 1875 mittags zwölf Uhr. Der Planetenstand war günstig, wie Adepten der Astrologie mir später oft versicherten, indem sie mir auf Grund meines Horoskops ein langes und glückliches Leben sowie einen sanften Tod verhießen.« (›Lebenslauf 1936‹).

11. Juni 1875

Taufe durch Prediger Münzenberger in der Marienkirche. Paten sind Konsul Heinrich Marty, der Bruder von T. M.s Großmutter Elisabeth Mann, geborener Marty, Onkel Nikolaus Heinrich Stolterfoht, Gutsbesitzer zu Castorf, Ehemann von Julia Manns Schwester Maria und Johann Siegmund Mann, der Großvater.

19. Februar 1877

Konsul Heinrich Mann wird in den Lübecker Senat gewählt. In der Ratssitzung vom 28. Februar wird Senator Mann zum ›Compräses‹ der Baudeputation und des Departements für indirekte Steuern sowie zum Mitglied der Zentral-Armendeputation und der Kommission für Handel und Schiffahrt ernannt, deren Präsidium er 1885, zugleich mit der Steuerbehörde, übernimmt.

23. August 1877
Schwester Julia Elisabeth Therese (›Lula‹) geboren; getauft am 14. Oktober zu St. Jacobi.

1881
Senator Mann erwirbt das Grundstück Beckergrube 52 von den Erben des Kaufmanns Alexander Grammann und errichtet dort ein repräsentatives Haus (im Kriege zerstört). »Meine Kindheit war gehegt und glücklich. Wir fünf Geschwister, drei Knaben und zwei Schwestern, wuchsen auf in einem eleganten Stadthause, das mein Vater sich und den Seinen erbaut hatte, und erfreuten uns eines zweiten Heims in dem alten Familienhause bei der Marienkirche, das meine Großmutter väterlicherseits allein bewohnte und das heute als ›Buddenbrook-Haus‹ einen Gegenstand der Fremdenneugier bildet.« (›Lebensabriß‹).

23. September 1881
Schwester Carla Augusta Olga Maria geboren; getauft am 1. Dezember in der Marienkirche.

Ostern 1882
T. M. kommt zur Schule; von 1882 bis 1889 besucht er die drei Elementarklassen und die drei Progymnasialklassen (Sexta bis Quarta) der Privatschule ›Progymnasium von Dr. Bussenius‹ in der Fleischhauerstraße, im Volksmund die ›Kandidatenschule‹ genannt. Inniges Verhältnis zur Mutter: »Ich glaube, daß ich, der Zweite, ihrem Herzen am nächsten war.« (An Agnes E. Meyer, 29. Juni 1939, Briefe II). Sie liest aus Hans Christian Andersens Märchen und Fritz Reuters ›Ut mine Stromtid‹ vor, singt Lieder von Schubert, Schumann, Brahms, Liszt, spielt Chopin. ». . . namentlich ihre freien Abende schenkte sie uns oft, indem sie uns unter der Lampe des Wohnzimmertisches Fritz Reuters Erzählungen vorlas. Das Mecklenburger Platt nahm sich überraschend genug aus in ihrem exotischen Munde, aber sie beherrschte es besser als irgend jemand im Hause . . . Noch lieber freilich folgte ich meiner Mutter beim Musizieren. Ihr Bechstein-Flügel stand im Salon, einem lichten Erkerzimmer . . . und hier kauerte ich stundenlang in einem der hellgrau gesteppten Fauteuils und lauschte dem wohlgeübten, sinnlich feinfühligen Spiel meiner Mutter, das sich am glücklichsten wohl an den Etüden und Notturnos von Chopin bewährte.« (›Das Bild der Mutter‹).

6. April 1884
Emanuel Geibel, Ehrenbürger der Stadt Lübeck, gestorben. »Ich habe Emanuel von Geibel als Kind noch gesehen, in Travemünde,

mit seinem weißen Knebelbart und seinem Plaid über der Schulter, und bin von ihm um meiner Eltern willen sogar freundlich angeredet worden.« (›Lübeck als geistige Lebensform‹).

Ostern 1889

Eintritt in das Katharineum (realgymnasiale Abteilung). Untertertia, Obertertia und Untersekunda werden in fünf Jahren absolviert, zwei Klassen wiederholt. »Ich verabscheute die Schule und tat ihren Anforderungen bis ans Ende nicht Genüge. Ich verachtete sie als Milieu, kritisierte die Manieren ihrer Machthaber und befand mich früh in einer Art literarischer Opposition gegen ihren Geist, ihre Disziplin, ihre Abrichtungsmethoden.« (›Lebensabriß‹).

Sein Klassenlehrer während der letzten drei Jahre ist Prof. Dr. Baethcke: »Es sind fünf Jahre, daß ich (anläßlich des 700jährigen Jubiläums der Freien Stadt) meinem Deutsch-, Latein- und Klassenlehrer von Untersekunda in Lübeck wieder begegnete. Dem schlohweißen Emeritus sagte ich, natürlich hätte ich immer den Eindruck eines vollendeten Tunichtgutes gemacht, hätte aber im stillen von seinen Stunden sehr viel gehabt.« (›Lebensabriß‹, geschrieben 1930).

Eine Schulfreundschaft, die noch bis weit in die Münchner Jahre hineinreicht, verbindet T. M. mit Otto Grautoff, Sohn eines Lübecker Buchhändlers, dem späteren Schriftsteller und Kunsthistoriker.

Die Sommer 1882–1891

Ferien in Travemünde. »Da ist das *Meer*, die Ostsee, deren der Knabe zuerst in Travemünde ansichtig wurde, dem Travemünde von vor vierzig Jahren mit dem biedermeierlichen alten Kurhaus, den Schweizerhäusern und dem Musiktempel, in dem der langhaarig-zigeunerhafte kleine Kapellmeister Heß mit seiner Mannschaft konzertierte und auf dessen Stufen, im sommerlichen Duft des Buchsbaums, ich kauerte ... An diesem Ort, in Travemünde, dem Ferienparadies, wo ich die unzweifelhaft glücklichsten Tage meines Lebens verbracht habe, Tage und Wochen, deren tiefe Befriedigung und Wunschlosigkeit durch nichts Späteres in meinem Leben ... zu übertreffen und in Vergessenheit zu bringen war ...« (›Lübeck als geistige Lebensform‹).

In diesen Jahren

Erste literarische Versuche. »Begonnen hatte ich mit kindischen Dramen, die ich mit meinen jüngeren Geschwistern vor Eltern und Tanten zur Aufführung brachte. Es folgten Gedichte an einen geliebten Freund, der unter dem Namen Hans Hansen im ›Tonio Kröger‹ ein gewisses symbolisches Leben gewonnen hat, persönlich aber sich später dem Trunke ergab und in Afrika ein trauriges Ende nahm.« (›Lebensabriß‹).

14. Oktober 1889

Frühester erhaltener Brief T. M.s (an Frieda Laurentine Hartenstein, wahrscheinlich eines der ›Kinderfräulein‹ im Mannschen Hause); darin wird ein Drama ›Aischa‹ erwähnt; T. M. unterzeichnet als »lyrisch-dramatischer Dichter« (Briefe I). In Untertertia: »Eine Romanze auf den heroischen Tod der Arria: ›Paete, non dolet ...‹« (›Lebensabriß‹); ferner ist der Titel »eines antiklerikalen Dramas ›Die Priester‹« bekannt.

Winter 1889

T. M. und seine Schwester Julia nehmen an einem privaten Tanzkursus unter Leitung des Ballettmeisters vom Deutschen Schauspielhaus Hamburg, Rudolf Knoll, teil. »Was aus der braunbezopften Tanzstundenpartnerin geworden ist, der weitere Liebeslyrik galt, kann ich nicht sagen.« (›Lebensabriß‹).

Ostern 1890

Konfirmation in der Marienkirche.

12. April 1890

Bruder Karl Viktor geboren; getauft am 5. Juni zu St. Jacobi.

23. Mai 1890

Hundertjähriges Jubiläum der Firma Johann Siegmund Mann. »Ich sah den Reigen der Gratulanten, der Deputationen, sah Stadt und Hafen in Flaggen, sah den bewunderten, mit furchtsamer Zärtlichkeit geliebten Mann des Tages, meinen Vater, weltgewandt ein Jahrhundert bürgerlicher Tüchtigkeit repräsentieren, und mein Herz war beklommen ... So wußte ich damals, daß ich nicht der Nachfolger meines Vaters und meiner Väter sein, wenigstens nicht in der Form, wie man es stillschweigend von mir verlangte, und daß ich die alte Firma nicht weiter in die Zukunft führen würde.« (›Hundert Jahre Reclam‹).

6. Dezember 1890

Großmutter Catharina Elisabeth Mann, geborene Marty, die letzte der vorvorigen Generation, gestorben. Verkauf des alten Familienhauses in der Mengstraße.

13. Oktober 1891

Tod des Senators Thomas Johann Heinrich Mann, 51 Jahre alt. »Mein Vater starb an einer Blutvergiftung in verhältnismäßig jungen Jahren, als ich fünfzehn [!] zählte. Er war dank seiner

Intelligenz und seiner formalen Überlegenheit in der Stadt ein höchst angesehener, populärer und einflußreicher Mann gewesen, hatte aber an dem Gang seiner Privatgeschäfte seit Jahren schon nicht mehr viel Freude gehabt, und nach seiner Beerdigung, die an Ehrenpomp und Teilnahme alles überbot, was seit langem in dieser Art gesehen worden war, liquidierte die mehr als hundertjährige Getreidefirma.« (›Lebensabriß‹).

1891

Frau Julia Mann zieht mit ihren Kindern in eine Villa vor dem Burgtor: Roeckstraße 9. Heinrich Mann in einer Buchhändlerlehre in Dresden. Verkauf des Hauses Beckergrube 52.

1892

Erste Begegnung mit der Kunst Richard Wagners, als der Tenor Emil Gerhäuser am Lübecker Stadttheater engagiert ist. »Später war es ein künstlerisches Kapital-Ereignis meines Lebens, die Begegnung mit der Kunst Richard Wagners, die das Theater meiner Heimatstadt mir vermittelte ... Damals war der junge Emil Gerhäuser Heldentenor der städtischen Oper. In seiner Stimme Maienblüte sang er den Tannhäuser, den Walther Stolzing und noch häufiger den Lohengrin. Ich will mich nicht vermessen, aber ich glaube, einen empfänglicheren, einen hingenommeneren Zuhörer hat das Stadttheater nie beherbergt, als ich es an jenen zaubervollen Abenden war.« (›Erinnerungen an Lübecks Stadttheater‹).

Ostern 1892

Frau Senator Mann zieht mit den drei jüngsten Kindern nach München. T. M. kommt zuerst bei Oberlehrer Dr. Hupe, dann bei Oberlehrer Dr. Timpe in Pension.

Ostern 1893

Letztes Schuljahr. Wohnung bei Professor Hempel. »Ich habe diese Zeit in heiterer Erinnerung. Die ›Anstalt‹ erwartete nichts mehr von mir, sie überließ mich meinem Schicksal, das mir selbst durchaus dunkel war, dessen Unsicherheit mich aber, da ich mich trotz alledem gescheit und gesund fühlte, nicht zu bedrücken vermochte. Ich saß die Stunden ab, lebte aber im übrigen sozusagen auf freiem Fuß und stand mich gut mit den Pensionskameraden, an deren verfrühten Studentenkommersen ich zeitweise mit leutseligem Übermut teilnahm.« (›Lebensabriß‹).

Wahrscheinlich Entstehung des Gedichts ›Zweimaliger Abschied‹ (In ›Der Frühlingssturm‹, Mai 1893).

Mai 1893

Thomas Mann gibt unter dem Pseudonym Paul Thomas zusammen mit seinem Freunde Otto Grautoff und einigen Primanern die Schülerzeitschrift ›Der Frühlingssturm, Monatsschrift für Kunst, Litteratur und Philosophie‹ heraus (Mai und Juni/Juli 1893). Es erscheinen zwei Hefte, dann geht die Zeitschrift ein. »Frühlingssturm! Ja, wie der Frühlingssturm in die verstaubte Natur, so wollen wir hineinfahren mit Worten und Gedanken in die Fülle von Gehirnverstaubtheit und Ignoranz und bornirtem, aufgeblasenem Philistertums, die sich uns entgegenstellt.« (Aus dem Vorwort zu der Schülerzeitschrift).

16. März 1894

Abgang von der Schule mit dem Berechtigungsschein für den einjährig-freiwilligen Militärdienst. Abreise nach München.

München

1894–1896

LITERARISCHE UND JOURNALISTISCHE ARBEITEN

April 1894

Eintritt in die ›Süddeutsche Feuerversicherungsbank‹, München, als Volontär. Wohnung bei der Mutter, Frau Senator Mann, Rambergstraße 2.

Heimliche Niederschrift der Novelle ›Gefallen‹ (In ›Die Gesellschaft‹, Leipzig, Oktober 1894) in den Bürostunden: »Unter schnupfenden Beamten kopierte ich Bordereaus und schrieb zugleich heimlich an meinem Schrägpult meine erste Erzählung, eine Liebesnovelle mit dem Titel ›Gefallen‹, die mir den ersten literarischen Erfolg brachte ... sie trug mir auch einen warmherzigen und ermutigenden Brief Richard Dehmels ein, ja wenig später sogar den Besuch des bewundernswerten Dichters ...« (›Lebensabriß‹).

Herbst 1894

T. M. kündigt die Stellung bei der Versicherungsgesellschaft. Gasthörer an der Technischen Hochschule München, mit der Absicht, Journalist zu werden.

4. November

T. M. belegt folgende Vorlesungen:

Prof. Max Haushofer, Nationalökonomie (vierstündig)
Prof. Felix Stieve, Kultur und Weltgeschichte (vierstündig)
Prof. Wilhelm Hertz, Deutsche Mythologie (zweistündig)
Prof. Franz von Reber, Grundlegung der Ästhetik (einstündig)
Prof. Karl von Reinhardstöttner, Shakespeares Tragödien

». . . ich . . . belegte Vorlesungen, die geeignet schienen, mich auf jenen etwas unbestimmten Beruf allgemein vorzubereiten: historische, nationalökonomische, kunst- und literaturgeschichtliche Unterweisungen, die ich zeitweise regelmäßig und nicht ganz ohne Nutzen besuchte.« (›Lebensabriß‹).

T. M. wird Mitglied des ›Akademisch-Dramatischen Vereins‹. In Münchner Kaffeehäusern macht T. M. als Autor von ›Gefallen‹ die Bekanntschaft zeitgenössischer Schriftsteller und Dichter: von

Otto Erich Hartleben, Oskar Panizza, Julius Schaumberger, Ludwig Scharf, Heinrich von Reder und dem späteren Politiker Erich Koch-Weser.

»Große und entscheidende Lese-Eindrücke«: »Zweifellos ist der geistige und stilistische Einfluß Nietzsches schon in meinen ersten an die Öffentlichkeit gelangten Prosaversuchen kenntlich ... Die Berührung mit ihm war in hohem Grade bestimmend für meine sich bildende Geistesform ... ich sah in Nietzsche vor allem den Selbstüberwinder; ich nahm nichts wörtlich bei ihm, ich *glaubte* ihm fast nichts, und gerade dies gab meiner Liebe zu ihm das Doppelschichtig-Passionierte, gab ihr die Tiefe.« (›Lebensabriß‹).

29. November 1894

T. M. sendet seine nächste Novelle ›Der kleine Professor‹ (verlorengegangen) an Richard Dehmel, der sie in die Zeitschrift ›Pan‹ aufnehmen soll; Dehmel lehnt ab, schreibt aber einen »überaus liebenswürdigen Brief« an den jungen Autor.

Februar 1895

Teilnahme an Faschingsveranstaltungen, Konzert- und Theaterbesuche; gelegentlich Arbeit an einem Märchenspiel in Versen, ›Der alte König‹, und der Novelle ›Walter Weiler‹ (das erste verlorengegangen), später umgearbeitet in ›Der Bajazzo‹. »Kürzlich habe ich nur allerlei Lyrik fertiggebracht. Zu Gedichten gehört ja kein Fleiß und keine Ausdauer. Ich mache sie gewöhnlich beim Einschlafen.« (An Otto Grautoff, unveröffentlichter Brief) (u. a.: ›Siehst du, Kind, ich liebe dich‹, in ›Die Gesellschaft‹, Leipzig, Januar 1895).

April 1895

Heinrich Mann übernimmt die Redaktion der Zeitschrift ›Das Zwanzigste Jahrhundert. Blätter für deutsche Art und Wohlfahrt‹, vordem herausgegeben von Friedrich Lienhard.

Mai 1895

Beginn des Sommersemesters. T. M. belegt als Student der Allgemeinen Abteilung des Polytechnikums folgende Vorlesungen:

Prof. Franz von Reber, Kunstgeschichte (Deutsche Architektur nach Karl dem Großen); Prof. Felix Stieve, Deutsche Geschichte im 19. Jahrhundert; Prof. Wilhelm Hertz, Deutsche Literatur im Mittelalter. »Besonders fesselte mich ein Kolleg über ›Höfische Epik‹, das der Dichter und Übersetzer aus dem Mittelhochdeutschen Wilhelm Hertz damals am Polytechnikum las.« (›Lebensabriß‹).

15. Mai 1895
T. M. sendet die Novelle ›Walter Weiler‹ an Richard Dehmel: »Ich hoffe nichts, als daß Sie über kurz oder lang einmal Muße finden werden, die Novelle durchzusehen und mir Ihre Meinung darüber mitzuteilen, ob die Arbeit etwas taugt.« (Briefe I).

15. Juni 1895
Die deutsche Uraufführung von Ibsens ›Wildente‹ durch den ›Akademisch-Dramatischen Verein‹ unter der Leitung von Ernst von Wolzogen: T. M. spielt die Rolle des Großhändlers Werle.
T. M. arbeitet mit Buchbesprechungen und Glossen gelegentlich an der Zeitschrift ›Das Zwanzigste Jahrhundert‹ mit (Berlin 1895/96).

Juli–Oktober 1895
Erste Italienreise mit Bruder Heinrich: Palestrina–Rom. »Im vergangenen Jahre nun hielt ich mich in Italien auf, in Rom und Umgebung. Ich hatte die heißen Monate im Gebirge verlebt, war Ende September in die Stadt zurückgekehrt ...« (›Der Wille zum Glück‹).

Oktober 1895
Nach der Rückkehr nach München weitere Mitarbeit am ›Zwanzigsten Jahrhundert‹ zusammen mit seinem Bruder, der von Rom aus diese Zeitschrift redigiert.

1896
Entstehung der Novelle ›Der Wille zum Glück‹ (›Simplicissimus‹, August/September 1896).

Juni 1896
Erste Reise nach Wien. »In jungen Jahren kam ich zuerst dorthin, mit einundzwanzig, als mir soeben eine durch mein Mündigwerden fällig gewordene Police von zweihundert Mark ausgezahlt worden war. Diese hatte ich beschlossen in Wien zu verprassen, und es war in drei oder vier Tagen geschehen, obgleich ich bloß in dem guten alten Hotel Klomser in der Herrengasse wohnte.« (›Verhältnis zu Wien‹).

Aug./Sept. 1896
Entstehung der Novelle ›Der kleine Herr Friedemann‹ (Neue deutsche Rundschau‹, Mai 1897).

1896–1898

DER ITALIENAUFENTHALT

Oktober 1896
Drei Wochen Venedig, von dort Reise über Ancona und Rom nach Neapel.
November 1896
Dort Niederschrift der Novelle ›Enttäuschung‹ (in ›Der kleine Herr Friedemann‹, Novellen, Berlin: S. Fischer 1898).
Dezember 1896
Rom, Via de Pantheon 57 III, zusammen mit Bruder Heinrich: »Mein Bruder, der ursprünglich gern Maler hätte werden wollen, zeichnete damals viel. Ich verschlang, im Qualm unzähliger 3-Centesimi-Zigaretten, skandinavische und russische Literatur und schrieb.« (›Lebensabriß‹).
T. M. schickt die in München entstandene Novelle ›Der kleine Herr Friedemann‹ an die ›Neue deutsche Rundschau‹ (erschienen: Mai 1897). Der Redakteur Oskar Bie fordert darauf den Autor auf, alles bisher Geschriebene einzusenden. Der Novellenband ›Der kleine Herr Friedemann‹ wird vorbereitet. Weitere Novellen: ›Der Tod‹ (›Simplicissimus‹, Januar 1897), ›Der Bajazzo‹ (›Neue deutsche Rundschau‹, September 1897), ›Tobias Mindernickel‹ (›Neue deutsche Rundschau‹, Januar 1898), ›Luischen‹ (›Die Gesellschaft‹, Bd. 1, 1900).
1897
In Zusammenarbeit mit Heinrich Mann entsteht das ›Bilderbuch für artige Kinder‹, gedacht als Konfirmationsgeschenk für Schwester Carla: satirische Gedichte, Karikaturen, Phantasien (1933 verlorengegangen).
29. Mai 1897
Brief des Verlegers S. Fischer: Aufforderung, ein größeres Prosawerk zu schreiben. Plan der ›Buddenbrooks‹; zuerst als gemeinsame Arbeit der Brüder gedacht.
22. Juli 1897
In Palestrina Wohnung im Albergo Casa Bernardini: Vorarbeiten zu ›Buddenbrooks‹: genealogische und chronologische Skizzen, Erkundigungen nach Familienereignissen und Lübecker städtischen Verhältnissen bei seiner Schwester Julia und Onkel Wilhelm Marty.

Herbst 1897
Rückkehr nach Rom, Via Torre Argentina 34.
Oktober 1897
Beginn der Niederschrift des Romans. »Als ich ›Buddenbrooks‹ zu schreiben begann, saß ich in Rom, Via Torre Argentina trenta quattro, drei Stiegen hoch. Meine Vaterstadt hatte nicht viel Realität für mich, man kann es mir glauben, ich war von ihrer Existenz nicht sehr überzeugt. Sie war mir, mit ihren Insassen, nicht wesentlich mehr als ein Traum, skurril und ehrwürdig, geträumt vorzeiten, geträumt von mir und in der eigentümlichsten Weise mein eigen. Drei Jahre schrieb ich an dem Buche, mit Müh' und Treue.« (›Bilse und ich‹). Das erste Blatt der Urhandschrift ist datiert »Ende Oktober 1897«.
Frühjahr 1898
Erscheinen des ersten Novellenbandes ›Der kleine Herr Friedemann‹ (Berlin: S. Fischer 1898, 1.–2. Tsd.). »Noch während meines römischen Aufenthaltes erschien mein erstes kleines Buch ... Ich durfte ›mich‹ in den Auslagen römischer Librerien liegen sehen.« (›Lebensabriß‹).
Ende April 1898
Rückkehr nach München.

BEIM ›SIMPLICISSIMUS‹

1. Mai 1898
Erste Junggesellenwohnung: Theresienstraße 82 part. r., bald umgezogen in die Barerstraße 69[I].
1898–1900
Lektor und Korrektor in der Redaktion des ›Simplicissimus‹. »Korfiz Holm, mir von Lübeck her bekannt und befreundet, wo er, der gebürtige Balte, die Prima absolviert hatte, gehörte zu jener Zeit dem Verlagshause Langen an, dessen Chef, wegen Majestätsbeleidigung verfolgt, im Auslande lebte, wie Wedekind. Von der Straße weg, bei einer Begegnung, engagierte Holm mich mit einem Monatsgehalt von hundert Mark für die Redaktion des ›Simplicissimus‹ und etwa ein Jahr lang, bis Langen von Paris aus den Posten kassierte, arbeitete ich in den eleganten Bureauräumen der Schackstraße als Lektor und Korrektor, hatte namentlich die erste Auswahl unter dem Novellenmanuskript-Einlauf für

den ›Simplicissimus‹ zu treffen und von der übergeordneten Instanz, Dr. Geheeb, dem Bruder des Landschulpädagogen, die endgültige Entscheidung über meine Vorschläge einzuholen. Diese Tätigkeit hatte guten Sinn.« (›Lebensabriß‹).

November 1898

Neue Wohnung in der Marktstraße 5^{III} in Schwabing: Schilderung dieser Wohnung in der Novelle ›Der Kleiderschrank‹, niedergeschrieben vom 23.–29. November, in die Erstausgabe des Novellenbandes ›Tristan‹ mit der Widmung ›Für Carla‹ aufgenommen (›Der Kleiderschrank, Eine Geschichte voller Rätsel‹, in ›Neue deutsche Rundschau‹, Juni 1899). (T. M. Not. B.).

18. Januar 1899

Schreibt die Terzinen ›Monolog‹ (›Die Gesellschaft‹, 1899, Bd. 2) nieder.

Beginn einer engen Freundschaft mit Kurt Martens, Verfasser des ›Romans aus der Décadence‹ (1898). »Sympathische Beziehungen verbanden mich mit Kurt Martens, dem Romancier und Novellisten ... Er gehört zu den wenigen, an den Fingern einer Hand herzuzählenden Menschen, mit denen ich im Laufe meines Lebens auf den Duzfuß kam.« (›Lebensabriß‹). Weitere literarische und künstlerische Bekanntschaften dieser Zeit: Markus Behmer, Arthur Holitscher, Alfred Kubin, Hans von Weber.

Juni 1899

Neue Wohnung: Feilitzschstraße 5^{III}. »Ich war in jenen Jahren ein so leidenschaftlicher Radfahrer, daß ich fast keinen Schritt zu Fuße ging und selbst bei strömendem Regen, in Gummischuhen und Lodenpelerine, alle meine Wege auf dem Vehikel zurücklegte. Auf der Schulter trug ich es die drei Treppen hinauf in meine Wohnung, wo es in der Küche seinen Platz hatte. Vormittags, nach der Arbeit, pflegte ich es zu putzen, indem ich es auf den Sattel stellte.« (›Lebensabriß‹).

Juli 1899

Weiterarbeit an den ›Buddenbrooks‹, unterbrochen von kleineren Arbeiten, u. a. ›Gerächt‹ (Novelle, in ›Simplicissimus‹, August 1899). »Nehmen Sie mir das, was demnächst im ›Simplicissimus‹ stehen wird, nicht übel! Es ist recht minderwerthig, aber ich muß mich doch, bis der Roman fertig ist, hie und da in Erinnerung bringen. Übrigens bringt die ›Gesellschaft‹ in den nächsten Wochen etwas Älteres und Besseres, sehr Melancholisches und Bissiges von mir.« [›Luischen‹] (An Kurt Martens, Briefe I).

September 1899
Urlaubsreise nach Dänemark. Besuch Lübecks, Logis im Hotel ›Stadt Hamburg‹, Episode der beinahe erfolgten Verhaftung wegen Hochstapelei in der Vaterstadt, neuntägiger Aufenthalt in Aalsgard am Sund. Konzeption der Novelle ›Tonio Kröger‹.

Herbst 1899
Bekanntschaft mit Schopenhauers Philosophie. »Das kleine, hochgelegene Vorstadtzimmer schwebt mir vor Augen, worin ich ... tagelang hingestreckt auf ein sonderbar geformtes Langfauteuil oder Kanapee, ›Die Welt als Wille und Vorstellung‹ las. Einsamunregelmäßige, welt- und todsüchtige Jugend – wie sie den Zaubertrank dieser Metaphysik schlürfte, deren tiefstes Wesen Erotik ist und in der ich die geistige Quelle der Tristanmusik erkannte! So liest man nur einmal. Das kommt nicht wieder. Und welch ein Glück, daß ich ein Erlebnis wie dieses nicht in mich zu verschließen brauchte, daß eine schöne Möglichkeit, davon zu zeugen, dafür zu danken, sofort sich darbot, dichterische Unterkunft unmittelbar dafür bereit war! Denn zwei Schritte von meinem Kanapee lag aufgeschlagen das unmöglich und unpraktisch anschwellende Manuskript ... welches eben bis zu dem Punkte gediehen war, daß es galt, Thomas Buddenbrook zu Tode zu bringen.« (›Betrachtungen eines Unpolitischen‹: ›Einkehr‹): s. ›Buddenbrooks‹ 10. Teil, 1. Kap.

24. November 1899
Lesung der Novelle ›Der Kleiderschrank‹ auf dem 2. Vortragsabend der ›Münchener Literarischen Gesellschaft‹ durch den Königl. Hofschauspieler Otto König.

Januar 1900
Nur geringer Absatz des Novellenbandes ›Der kleine Herr Friedemann‹ (Berlin: S. Fischer 1898). »Der literarische Erfolg Ihres Buches war größer als der buchhändlerische; nach unserer letzten Lageraufnahme vom Juli d. J. hatten wir noch 1587 Exemplare auf Lager.« (S. Fischer an T. M., 12. Januar 1900).
Ende der Tätigkeit in der ›Simplicissimus‹-Redaktion. Arbeit an den Schlußkapiteln der ›Buddenbrooks‹.

18. Juli 1900
Die letzte Zeile der ›Buddenbrooks‹ geschrieben. Die ersten Kapitel wurden bis Mitte August überarbeitet.

13. August 1900
»Das Manuskript ging an Fischer, dem ich mich seit dem ›Kleinen Herrn Friedemann‹ verbunden fühlte. Ich weiß noch, wie ich

es verpackte: so ungeschickt, daß ich mir heißen Siegellack auf die Hand fallen ließ und eine fürchterliche Brandblase davontrug ...« (›Lebensabriß‹). Entstehung der Novelle ›Der Weg zum Friedhof‹ (›Simplicissimus‹, 20. September 1900). Sie »fand den besonderen Beifall Ludwig Thomas«. (›Lebensabriß‹). Widmung »Für Arthur Holitscher«.

15. August 1900

»Wir bestätigen Ihnen den Eingang Ihres Manuskripts.« (S. Fischer an T. M.).

29. August 1900

Erste Begegnung mit seinem Verleger S. Fischer und dessen Frau in München. »Bei dem Souper gestern, mit Fischers, ist natürlich nichts Positives herausgebraten. Das Beisammensein verlief so nichtssagend wie nur immer möglich, und höchst wahrscheinlich wäre es, wie immer, viel besser gewesen, wenn er mich und ich ihn niemals zu Gesicht bekommen hätte.« (An Otto Grautoff, 30. August 1900).

1. Oktober 1900

Als Einjährig-Freiwilliger beim Königl. bayerischen Infanterie-Leibregiment. »Geschrei, Zeitvergeudung und eiserne Schmuckheit quälten mich über die Maßen ...« (›Lebensabriß‹). Infolge einer Sehnenscheidenentzündung im Fußgelenk ins Lazarett.

Dezember 1900

Entlassung wegen Dienstuntauglichkeit. »Schon nach einem Vierteljahr, noch vor Weihnachten, wurde ich mit schlichtem Abschied entlassen, da meine Füße sich nicht an jene ideale und männliche Gangart gewöhnen wollten, die Parademarsch heißt.« (›Im Spiegel‹). Während des Lazarettaufenthaltes ein dringender Brief an S. Fischer, der eine Kürzung der ›Buddenbrooks‹ verlangt: »Der Brief, mit fliegendem Stift in großer Sorge geschrieben, war bewegt und notgedrungen geschickt; er verfehlte nicht seine Wirkung. Fischer entschloß sich zum Druck ...« (›Lebensabriß‹).

1900–1905

›TRISTAN‹, ›TONIO KRÖGER‹, ›FIORENZA‹

Herbst 1900
Seit dem Herbst oder schon früher Plan eines Renaissance-Dramas, ›Der König von Florenz‹ oder ›Savonarola‹. Im Dezember Besuch einer Kopien-Ausstellung florentinischer Renaissance-Plastiken: »... für mich äußerst interessant, weil man durch die Porträtbüsten den Typus der Leute von damals auf so angenehme Art kennen lernt.« (An Heinrich Mann, Briefe I).
Ende Dezember 1900
Unterbricht die Studien zur ›Fiorenza‹ und »arbeitet an einer neuen Novelle bitterwehmütigen Charakters«. [›Tonio Kröger‹] (An Heinrich Mann, 29. Dezember 1900, Briefe I).
Januar 1901
»Vorderhand genieße ich meine junge Freiheit mit Hingebung und Zärtlichkeit und bin schon wieder ganz in dem Münchener Kunst-, Musik-, Theater- und Literaturleben zu Hause ...« (An Hilde Distel, Briefe I).
Besuch des Nietzsche-Abends von Paul Wiecke, Schauspieler am Hoftheater Dresden, eines Rezitationsabends von Ludwig Wüllner; Premieren.
Plan einer Reise nach Florenz zu seinem Bruder Heinrich.
Freundschaft mit den Brüdern Paul und Carl Ehrenberg, Söhnen des Dresdner Malers und Akademieprofessors Carl Ehrenberg; Carl, der ältere, ist Musiker und Komponist, wird später Akademieprofessor in Köln, Paul ist Maler und studiert an der Münchner Kunstakademie. Sie spielen Trios, machen Radfahrten, besuchen die Schwabinger Bauernbälle, halten zu dritt Abendmahlzeiten. »Am Sylvesterabend haben Ihre preiswürdigen Brüder, die beiden Ehrenbergs, den Punsch mit uns getrunken. Paul ist persönlich ein noch lieberer Kerl, aber Carl hat die Musik auf seiner Seite, die Kunst, der ich, unerwiderte Liebe im Herzen, sehnsüchtig nachlaufe.« (An Hilde Distel, Briefe I).
2. Januar 1901
Besuch einer ›Meistersinger‹-Aufführung mit Emil Gerhäuser als Walther Stolzing.
17. Januar 1901
Erste öffentliche Lesung zusammen mit Kurt Martens im ›Aka-

demisch-Dramatischen Verein‹, München. T. M. las u. a. ›Der Weg zum Friedhof‹. »... wahr ist, daß Piepsam beinahe mit jedem Satze lebhafte Heiterkeit erregte und anhaltend beklatscht wurde. Daß ich gut gelesen habe, macht mir besonderen Spaß, und am stolzesten bin ich darauf, daß Direktor Stollberg (vom Schauspielhaus), der erschienen war, sich außerordentlich zu amüsiren schien, mir demonstrativ applaudirte und eine besondere Verbeugung entgegennahm. So ein Theaterdirektor ist eine so wichtige Macht!« (An Heinrich Mann, Briefe I).

Februar 1901

Studium von Quellenliteratur zu ›Fiorenza‹: Pasquale Villari, ›Savonarola und seine Zeit‹, Jacob Burckhardt, ›Kultur der Renaissance in Italien‹, Giorgio Vasaris Künstlerbiographien.

In diesem Winter ein tiefes Freundschaftserlebnis mit dem Maler Paul Ehrenberg, der T. M.s Porträt malt. »Wenn der Frühling kommt, werde ich einen innerlich unerhört bewegten Winter hinter mir haben. Depressionen wirklich arger Art mit vollkommen ernst gemeinten Selbstabschaffungsplänen haben mit einem unbeschreiblichen, reinen und unverhofften Herzensglück gewechselt.« (An Heinrich Mann, Briefe I). »Meine Neigung für den Jüngeren, Paul, der ... Maler war, Akademiker und Schüler des berühmten Tiermalers Zügel, außerdem vorzüglich Violine spielte, war etwas wie die Auferstehung meiner Empfindungen für jenen zugrunde gegangenen blonden Schulkameraden, aber dank größerer geistiger Nähe sehr viel glücklicher.« (›Lebensabriß‹). Paul Ehrenberg wird der Neunte Teil der ›Buddenbrooks‹ gewidmet: »Paul Ehrenberg, dem tapferen Maler, zur Erinnerung an unsere Münchener musikalisch-litterarischen Abende.«

Von S. Fischer kommt die Nachricht, daß die ›Buddenbrooks‹ im Oktober erscheinen sollen. Vorbereitung eines neuen Novellenbandes, Arbeit an der Novelle ›Tristan‹: »Eine Burleske, die ich in Arbeit habe, und die wahrscheinlich ›Tristan‹ heißen wird (*Das* ist echt! Eine Burleske, die ›Tristan‹ heißt!)«, die längst geplante »Novelle mit dem unschönen aber spannenden Titel ›Litteratur‹. (*Illae* lacrimae!)«. (An Heinrich Mann, Briefe I).

Mai 1901

Reise nach Florenz (Via Cavour 11^{II}) und Venedig. In Florenz Freundschaft mit der Engländerin Miss Mary Smith. »She is so very clever, und ich bin so dumm, immer die zu lieben, die clever sind, obgleich ich doch auf die Dauer nicht mitkann.« (An Heinrich Mann, Briefe I). »... ein zärtliches Verhältnis entwickelte sich, von dessen ehelicher Befestigung zwischen uns die Rede war.« (›Lebensabriß‹). T. M. widmet ihr die Novelle ›Gladius Dei‹: »To M. S. in remembrance of our days in Florence.«

Juni 1901

Wieder in München. Die Novelle ›Tristan‹ beendet; von der ›Neuen deutschen Rundschau‹ abgelehnt; sie sollte in der ›Insel‹ erscheinen, die leider ihr Erscheinen einstellte.

10. Juli–Ende August 1901

Reise mit Bruder Heinrich nach Bozen, dort übernachtet, am nächsten Tag weitergereist nach Mitterbad, Südtirol. Arbeitet dort an der Novelle ›Gladius Dei‹. »Ich werde wahrscheinlich bis Ende nächsten Monats hierbleiben.« (An Paul Ehrenberg, Briefe III).

Oktober 1901

Erstausgabe der ›Buddenbrooks‹ in zwei Bänden (Berlin: S. Fischer 1901, 1. Tsd.). Der Achte Teil trägt die Widmung »Meinem Bruder Heinrich, dem Menschen und Schriftsteller, zu Ehren.«

18. November 1901

Lesung im ›Akademisch-Dramatischen Verein‹, u. a. aus den ›Buddenbrooks‹, ›Gladius Dei‹ (Novelle, in ›Die Zeit‹, Wien, 12. und 19. Juli 1902) und ›Tristan‹.

etwa 20. November–19. Dezember 1901

In Riva am Gardasee bei einem Freund der Brüder Mann, Dr. von Hartungen, Villa Cristoforo.

Januar 1902

Neue Wohnung in München: Ungererstraße 24.

Winter 1901/02

»Gearbeitet habe ich nicht diesen Winter, sondern nur erlebt, sehr menschlich erlebt und mein Gewissen damit besänftigt, daß ich mein Notizbuch voll Beobachtungen schrieb.« (An Kurt Martens, Briefe I).

März 1902

Besuch mehrerer musikalischer Veranstaltungen: Violinabend Willy Burmester (12. März); Akademie-Konzert unter Hermann Zumpe im Odeon (14. März); Wagner-Klavierabend von Franz von Fischer (15. März). »Das ist beinahe zu viel; aber man mag sich doch nichts davon entgehen lassen.« (An Hilde Distel, Briefe I).

Mai 1902

»Ich habe mich jetzt dahin entschlossen, den Sommer in München zu bleiben, in Starnberg nur zu hospitieren und im *Herbst* wieder auf 1 1/2–2 Monate nach Riva zu meinem Doctor zu gehen ...« (An Kurt Martens, unveröffentlichter Brief).

Juni 1902

Arbeitet an der Studie ›Die Hungernden‹ (in ›Die Zukunft‹, Berlin, 24. Januar 1903). »Auch ich arbeite jetzt wieder, completire den Novellenband, der Anfang Herbst erscheinen soll.« (An Kurt Martens, 2. Juni 1902, Briefe I).

Sommer 1902

Begegnung mit S. Fischer in München, der gute Nachrichten über den buchhändlerischen Erfolg der ›Buddenbrooks‹ mitbringt. Er bietet T. M. einen Vorschuß von 1000 Mark an.

Anfang Juli 1902

In Starnberg; von dort mehrtägiger Besuch bei Kurt Martens und seiner Frau in ihrem Sommerhäuschen in Bad Kreuth.

1. September 1902

»Am 1. September habe ich meine Wohnung an der Ungerer-Str. verlassen und bis zu meiner Abreise in der Pension Gisela Unterkunft gefunden.« (An Kurt Martens, Briefe I).

September 1902

Bekanntschaft mit Richard von Schaukal. T. M. widmet ihm die Novelle ›Luischen‹. »... zu meiner Überraschung war er mir ungemein sympathisch. Jedenfalls kein Litterat, sondern ein Dichter (wenn auch manchmal ein schlechter, aber das ist weniger schlimm). Außerdem manierlich, gut angezogen, bescheiden aus Bildung und wohltuend bürgerlich. Also ähnlich wie Sie.« (An Kurt Martens, Briefe I).

2. Oktober–15. November 1902

In Riva am Gardasee bei Dr. von Hartungen, Villa Cristoforo. Lektüre von Romanen Herman Bangs und Gustav Frenssens ›Jörn Uhl‹; Wiederaufnahme der Arbeit am ›Tonio Kröger‹ (In ›Neue deutsche Rundschau‹, Februar 1903): »Ich arbeite sogar, wenn auch sehr behutsam und noch zeilenweiser, als gewöhnlich, denn was ich vorhabe, (eine längere Novelle) ist wieder etwas so difficiles, daß es durchaus Weile haben will. Dabei bin ich eigentlich pressirt, denn der neue Novellenband liegt mir, bis auf dieses Schlußstück, schon als Correktur vor, und die Geschichte soll vorher noch in der Rundschau erscheinen. Bei dieser Gelegenheit eine Frage und Bitte: die neue Novelle, genannt ›Tonio Kröger‹ und von Qualität, glaub' ich, nicht übel, wird Ihnen ganz persönlich so gut liegen, daß ich versucht bin, sie Ihnen im Buche zu widmen. *Darf ich?*« (An Kurt Martens, Briefe I).

15. November 1902
Neue Wohnung: Konradstraße 11; »Recht hübsche kleine Wohnung.« (An Kurt Martens, Briefe I).
27. November 1902
Lesung im ›Akademisch-Dramatischen Verein‹ aus ›Tristan‹.

VERLOBUNG UND HOCHZEIT

Februar 1903
Reise nach Berlin; Besuch bei S. Fischer in der Fasanenstraße. »Ich bin sehr freundlich aufgenommen worden ... Euer Tonio Kröger.« (An Paul und Carl Ehrenberg, 8. Februar 1903, Briefe III).
4. Februar 1903
T. M. und Jakob Wassermann lesen in der Lessing-Gesellschaft: T. M.: ›Der Weg zum Friedhof‹.
5. Februar 1903
T. M. liest im Verein ›Berliner Presse‹: ›Tonio Kröger‹.
Frühjahr 1903
Der Novellenband ›Tristan‹ erscheint (Berlin: S. Fischer 1903, 1.–2. Tsd.).
T. M. wird in Münchner Salons eingeführt, bei Ernst Rosmer, Schriftstellerpseudonym für die Frau des Rechtsanwalts Max Bernstein, und bei Prof. Alfred Pringsheim und Frau Hedwig, geb. Dohm, in der Arcisstraße 12, dem Elternhaus von Katja Pringsheim. »Die Atmosphäre des großen Familienhauses, die mir die Umstände meiner Kindheit vergegenwärtigte, bezauberte mich. Das im Geiste kaufmännischer Kultureleganz Vertraute fand ich hier ins Prunkhaft-Künstlerische und Literarische mondänisiert und vergeistigt.« (›Lebensabriß‹).
3. April 1903
»Für den 1. Abdruck von ›Tonio Kröger‹ habe ich 400 (vierhundert) Mark bekommen. Bitte dies herumzuerzählen.« (An Carl Ehrenberg, Briefe III).
Mitte Mai 1903
Einige erholsame Tage am Tegernsee bei »wahrem Wunderwetter«. Unterkunft beim Photographen Hoffmann. (An Paul Ehrenberg, 23. Mai 1903).

Sommer 1903

Besuch bei Kurt Martens und Frau in Bad Kreuth; Martens erzählt eine Anekdote aus seinem Husarenregiment, die zum Vorwurf der kleinen Novelle ›Ein Glück‹ wird.

Die Hauptbeschäftigung gilt dem ›Fiorenza‹-Drama.

Juli–August 1903

T. M. besucht seine Mutter in Polling bei Weilheim; Adresse: Herr Schweighardt. Erste Konzeption der ›Königlichen Hoheit‹.

August 1903

T. M. deutet Otto Grautoff – »Meinem Freunde Otto Grautoff« ist der Elfte Teil der ›Buddenbrooks‹ gewidmet – eine zukünftige Verbindung mit dem Hause Pringsheim an. »Die Hausfrau, aus Berliner literarischem Hause stammend, Ernst und Hedwig Dohms Tochter, voller Sinn für meine Existenz und meine jugendliche Leistung, war der leidenschaftlichen Neigung nicht entgegen, die für die einzige Tochter des Hauses in mir keimte ...« (›Lebensabriß‹).

Anfang Oktober 1903

Reise nach Düsseldorf zu seiner Schwester Carla; am 6. Oktober wieder in München.

20. Oktober–27. Oktober 1903

Lesungen in Königsberg in der ›Literarischen Gesellschaft‹ und in Berlin vor dem ›Verein der Berliner Presse‹ aus ›Tonio Kröger‹.

Besuch bei S. Fischer in der Fasanenstraße; erste Begegnung mit Gerhart Hauptmann. »Das Zusammentreffen mit ihm war für mich ein Erlebnis ersten Ranges, und ich wünschte nur, ich hätte ihm ein etwas glücklicheres Bild von mir geben können, als er wahrscheinlich empfangen hat.« (An S. Fischer, Briefe I).

November 1903

T. M. schreibt die Novelle ›Das Wunderkind‹ für die Weihnachtsnummer der ›Neuen Freien Presse‹, Wien (25. Dezember 1903). »Nun sitzt man nicht mehr einsam, frei und verpflichtungslos in seinem Kämmerlein und dichtet so l'art pour l'art vor sich hin. Nun fühlt man sich im Lichtbereich eines ungeheuren Scheinwerfers, in ganzer Figur sichtbar der Öffentlichkeit, mit Verantwortung belastet für die Verwendung der Gaben, die man unklug genug war der Mitwelt zu verrathen, und die Neue Freie Presse telegraphirt nach einer Novelle, einer Novelle aus meiner geschätzten Feder für ihre geschätzte Weihnachtsnummer, – im Ernst, das thut sie, und nach dem zweiten Telegramm habe ich

ihr denn auch irgend einen Wischer für die nächsten Tage zugesagt, während ich doch gerade mit einer Studie für das erste Heft der ›Neuen Rundschau‹ fertig bin (›Ein Glück‹, Studie, in ›Neue Rundschau‹, Januar 1904), dem ›Tag‹ ein Feuilleton bauen soll (›Gabriele Reuter‹, Essay, in ›Der Tag‹, Berlin, 14. und 17. Februar 1904), einen Berg wichtiger Bücher lesen möchte und vor allem an meinen Florentiner Dialogen weiter schreiben müßte ...« (Am 5. Dezember 1903 an Walter Opitz, Briefe I).
Weitere Beschäftigung mit dem neuen Novellenplan. »Man führt, möchte ich sagen, ein symbolisches, ein repräsentatives Dasein, ähnlich einem Fürsten, – und sehen Sie! in diesem Pathos liegt der Keim zu einer ganz wunderlichen Sache, die ich einmal zu schreiben gedenke, einer Fürsten-Novelle, einem Gegenstück zu ›Tonio Kröger‹, das den Titel führen soll: ›Königliche Hoheit‹ ...« (An Walter Opitz, Briefe I).

11. Dezember 1903
Eröffnet den ›Neuen Verein‹, München, mit der Lesung aus ›Tonio Kröger‹ und dem ›Wunderkind‹.

Ende Dezember 1903
»Sehr ernste und tief gehende Korrespondenz« mit seinem Bruder Heinrich über dessen Roman ›Die Göttinnen‹: »Kennen Sie es? Was sagen Sie? Ich bin rathlos.« (An Kurt Martens, 30. Dezember 1903, Briefe I).

1904
Thomas Mann wirbt um Katja Pringsheim. »Ein großes Ballfest in den goldenen Hochrenaissance-Gesellschaftsräumen des Pringsheimschen Hauses, eine glänzende und menschenreiche Veranstaltung, bei der ich vielleicht zum erstenmal die Sonne der öffentlichen Gunst und Achtung voll auf mir ruhen fühlte, brachte Gefühle zur Reife, auf die mein Leben zu gründen ich hoffen durfte.« (›Lebensabriß‹).

29. März 1904
Besuch der geschlossenen Vorstellung der Münchner ›Akademisch-Dramatischen Gesellschaft‹: ›Die Büchse der Pandora‹ von Frank Wedekind. (s. Brief an Freiherrn von der Heydt, 30. April 1904).

Karwoche 1904
Novelle ›Beim Propheten‹ (in ›Das Wunderkind‹, Novellen, Berlin 1914): »Harmlose Huldigung« an Frau Hedwig Pringsheim. Die Novelle entstand nach dem Besuch einer Lesung des George-Jüngers Ludwig Derleth aus seinem ›Manifest‹.

16. April–6. Mai 1904
Aufenthalt in Riva, Villa Cristoforo.
Juli–Ende August 1904
Katja Pringsheim reist zu ihrem erkrankten Vater nach Bad Kissingen, von da mit der Mutter in die Schweiz; anschließend zu Verwandten nach Norddeutschland: lebhafter Briefwechsel zwischen T. M. und ihr. »Unglaublich! In M[ünchen] schienen mir zwei, drei Tage, die ich ohne Sie verbringen sollte, wie eine unüberwindliche Ewigkeit, und jetzt bringe ich es fertig, in leidlich guter Verfassung beinahe 3 Monate ohne Sie zu sein. Der Mensch ist ein widerstandsfähiges Wirbeltier!« (An Katja Pringsheim, Briefe I).
24. Juli 1904
Lesung in Göttingen in der ›Literarischen Gesellschaft‹.
August 1904
Mit seiner Mutter in Utting am Starnberger See.
Ende August 1904
Besuch der Aufführung ›Der Revisor‹ von Gogol.
September 1904
Mit seiner Mutter in Berchtesgaden.
1. Oktober 1904
Neue Wohnung: Ainmillerstraße 31^{III}.
3. Oktober 1904
Verlobung mit Katja Pringsheim (geb. 24. Juli 1883 in München). »... gleichzeitig mit dem Ausdruck des Bedauerns, daß ich Dich gestern verfehlte, kann ich Dir heute nun mitteilen, daß ich mich gestern mit *Katja Pringsheim verlobt habe* ...« (An Kurt Martens, 4. Oktober 1904, Briefe I).
6. November 1904
Vorlesung aus ›Fiorenza‹ im Hause Pringsheim.
28. November 1904
Reise nach Berlin mit Frau Pringsheim und Katja. Erster Besuch bei der Großmutter seiner Braut, der Schriftstellerin Hedwig Dohm, »Little Grandma«.
30. November 1904
Lesung im ›Verein für Kunst‹ aus ›Tonio Kröger‹, ›Das Wunderkind‹ und ›Ein Glück‹.
2. Dezember 1904
Lesung in Lübeck in der ›Literarischen Gesellschaft, Lübecker Leseabend von 1890‹ im Alten Kasinosaal vor einem »sehr zahlreichen Publikum«, aus ›Fiorenza‹ und ›Das Wunderkind‹. »Letz-

tere sprach sehr an, dagegen vermochte Herr Mann nicht mit den Szenen aus dem Drama ein größeres Interesse zu erwecken, wenn auch sein Vorlesen daran die Schuld tragen mag.« (Aus einer Lübecker Besprechung). Rückreise über Berlin, Besuch bei Oskar Bie, dem Redakteur der ›Neuen Rundschau‹.

Januar 1905

Beendigung der ›Fiorenza‹ unmittelbar vor der Hochzeit (In ›Die Neue Rundschau‹, Juli und August 1905). »Manches von den Stimmungen und Empfindungen dieser Zeit ist dichterisch eingegangen in jene dramatisch-undramatischen ›Fiorenza‹-Dialoge ...« (›Lebensabriß‹).

1.–10. Februar 1905

Letzte Junggesellenwohnung: Franz-Joseph-Straße 4, Pensionat Rau.

11. Februar 1905

Hochzeit in München, Hochzeitsreise in die Schweiz. Aufenthalt in Zürich, Hotel Baur au Lac. »Das Ganze war ein sonderbarer und sinnverwirrender Vorgang, und ich wunderte mich den ganzen Tag, was ich da im wirklichen Leben angerichtet hatte, ordentlich wie ein Mann.« (An Heinrich Mann aus Zürich am 18. Februar 1905, Briefe).

23. Februar 1905

Rückkehr nach München; Wohnung Franz-Joseph-Straße 2^{III}.

März 1905

Novelle für die Schiller-Nummer des ›Simplicissimus‹: ›Schwere Stunde‹ (9. Mai 1905).

Mai 1905

Neue Romanpläne: ›Königliche Hoheit‹, ein Friedrich-Roman: »... mein unverschämter Plan, einmal den Lebensroman Friedrichs des Großen zu schreiben, datiert hinter ›Königliche Hoheit‹ zurück.« (An Ernst Bertram, 28. Januar 1910, Briefe I). Sowie ein Maja- oder Faustusroman.

Sommer 1905

Reise nach Berlin, Besuch bei Frau Katja Manns Großmutter; Maximilian Harden, Freund der Familie Dohm, bei einem Besuch nicht angetroffen.
Entstehung der Novelle ›Wälsungenblut‹ (Für ›Die Neue Rundschau‹, Januar 1906 gedruckt; von T. M. wieder zurückgezogen; erst 1921 als Privatdruck mit Steindrucken von Th. Th. Heine im Phantasus-Verlag, München, erschienen).

Ende August 1905
Einige Tage in Zoppot.
November 1905
Protest gegen den Lübecker Rechtsanwalt Enrico von Brocken, der die ›Buddenbrooks‹ in seinem Plädoyer einen »Bilse-Roman« genannt hat.
9. November 1905
Erika Julia Hedwig Mann geboren.
November–Dezember 1905
Polemik um das Recht des Künstlers, lebende Personen zu porträtieren: ›Bilse und ich‹ (in ›Münchner Neueste Nachrichten‹, 15. und 16. Februar 1906).
Dezember 1905
Vortragstournee Prag, Dresden, Breslau: Lesungen aus ›Fiorenza‹ und Novellen.
9. Dezember 1905
Prag.
11. Dezember 1905
Dresden. Besuch von ›Tante Elisabeth‹ (Elisabeth Haag, geb. Mann).
13. Dezember 1905
Breslau. Unterkunft im ›Hotel Riegner‹.

1906–1913

VON ›KÖNIGLICHE HOHEIT‹ BIS ›TOD IN VENEDIG‹

Januar 1906
Stark mit dem Friedrich-Roman beschäftigt. Legt ein Excerpt-Heft an. (An Heinrich Mann, 17. Januar 1906).
Ende Januar 1906
Lesung in Basel aus ›Fiorenza‹ und Novellen.
Mai 1906
Lesung in Dresden; anschließend Ferien im Sanatorium ›Weißer Hirsch‹. »Ich fuhr damals nach Dresden, eingeladen von Förderern der Literatur. Eine Kunst- und Virtuosenfahrt also, wie ich sie von Zeit zu Zeit nicht ungern unternehme. Man repräsentiert, man tritt auf, man zeigt sich der jauchzenden Menge; man ist nicht umsonst ein Untertan Wilhelms II. Auch ist Dresden ja

schön, (besonders der Zwinger), und nachher wollte ich auf zehn, vierzehn Tage zum ›Weißen Hirsch‹ hinauf, um mich ein wenig zu pflegen und, wenn ... der Geist über mich käme, auch wohl zu arbeiten.« (›Das Eisenbahnunglück‹). Frau Katja Mann war »nicht reiselustig«.

Wahrscheinlich um diese Zeit schon Konzeption der ›Bekenntnisse des Hochstaplers Felix Krull‹, angeregt durch Manolescus Memoiren.

Mitte Juni–Mitte September 1906

Sommerferien in Oberammergau, Villa Friedenshöhe. Arbeit an ›Königliche Hoheit‹. »... Mitte Juni gehe ich mit Frau und Kind auf drei Monate nach Oberammergau«. (An Kurt Martens, 30. Mai 1906, Briefe III).

18. November 1906

Klaus Heinrich Thomas Mann geboren.

Februar/März 1907

Antwort auf die Rundfrage: ›Die kulturellen Werte des Theaters‹ (›Versuch über das Theater‹, Essay, in ›Nord und Süd‹, Januar und Februar 1908). »... ich beschloß, den Roman, an dem ich schreibe, ›auf ein paar Tage‹ zu unterbrechen ... Ich habe nicht Tage, sondern Wochen damit im Kampfe gelegen, mehr als einmal war ich der Sache bis zur Verzweiflung überdrüssig; ... aber ich hatte mich engagiert und gehorchte meinem kategorischen Imperativ ›durchhalten‹!« (Mitteilung an die ›Literaturhistorische Gesellschaft in Bonn‹, in ›Mitteilungen‹, Heft 7, 1907).

Mai 1907

Reise nach Venedig und zum Lido.

11. Mai 1907

Uraufführung von ›Fiorenza‹ im Schauspielhaus Frankfurt am Main.

22.–24. Mai 1907

Im Hotel ›Frankfurter Hof‹. T. M. und Frau Katja besuchen am 23. Mai die 6. Aufführung. »Ja, das Frankfurter Experiment ist über das allgemeine Erwarten geglückt: die Aufführbarkeit des Stückes, bisher nicht nur angezweifelt, sondern überhaupt nicht diskutirt, ist nun ganz einfach erwiesen.« (An Hilde Distel, Briefe I).

Ende Juli–Ende September 1907

Ferien in Seeshaupt am Starnberger See, Villa Hirt. Wichtige Äußerung über seine Arbeitsweise an die ›Literaturhistorische Gesellschaft in Bonn‹.

Eine autobiographische Skizze (›Im Spiegel‹ in ›Literarisches Echo‹, Berlin, Dezember 1907).

17. Dezember 1907

Aufführung der ›Fiorenza‹ im Münchner Residenztheater. Polemik mit Hanns von Gumppenberg über dessen Kritik der Aufführung (›Über Fiorenza‹, in ›Münchner Neueste Nachrichten‹, Januar 1908).

Januar 1908

Lesung aus ›Königliche Hoheit‹ auf einer Münchner Wohltätigkeitsveranstaltung.

Anfang Februar 1908

Für eine knappe Woche in Polling.

Anfang Mai 1908

Ehepaar Thomas Mann zusammen mit Heinrich Mann, Ines Schmied und Carla Mann in Venedig. (An Heinrich Mann, 29. April 1908).

28. September 1908

Bau des Sommerhauses in Bad Tölz durch den Münchner Architekten Gabriel von Seidl. »Wir waren den Sommer in Tölz, dessen Luft uns so wohlthat, daß wir uns dort angekauft haben und uns ein Häuschen mit Blick auf den Ort, die Isar und das Gebirge bauen lassen. Es ist im Rohbau beinahe fertig.« (An Philipp Witkop, 1. November 1908, Briefe I). Der Schriftsteller Hans von Hülsen wird ständiger Gast im Hause Mann. Es entwickelt sich eine regelmäßige Korrespondenz zwischen ihnen bis zum Jahre 1930.

November 1908

Arbeit an den Schlußkapiteln von ›Königliche Hoheit‹. »Sie fragen nach meinem Roman. Er ist fertig oder so gut wie fertig. Aber wie das bei mir so geht, er ist so umfangreich geworden, daß er in den drei Oktober-Quartalsheften der ›Neuen Rundschau‹ nicht unterzubringen war und bis Januar hat zurückgestellt werden müssen. Nun, so wird das Buch im Frühjahr erscheinen, was am Ende besser ist, als ganz knapp vor Weihnachten.« (An Philipp Witkop, Briefe I).

Ende November–Anfang Dezember 1908

Reise nach Wien, Hotel Klomser.

25. November 1908

Besuch bei Arthur Schnitzler – ihre erste Begegnung.

Um den 27. November 1908

Gemeinsamer Ausflug mit Arthur Schnitzler und Jakob Wassermann auf den Semmering, wo sie Hugo von Hofmannsthal und dessen Frau treffen wollen.

Anfang Dezember 1908

Besuch bei Hugo von Hofmannsthal in Rodaun. Lesung in Wien aus ›Königliche Hoheit‹, in der Buchhandlung Heller am Bauernmarkt.

13. Februar 1909

›Königliche Hoheit‹ beendet (Vorabdruck in ›Die Neue Rundschau‹, Januar–September 1909).

Frühjahr 1909

Beginn der Arbeit an einem kultur- und zeitkritischen Essay, der nicht vollendet wird.

27. März 1909

Angelus Gottfried Thomas (Golo) Mann geboren.

11. Mai–5. Juni 1909

Im Sanatorium Dr. Bircher-Benner, Zürich.

Sommer 1909

Bekanntschaft mit Max Reinhardt. »Ich war oft in München, im Reinhardt-Theater, das ein bedeutendes Erlebnis für mich war und mir viel Gedankenarbeit verursacht hat. Die Bekanntschaft mit Reinhardt selber hat mich so erregt, wie mich Kindskopf immer die persönliche Berührung mit einem Menschen von Sendung erregt.« (An Walter Opitz, 26. August 1909, Briefe I).

Juni 1909

Die Grundkonzeption des Hochstaplerromans liegt fest. »Meines Vaters Pläne bezüglich des ›Krull‹ reichen zurück bis in den Juni 1909, zu welchem Zeitpunkt bereits er meiner Mutter den Fortgang der Erzählung entwickelte.« (Erika Mann, mitgeteilt von Hans Wysling, ›Archivalisches Gewühle. Zur Entstehungsgeschichte des Hochstaplerromans.‹ Blätter der Thomas-Mann-Gesellschaft, Nr. 5, 1965).

Juli 1909

»Ferner war ich in Bayreuth, zum ›Parsifal‹ – zu spät eigentlich, denn wenn ich an Wagner nie eigentlich geglaubt habe, so hat auch meine Leidenschaft für ihn in den letzten Jahren sehr nachgelassen ... Aber ob es [das Werk] noch Zukunft hat? Ob es als Stimmung, Tendenz, Geschmack nicht schon heute etwas Historisches ist?« (An Walter Opitz, Briefe I).

21. Juli–21. Oktober 1909

Bad Tölz, ›Landhaus Thomas Mann‹.

Arbeit am Essay ›Geist und Kunst‹: »Ich habe mich da auf eine

Sache eingelassen, etwas Kritisches, eine Abhandlung, und daran zermürbe ich mir jeden Vormittag die Nerven so sehr, daß ich nachmittags dem Blödsinn näher bin als der Epistolographie. Ja, Schiller hat recht, wenn er sagt, daß es schwerer sei, einen Brief des Julius zu schreiben als die beste Szene zu machen!« (An Walter Opitz, 26. August 1909, Briefe I).

September 1909

Weitere Arbeitspläne: »Ich arbeite zur Zeit an einem Essay, der den Titel ›Geist und Kunst‹ führen wird. Ferner beschäftige ich mich mit einer kleineren Erzählung ›Der Hochstapler‹, die psychologisch eine gewisse Ergänzung zu meinem Fürstenroman bedeuten wird. Auch mache ich Studien zu einem geplanten historischen Roman.« (Aus einem Interview vom 2. Sept. 1909).

Ende Oktober 1909

Reise nach Italien.

etwa 10. November

›Königliche Hoheit‹ erscheint (Roman, Berlin: S. Fischer 1909, 1.–10. Tsd.); zur gleichen Zeit auch Heinrich Manns Roman ›Die kleine Stadt‹ im Insel-Verlag, Leipzig.

Mitte November–10. Dezember 1909

Vorlesungsreise durch die ›reichsdeutschen Provinzen‹.

22. November 1909

In der ›Literarischen Gesellschaft‹, Halle/Saale.

23.–26. November 1909

Dresden.

28. November 1909

Berlin. Lesung in der ›Kroll-Oper‹. Besuch der Verwandten seiner Frau. (Katja Mann seit dem 25. November auf 14 Tage in Berlin.)

10. Dezember 1909

Rückkehr nach München.

Januar 1910

Beginn der Arbeit am ›Felix Krull‹. »Ich sammle, notiere, studiere für die Bekenntnisse des Hochstaplers, die wohl mein Sonderbarstes werden. Ich bin manchmal überrascht, was ich dabei aus mir heraushole.« (An Heinrich Mann, 10. Januar 1910, Briefe).

28. Januar 1910

Beginn der Korrespondenz mit dem Literarhistoriker Ernst Bertram (1884–1957), der in der Bonner ›Literaturhistorischen Gesellschaft‹ ein Referat über ›Königliche Hoheit‹ gehalten hat.

Februar 1910
»Ich lese Kleists Prosa, um mich so recht in die Hand zu bekommen.« (An Heinrich Mann, Briefe I).

März/April 1910
Polemik gegen den Philosophen und Mathematiker Theodor Lessing wegen seines herabsetzenden Artikels über den Weimarer Schriftsteller Samuel Lublinski (›Der Doktor Lessing, Berichtigungen‹, in ›Literarisches Echo‹, März und April 1910). »Daß Thomas Buddenbrooks Leben ... ein modernes Heldenleben ist, hatte bisher nur ein Kritiker begriffen: der häßliche kleine Lublinski. Und, daß ich es gestehe, einzig aus Dankbarkeit dafür habe ich neulich gegen den verdrehten Schwachkopf von Lessing eine Lanze für ihn gebrochen.« (An Julius Bab, Briefe I).

7. Juni 1910
Monika Mann geboren, getauft am 6. Oktober in Bad Tölz.

Sommer 1910
Bad Tölz, Landhaus.

7. Juli 1910
Lesung des ersten Kapitels von ›Felix Krull‹ im Familienkreis.

30. Juli 1910
Selbstmord der jüngsten Schwester, der Schauspielerin Carla Mann, in der Wohnung ihrer Mutter in Polling. »Ein stolzer und spöttischer Charakter, entbürgerlicht, aber vornehm, liebte sie die Literatur, den Geist, die Kunst und wurde durch eine unentwickelte, ihrer Stufe ungünstige Zeit ins unselig Bohemehafte gedrängt.« (›Lebensabriß‹).
In Bad Tölz schreibt T. M. den Essay ›Der alte Fontane‹ für Maximilian Hardens ›Zukunft‹ (1. Oktober 1910).
Wiederaufnahme der Arbeit am Hochstaplerroman.

28. August 1910
Besuch einer Aufführung von Hebbels ›Gyges und sein Ring‹ in München.

2. September 1910
Der 60. Geburtstag von Prof. Pringsheim wird im Tölzer Landhaus begangen. »Eine Unmenge Telegramme kamen, am Vorabend konzertierte die Kurkapelle in unserm Garten, beim Essen schwang ich mich zu einer Rede auf, und abends war Fackelzug und Gesang von Schulkindern.« (An Paul Ehrenberg, Briefe I).

12. September 1910
Uraufführung der 8. Symphonie von Gustav Mahler in München. Nach dem Konzert Zusammensein T. M.s mit Gustav Mahler und Max Reinhardt.

1. Oktober 1910
Umzug in die neue Wohnung am Herzogpark: Mauerkircherstraße 13

17. Oktober 1910
Besuch der Premiere von Wedekinds ›Liebestrank‹.

November 1910
Vortragsreise nach Weimar. Gast eines ehemaligen Schulkameraden, des Grafen Vitzthum von Eckstädt (»rührende Gastfreundschaft«). – Lesung aus ›Felix Krull‹.

11. Dezember 1910
Lesung im Familienkreis: ›Wie Jappe und Do Escobar sich prügelten‹ (Novelle, in ›Süddeutsche Monatshefte‹, Februar 1911).

Dezember 1910
Als Beitrag für die Weihnachtsnummer des ›Berliner Tageblatts‹ eine Besprechung von Adelbert von Chamissos ›Peter Schlemihls wundersame Geschichte‹ in der Ausgabe des Hans von Weber-Verlages mit den Illustrationen von Emil Preetorius.

Januar 1911
Vortragsreise ins Ruhrgebiet und nach Westfalen: Lesungen aus ›Felix Krull‹, ›Königliche Hoheit‹ und Novellen.

12. Januar 1911
Koblenz.

14. Januar 1911
Bonn.

18. Januar 1911
Düsseldorf.

19. Januar 1911
Bielefeld.

Ende März 1911
»Ich bin mit Kopf und Magen so herunter, daß ich im Begriffe bin, mich auf mehrere Wochen in eine bewährte Naturheilanstalt nach Zürich zurückzuziehen.« (An Korfiz Holm, 20. März 1911, unveröffentlichter Brief).

Mitte Mai 1911
Reise nach der Insel Brioni vor Istrien.

18. Mai 1911
T. M. erfährt dort die Nachricht vom Tod Gustav Mahlers.

26. Mai–2. Juni 1911

Aufenthalt auf dem Lido bei Venedig, ›Hotel des Bains‹. »... denn Brioni war nichts für die Dauer.« (An Hans von Hülsen, unveröffentlichter Brief, mitgeteilt von Herbert Lehnert in ›Thomas Mann's Interpretation of ›Der ‚Tod in Venedig'‹, Rice University Studies, 1964).

Konzeption der Novelle ›Der Tod in Venedig‹. »Nicht zum erstenmal verbrachten wir, meine Frau und ich, einen Teil des Mai auf dem Lido. Eine Reihe kuriosester Umstände und Eindrücke mußte mit einem heimlichen Ausschauen nach neuen Dingen zusammenwirken, damit eine produktive Idee sich ergäbe, die dann unter dem Namen des ›Tod in Venedig‹ ihre Verwirklichung gefunden hat. Die Novelle war anspruchslos beabsichtigt wie nur irgendeine meiner Unternehmungen; sie war als rasch zu erledigende Improvisation und Einschaltung in die Arbeit an dem Betrügerroman gedacht ... Aber die Dinge ... haben ihren eigenen Willen, nach dem sie sich ausbilden ...« (›Lebensabriß‹).

Ende Mai 1911

Auf Anforderung der Zeitschrift ›Der Merker‹, Wien, bringt T. M. für deren Bayreuthheft seine Eindrücke vom Bayreuth-Besuch im Jahre 1909 noch einmal zum Ausdruck: »Und ich meine zu wissen, daß Wagners Stern am Himmel deutschen Geistes im Sinken begriffen ist.« (›Auseinandersetzung mit Richard Wagner‹, in ›Der Merker‹, Wien, Juli 1911). – Am Lido, auf dem Briefpapier des ›Hotels des Bains‹, niedergeschrieben.) »Über Wagner mich zu äußern, habe ich mich nur widerstrebend und unter Zwang eines alten Versprechens an die Redaktion des ›Merker‹ entschlossen ... Dieser Produktion Tempel bauen, dachte ich in meiner Bitterkeit, kann nur eine barbarische und geistig halbblinde Nation.« (An Ernst Bertram, Briefe).

14. Juni–14. Oktober 1911

In Bad Tölz, Landhaus.

August 1911

T. M. fährt zu einer Aufführung der ›Götterdämmerung‹ nach München.

Einleitung zur ›Pantheon-Ausgabe‹ des S. Fischer Verlages von Adelbert von Chamissos ›Peter Schlemihls wundersame Geschichte‹ (›Chamisso‹, Essay, in ›Die Neue Rundschau‹, Oktober 1911), zu der T. M. Partien seines 1910 im ›Berliner Tageblatt‹ erschienenen Aufsatzes ›Peter Schlemihl‹ verwendet.

Beginn mit der Arbeit am ›Tod in Venedig‹. »Ich bin in der Arbeit: eine recht sonderbare Sache, die ich aus Venedig mitgebracht habe, Novelle, ernst und rein im Ton, einen Fall von Knabenliebe bei einem alternden Künstler behandelnd.« (An Philipp Witkop, 18. Juli 1911, Briefe I).

2.–19. September 1911

Frau Katja Mann mit ihren Eltern zur Kur in Sils Maria. »Seit gestern ist meine Frau zurück, leidlich erholt, aber fortdauernd sehr schonungsbedürftig.« (An Josef Ruederer, 20. September 1911, Briefe I).

Oktober 1911

Besuch der Uraufführung von Josef Ruederers Drama ›Der Schmied von Kochel‹ in München.

November 1911

Lesung in Brüssel.

20. November 1911

Besuch der Uraufführung von Gustav Mahlers ›Lied von der Erde‹ unter Bruno Walter in München.

Winter 1911

T. M. liest im Kutscher-Kreis, den Seminarangehörigen von Prof. Arthur Kutscher, in einer Münchener Weinstube aus ›Fiorenza‹.

Januar 1912

Vortragstournee: Lesungen in Heidelberg, Bremen und anderen Städten.

Januar–März 1912

Frau Katja Mann im Sanatorium Ebenhausen b. München.

Februar 1912

Besuch bei Hans von Weber, um die Herausgabe des ›Tod in Venedig‹ als Hyperiondruck zu besprechen.

10. März–25. September 1912

Frau Katja Mann im Waldsanatorium in Davos (Leitung: Dr. Friedrich Jessen). »Im Jahre 1912 war meine Frau an einem Lungenspitzenkatarrh erkrankt und mußte zweimal, in diesem Jahre und aufs neue im übernächsten, eine Reihe von Monaten im Schweizer Hochgebirge verbringen. Im Mai und im Juni 1912 verbrachte ich drei Wochen als Hospitant bei ihr in Davos . . .« (›Lebensabriß‹).

April 1912

Heinrich Manns Drama ›Die große Liebe‹ vollendet. »Herzlichen Glückwunsch zur Vollendung des Dramas! Ich gäbe was drum, könnte ich ein Gleiches von meiner Novelle melden, aber ich kann den Schluß nicht finden. Vielleicht wird mir erst der Luftwechsel, Mitte Mai, dazu verhelfen. Meine Lebenskräfte sind jetzt sehr reduziert.« (An Heinrich Mann, Briefe I).

27. April 1912

Zu seines Bruders Roman ›Der Untertan‹ liefert T. M. Erlebnisse aus seiner Rekrutenzeit.

15. Mai–12. Juni 1912

T. M. besucht seine Frau im Sanatorium in Davos. »Ich leiste hier meiner gebesserten, aber noch keineswegs hergestellten Frau Gesellschaft und gewöhne mich mühsam an die 1600 m. Ein paar Tage lang machten sie mir sogar Fieber, so daß der Professor mich schon profitlich lächelnd für offenbar tuberkulös und einer längeren Kur bedürftig erklärte.« (An Hans von Hülsen, unveröffentlichter Brief).

T. M. sammelt Milieueindrücke für eine neue Novelle, »gedacht wiederum als rasche Einlage in die Schwindlerbekenntnisse ..., und als Satyrspiel zu der novellistischen Tragödie der Entwürdigung, von der ich kam.« (›Lebensabriß‹).

13. Juni 1912

Rückkehr nach München; er besucht am nächsten Tag die Schwiegereltern in der Arcisstraße, um sie über das Befinden ihrer Tochter zu unterrichten. Die Ärzte halten den Fall für unbedenklich, aber langwierig. Eine sechsmonatige Kur sei notwendig.

Ab 15. Juni 1912

In Bad Tölz, Landhaus, mit seiner Mutter und den Kindern. Vollendung des ›Tod in Venedig‹. »Ich lebte, als ich die Geschichte zu Ende schrieb, ... allein mit den Kindern in Tölz, und der bewegte Anteil, den zu Besuch kommende Freunde bei abendlichen Vorlesungen in meinem kleinen Arbeitszimmer daran nahmen, mochte mich auf das fast stürmische Aufsehen vorbereiten, das sie bei ihrem Erscheinen in der Öffentlichkeit erregen sollte.« (›Lebensabriß‹).

Besprechung des Romans ›Der Kampf der weißen und der roten Rose‹ von Georg Hirschfeld (›Ein Werk des Naturalismus‹, in ›Münchner Neueste Nachrichten‹, 22. Juli 1912).

Sommer 1912

›Der Tod in Venedig‹ erscheint (München: Hyperionverlag Hans von Weber, 1912. 13. Hundertdruck).

August 1912

Besuch von Ödön Halasi-Fischer, der T. M. zu einer Reise nach Budapest einlädt.

25. September 1912
Frau Katja Mann kehrt aus Davos zurück.
November 1912
Vortrag Maximilian Hardens in München; Zusammensein mit ihm »bis gegen Morgen«. Besprechung der geplanten ›Fiorenza‹-Aufführung in den Berliner Kammerspielen: »Und wenn man ›Charakter‹ nicht gerade moralisch, sondern mehr ästhetisch nimmt, im Sinne von Figur, Träger einer pittoresken Rolle – so ist er auch ein Charakter.« (An Heinrich Mann, Briefe I).
16. November 1912
Besuch der Hauptmann-Premiere ›Gabriel Schillings Flucht‹ in München.
T. M. Mitglied des Zensurbeirates bei der Königl. Bayerischen Polizeidirektion, München: Differenzen mit Frank Wedekind wegen eines Mißverständnisses. »... sehe ich meine Aufgabe als Mitglied des Censur-Beirates darin, die Aufseher der öffentlichen Ordnung vor Eingriffen in Werke von Dichtungsrang zu warnen.« (An Frank Wedekind, Briefe I).
27. November 1912
Besichtigung von Baugelände in Bogenhausen mit Architekt Ludwig.
Ende Dezember 1912
In Berlin zu einer ›Fiorenza‹-Probe: »Ich war neulich zu einer Probe in Berlin. Schön wird es nicht. Winterstein, der Regisseur, so sympathisch und interessiert er ist, reicht geistig nicht aus ... Den Lorenzo spielt Wegener, und so hat die Aufführung ja schauspielerisch einen gewissen Halt.« (An Maximilian Harden, Briefe I).
3. Januar 1913
Aufführung der ›Fiorenza‹ in den Berliner Kammerspielen. Gehässige Kritik von Alfred Kerr. »Ein giftiges Gejökel, dem der Ahnungsloseste die persönliche Mordlust anmerken muß: Was für ein Charakter! Es wissen nämlich nur wenige, wie sehr es sein Charakter ist, der hier spricht ...« (An Hugo von Hofmannsthal, Briefe I).
16. Januar 1913
Letzte ›Fiorenza‹-Aufführung in Berlin.
Ende Januar 1913
Vortragsreise nach Budapest.

Ab Februar 1913
Aufenthalt im Landhaus Bad Tölz, mit Ausnahme weniger Wochen, bis zum Herbst.
Mitte Februar 1913
Besuch von Ernst Bertram in Bad Tölz; erste persönliche Begegnung.
25. Februar 1913
Grundstück Poschingerstraße 1 gekauft; Besitzerin Frau Katja Mann.
18. März 1913
Lesung in Basel im neuen Konzertsaal: ›Schwere Stunde‹, aus ›Königliche Hoheit‹ und ›Buddenbrooks‹, ›Das Wunderkind‹.
30. April 1913
T. M. setzt sich beim Zensurbeirat für die Freigabe der Aufführung von Frank Wedekinds ›Lulu‹ im Künstlertheater ein. Die Aufführung bleibt verboten.
12. Mai 1913
Tod Friedrich Huchs.
15. Mai 1913
Ansprache am Grabe des Dichters (›Friedrich Huch, Gedächtnisrede‹, in ›Süddeutsche Monatshefte‹, Juni 1913). »Ich war gestern in München, um am Sarge des liebenswerten Dichters ein paar Worte zu sprechen – und konnte es kaum vor Bewegung.« (An Ernst Bertram, Briefe).
26. Mai 1913
Austritt aus dem Zensurbeirat und dem Schutzverband deutscher Schriftsteller wegen unberechtigter Angriffe von Erich Mühsam »oder wie die radikalen Schreier nun heißen«: »So möge denn meine soziale Thätigkeit und die schöne Fiktion der ›Kollegialität‹ ihr Ende finden ...« (An Kurt Martens, Briefe I). – Ein versöhnlicher Brief Frank Wedekinds trifft ein. Später Wiedereintritt in den Schutzverband, Gau Bayern, und schließlich dessen Vorsitzender bis 1933.
19. Juni–12. Juli 1913
Ferienaufenthalt in Viareggio.

1913–1915

›DER ZAUBERBERG‹ – ERSTE ARBEITSPERIODE

Juli 1913

Beginn der Arbeit am ›Zauberberg‹: Vorbereitungen. »Ein dreiwöchiger Aufenthalt am südlichen Meer hat mir wieder recht wohlgethan. Trotzdem lasse ich meinen wunderlichen Roman noch weiter liegen und bereite zunächst noch eine Novelle vor, die eine Art von humoristischem Gegenstück zum ›Tod i[n] V[enedig]‹ zu werden scheint.« (An Ernst Bertram, 24. Juli 1913, Briefe).

September 1913

Vorwort zu dem Roman ›Nacht und Tag‹ von Erich von Mendelssohn (›Vorwort zu einem Roman‹, in ›Süddeutsche Monatshefte‹, November 1913).

Besuch einer Aufführung von Paul Claudels ›Verkündigung‹ im Hellerauer Festspielhaus, in der Übersetzung Jakob Hegners, der die Handlung in eine deutschmittelalterliche Umwelt zurückverlegt. Unter den Besuchern dieser Aufführung befinden sich auch Rainer Maria Rilke, Max Reinhardt und Martin Buber. »Ich bezeugte damals, daß ich den stärksten dichterischen – den überhaupt stärksten künstlerischen Eindruck davon empfangen hätte, der mir seit langem beschieden gewesen sei ... Hat man bemerkt, in welchem Grade die ›Verkündigung‹ in Hegners Übersetzung als Originaldichtung wirkt? Wie zwanglos der Anne Vercors des französischen Textes in den Andreas Gradherz des deutschen, der Pierre de Craon in einen Peter von Ulm, der Maire von Chevoche in den Schulzen von Rothenstein sich verwandelt? Ja, die Liebe zu dieser Dichtung ist vor allem Freude am Gewahrwerden uralter Brüderlichkeit, die mehr als Brüderlichkeit, die Einheit war.« (›Betrachtungen eines Unpolitischen‹).

9. September 1913

Beginn der Niederschrift des ›Zauberberg‹.

Oktober 1913

›Tonio Kröger‹ erscheint als Einzelausgabe mit den Illustrationen von Erich M. Simon (Berlin: S. Fischer 1913, 1.–5. Tsd.).

4. Oktober 1913

T. M. liest im großen Urania-Saal in Wien aus ›Königliche Hoheit‹ und dem ›Hochstapler Felix Krull‹, außerdem Novellen.

16. Oktober 1913
Besuch einer ›Aida‹-Aufführung in München.
12.–13. November 1913
Vortragsreise nach Stuttgart. Lesung in der ›Freien Bühne‹, Stuttgart. Programm wie in Wien.
15. November–21. Dezember 1913
Frau Katja Mann zur Kur nach Meran.
Dezember 1913
Besprechung des Gedichtbandes ›Requiem‹ von Bruno Frank (In ›Der Zwiebelfisch‹, Juni 1914); Bruno Frank hat den ›Tod in Venedig‹ in der ›Neuen Rundschau‹ ausführlich gewürdigt; dieser Kontakt bildet den Anfang der späteren dauerhaften Freundschaft. Zu dieser Zeit wahrscheinlich Niederschrift des Kapitels ›Von der Taufschale und vom Großvater in zwiefacher Gestalt‹.
4.–6. Dezember 1913
Vortragsreise nach Budapest und Wien.
4. Januar–12. Mai 1914
Frau Katja Mann zur Kur nach Arosa.
Um den 5. Januar 1914
Einzug in das neue Haus Poschingerstraße 1. »Ich bin sehr bekümmert, daß meine Frau nicht mit mir Einzug halten konnte. Sie ist seit vorgestern in Arosa: Man verlangte abermals einen mehrmonatigen Hochgebirgsaufenthalt. Es ist hart.« (An Ernst Bertram, Briefe).
Titel des neuen Romans: ›Der Zauberberg‹. Oskar Bie hatte ihn in der ›Neuen Rundschau‹ als ›Der Zauberlehrling‹ angekündigt. »Meine Arbeit ist sehr zurück. Denken Sie ja nicht, daß sie fertig ist. Sie heißt übrigens ›Der Zauberberg‹ (Bie hat sich verlesen) und kann etwas Lesbares werden, wenn die Nerven parieren.« (An Ernst Bertram, 6. Januar 1914, Briefe).
19. Januar 1914
Lesung im ›Lesezirkel Hottingen‹, Zürich: ›Schwere Stunde‹, ›Schulkrankheit‹.
Erste Bekanntschaft mit Prof. Robert Faesi, mit dem eine Korrespondenz von 1921 bis 1955 beginnt.
20. und 21. Januar 1914
Weitere Lesungen in Luzern in der ›Freien Vereinigung Gleichgesinnter‹ und in St. Gallen in der ›Museumsgesellschaft‹.

30. Januar 1914
Lesung aus dem ›Zauberberg‹ in München in der Galerie Caspari, veranstaltet vom ›Forum‹, Leiter Wilhelm Herzog.
13. Februar 1914
Besuch eines Vortrags von Karl Kraus, mit Heinrich Mann und Frank Wedekind.
18. Februar 1914
Einladungen zu einem Abendessen in das neue Haus, unter anderem an Ernst Bertram.
Frühjahr 1914
Mitglied des Wedekind-Comités; T. M. beteiligte sich an einer Geldspende und einer Ehrengabe zum 50. Geburtstag von Frank Wedekind.
Mai 1914
Beitrag zur Wedekind-Festschrift (›Über Frank Wedekind‹. Später: ›Über eine Szene von Frank Wedekind‹, in ›Der Neue Merkur‹, München, Juli 1914).
Juli–Mitte September 1914
In Bad Tölz, Landhaus.
2. Juli 1914
Besuch einer Aufführung von Shakespeares ›Sturm‹, eines Gastspiels von Luise Dumont und Gustav Lindemann, Düsseldorf, im Künstlertheater, München.
15. Juli 1914
Lesung in Freiburg aus dem ›Zauberberg‹.
1. August 1914
Ausbruch des Ersten Weltkrieges. »Ich bin noch immer wie im Traum, – und doch muß man sich jetzt wohl schämen, es nicht für möglich gehalten und nicht gesehen zu haben, daß die Katastrophe kommen mußte. Welche Heimsuchung! Wie wird Europa aussehen, innerlich und äußerlich, wenn sie vorüber ist?« (An Heinrich Mann, Briefe I).
Kriegstrauung Viktor Manns mit Magdalena (Nelly) Kilian aus München. Verabschiedung Viktors und des Schwagers Heinz Pringsheim ins Feld.
›Der Zauberberg‹: »Bei Kriegsausbruch war nichts weiter geschrieben als etwa das erste Drittel des ersten Bandes. Settembrini, als komischer Gegenspieler zur Todesfaszination, gehörte allerdings zur Urabsicht.« (An Oskar A. H. Schmitz, unveröffentlichter Brief, T. M. A., Zürich).

12. August 1914
Heinrich Mann heiratet die Schauspielerin Maria (Mimi) Kanova aus Prag, T. M. Trauzeuge.
August–September 1914
In Bad Tölz, Landhaus.
Artikel ›Gedanken im Kriege‹ (In ›Die Neue Rundschau‹, November 1914). »Ich habe mich herzhaft geschämt, als ich hörte, daß Sie marschierten, und zuletzt war es diese Scham, aus der mein kleiner Versuch in der Rundschau hervorging, – das Bedürfnis, wenigstens meinen Kopf einmal unmittelbar in den Dienst der deutschen Sache zu stellen.« (An Richard Dehmel, Briefe I).
Mitte September 1914
Rückkehr nach München. Niederschrift des Essays ›Friedrich und die große Koalition, Ein Abriß für den Tag und die Stunde‹ (in ›Der Neue Merkur‹, Jan./Febr. 1915). »Da ich nach dem Rundschau-Artikel noch nicht zu meiner Erzählung zurückfand, habe ich, zu meiner Beschäftigung, einen längeren historischen Abriß ›Friedrich und die große Koalition von 1756‹ geschrieben ...« (An Ernst Bertram, 17. Februar 1915, Briefe).
Oktober 1914
Erstausgabe des Novellenbandes ›Das Wunderkind‹ (Berlin: S. Fischer 1914, 1.–22. Tsd.).
Besuch von Geheimrat Prof. Berthold Litzmann und Frau aus Bonn auf der Durchreise: sie berichten über Ernst Bertrams Bonner Vortrag ›Wie deuten wir uns?‹
30. November 1914
Lesung am Forum-Abend der Galerie Caspari, München, aus dem ›Zauberberg‹ und aus Novellen. T. M. meldet sich zur Landsturmrolle.
Mitte Dezember 1914
T. M. beendigt den Friedrich-Essay.
Ende Dezember 1914–3. Februar 1915
Sechs Wochen in Bad Tölz: »... ein Schneeabenteuer war es, ich hatte so viel Schnee in meinem Leben noch nicht gesehen ...« (An Ernst Bertram, Briefe). Dieses Erlebnis ist in den ›Zauberberg‹ eingegangen: Kapitel ›Schnee‹.
Anfang Januar 1915
Einige Tage als Gast bei S. Fischer und dessen Frau in Garmisch-Partenkirchen.
Häusliche Sorgen: Erkrankungen der Kinder, Frau Katja Mann von der Pflege überanstrengt; T. M., durch die »Erschütterungen

und Sorgen der Zeit ziemlich mitgenommen«, versucht, wieder zur laufenden Arbeit zurückzufinden, »nachdem ich während der ersten Kriegsmonate allerlei politische und historische Allotria getrieben.« (An Frank Wedekind, 11. Januar 1915, Briefe I).
Lektüre von Alfred Kubins Roman ›Die andere Seite‹.

5. Februar 1915

Öffentliche Lesung der ›Gedanken im Kriege‹ auf einer Veranstaltung des ›Schutzverbandes deutscher Schriftsteller‹, Gau Bayern, in München.
Wachsende Entfremdung zwischen den Brüdern Heinrich und Thomas: »Mein Bruder, dem die Rheingrenze durchaus willkommen wäre (›wir hatten damals eine große Literatur‹) ist jetzt nicht recht zu brauchen ...« (An Ernst Bertram, Briefe).
Beginn einer ausgedehnten Korrespondenz mit dem Wiener Philologen und Kunsthistoriker Paul Amann, Verehrer Romain Rollands, hervorgerufen durch einen kritischen Brief Amanns an T. M. über die ›Gedanken im Kriege‹.

Seit März 1915

Häufige Besuche Ernst Bertrams, Gespräche über künstlerische, philosophische, politische Fragen. Bertram arbeitet an seinem Nietzsche-Buch, das 1918 erscheint. Weiterarbeit am ›Zauberberg‹.
»Nun bin ich schon eine Weile wieder hier, habe mich auf dem Lande zu meiner Erzählung zurückgefunden und will mich nicht mehr darin unterbrechen.« (An Julius Bab, 5. März 1915, Briefe).

Mai 1915

Briefe an ›Svenska Dagbladet‹ als Antwort auf eine Rundfrage (›Thomas Mann om Tyskland och världskriget‹, in ›Svenska Dagbladet‹, Stockholm, 11. Mai 1915). Unter dem Gesamttitel ›Friedrich und die große Koalition‹ erscheinen die drei Kriegs-Essays im S. Fischer Verlag (Berlin: S. Fischer 1915 – Sammlung von Schriften zur Zeitgeschichte, 1.–20. Tsd.).

7.–10. Mai 1915

Besuch verschiedener Aufführungen in München: Lessings ›Minna von Barnhelm‹ mit Friedrich Kayssler in der Hauptrolle; Strindbergs ›Gespenstersonate‹ in den Kammerspielen und dessen ›Nach Damaskus‹.

Juni 1915

Klaus schwer erkrankt. Blinddarm- und Bauchfellentzündung mit nachfolgenden Komplikationen: Darmlähmung. Fünf schwere Operationen, bei denen es um das Leben des Jungen geht. Frau

Katja ebenfalls erkrankt und operiert. »Wenn das Kind am Leben bleibt, wird es uns wahrhaft neu geschenkt sein.« (An Hedwig Fischer, Briefe I).

18. Juni 1915

Heinrich Mann spricht auf einem Forum-Abend im Hotel Excelsior über Emile Zola.

19. Juni 1915

T. M. teilt Ernst Bertram einen Novellenplan mit, der Mozarts Tod und sein unvollendetes Requiem behandeln soll. (E. Bertram an Ernst Glöckner, 19. Juni 1915).

5. August–1. Oktober 1915

In Bad Tölz, Landhaus. Langsame Genesung der Kinder und Frau Katja Manns.

3. August 1915

Früheste Äußerung T. M.s über seine Absicht, die Arbeit am ›Zauberberg‹ zu unterbrechen und die politischen Probleme seiner Essays gründlicher zu behandeln: »Und dabei geben die Zeitereignisse dem Kopf und dem Herzen so Unendliches zu arbeiten und zu bewältigen, daß ich in diesem Augenblick nicht weiß, ob ich weiterfabulieren darf und soll oder mich zu einer gewissenhaften und bekennend-persönlichen essayistischen Auseinandersetzung mit den brennenden Problemen zusammennehmen muß.« (An Paul Amann, Briefe).

Ende September 1915

Die Collie Motz, Urbild des ›Perceval‹ in ›Königliche Hoheit‹, seit zehn Jahren im Hause Mann, wird wegen Altersschwäche getötet. ». . . nun ruht Motz von allen seinen edelmütigen Verrücktheiten in einem gut bürgerlichen Grabe am Waldesrande, hinter unserem Garten, aus. Die Kinder, mit denen er sehr befreundet war, haben Blumen darauf gelegt, und auch an einem Stein fehlt es nicht, einem ausgedienten Feldgrenzstein mit seinem Namen als schlichter Inschrift.« (An Paul Amann, Briefe).

1915–1918

›BETRACHTUNGEN EINES UNPOLITISCHEN‹

Um den 20. Oktober 1915
Beginn der Arbeit an den ›Betrachtungen eines Unpolitischen‹: »Und dann begann, in mehreren Anläufen, die Arbeit an den ›Betrachtungen‹, – ein wegloses Sich-durchs-Gestrüpp-Schlagen, das zwei Jahre dauern sollte.« (›Lebensabriß‹).

7. November 1915
»Ich habe mich in eine kritische – essayistische – Arbeit gestürzt, eine Art Aufsatz, nein, es sind fast privat gehaltene Aufzeichnungen, die aktuelle Dinge mit einer Revision meiner persönlichen Grundlagen auf wunderliche und gewagte Art vereinigen und mich seelisch sehr hernehmen.« (An Paul Amann, Briefe).

20. November 1915
Besuch eines Vortrags von Maximilian Harden, anschließend Zusammensein mit Hardens, Wedekinds, Bruckmanns, Max Bernstein, Richard Friedenthal im Hotel Continental.

3. Dezember 1915
T. M. bei der Feier des 50. Geburtstags von Alexander von Gleichen-Rußwurm im Hotel Continental.

Anfang Januar 1916
T. M. bekommt von Rechtsanwalt Maximilian Brantl das November-Heft 1915 der ›Weißen Blätter‹ mit Heinrich Manns ›Zola‹-Essay. Heftige Empörung über die teils versteckten Invektiven in dem Aufsatz. »Das Literarische versteht sich von selbst; aber ich bekenne, daß meine Empörung über die abscheuliche Intrige nachträglich noch immer zunimmt ...« (An S. Fischer, 14. März 1916, Briefe Stargardt). Scharfe Polemik gegen den Bruder in den Kapiteln ›Der Zivilisationsliterat‹ und ›»Gegen Recht und Wahrheit«‹ in den ›Betrachtungen‹.

Januar 1916
Protest-Artikel gegen das Verbot von Maximilian Hardens Zeitschrift ›Die Zukunft‹; die Veröffentlichung von der ›Frankfurter Zeitung‹ aus Zensur-Gründen abgelehnt (verlorengegangen).

22. Februar 1916
Besuch von Jakob Wassermann und Ernst Bertram: Vorlesung eines ›Zauberberg‹-Kapitels.

März 1916
Erkrankung: zuerst starke Influenza, anschließend Gesichtsrose. »Ich begreife es nicht, – nie bin ich sonst wirklich krank und auf einmal scheine ich völlig verseucht.« (An Ernst Bertram, Briefe).
Lesung in der Münchener ›Bonbonniere‹ im Rahmen der ›Intimen Nachmittage‹ aus ›Felix Krull‹.
6. April–Mitte Mai 1916
In Bad Tölz, Landhaus. Wiederaufnahme der Arbeit: »Ich bin noch etwas wackelig ... aber ich kann leben und arbeite zwei Stunden wenigstens regelmäßig an meiner Abhandlung, die mir sehr wichtig ist.« (An Paul Amann, 15. April 1916, Briefe).
Mai 1916
Wieder in München. Frau Katja Mann mit Monika zur Großmutter Hedwig Dohm nach Berlin. Häufige Besuche Bertrams: Lesungen aus den ›Betrachtungen‹ und Gespräche darüber.
Mitte Juli–Mitte September 1916
In Bad Tölz, Landhaus. Erwerbung von Bauschan. »Ein ansprechend gedrungenes, schwarzäugiges Fräulein, das, unterstützt von einer kräftig heranwachsenden und ebenfalls schwarzäugigen Tochter, in der Nähe von Tölz eine Bergwirtschaft betreibt, vermittelte uns die Bekanntschaft mit Bauschan und seine Erwerbung.« (›Herr und Hund‹).
August 1916
Erneute Erkrankung: »Ich ... hatte eine recht schwere Nervenkrise, die mich zwang, 8 Tage mit der Arbeit auszusetzen.« (An Ernst Bertram, Briefe).
September 1916
Das Kapitel ›Einkehr‹ ist beendet. Arbeit am Kapitel ›»Gegen Recht und Wahrheit«‹: »Augenblicklich setze ich mich mit Rolland auseinander – sehr ehrerbietig, wie es sich gehört ...« (An Paul Amann, Briefe).
Ein für eine Neuausgabe des ›Taugenichts‹ von Eichendorff geschriebener Aufsatz (später ins Kapitel ›Von der Tugend‹ aufgenommen) kommt zum Vorabdruck (In ›Die Neue Rundschau‹, November 1916).
5. Oktober 1916
Lesung aus ›Felix Krull‹ in München.
24. Oktober 1916
Breslau. Lesung aus ›Felix Krull‹.
5.–10. November 1916
Reise nach Berlin.

Lesung in der ›Sezession‹ und in der ›Deutschen Gesellschaft‹ in Berlin: aus ›Felix Krull‹ mit einer Einleitung: ›Der Entwicklungsroman‹ (In ›Vossische Zeitung‹, Berlin, 4. November 1916).

11. November 1916

Nachmusterung, wegen Magenschwäche und Nervosität als arbeitsverwendungsunfähig vom Militärdienst freigestellt.

25. November 1916

Besuch der Premiere von Bruno Franks ›Die treue Magd‹ im Münchner Schauspielhaus.

10. Dezember 1916

Besuch eines Konzertes in München: Robert Schumanns Oratorium ›Das Paradies und die Peri‹.

Besprechung von Thomas Carlyles ›Friedrich‹ (In ›Frankfurter Zeitung‹, 24. Dezember 1916).

Feuilleton-Artikel: ›Musik in München‹ (In ›Der Tag‹, Berlin, 20. und 21. Januar 1917): »... ein Freundschaftsunternehmen [für Bruno Walter], und endgültig letzter Seitensprung ...« (An Ernst Bertram, Briefe).

Kurt Hiller polemisiert in seiner Schrift ›Taugenichts, tätiger Geist, Thomas Mann‹ gegen den ›Taugenichts‹-Aufsatz. »Hiller ist ein mir sehr fremder, ja widriger Geist, aber ein anständiger, auch im Polemischen der Infamie durchaus ferner Mensch. Seine Schrift, so scharf sie ist, schlimm ist sie nicht ...« (An Carl Maria Weber, Briefe I).

Anfang Januar 1917

»Ein paar Tage« mit der Familie in Tegernsee.

Februar 1917

Vorlesung im ›Kutscher-Kreis‹: Das Kapitel ›Einkehr‹ aus den ›Betrachtungen eines Unpolitischen‹ (Vorabdruck: ›Einkehr‹, in ›Die Neue Rundschau‹, März 1917).

März 1917

Arbeit am Kapitel ›Politik‹: »Ist das gegenwärtige große Kapitel abgetan, dann gibt es nur noch kürzere, leicht übersichtliche zu erledigen, – und dann winkt die Freiheit, d. h. die Kunst, die ich als Lust, als Musik, als Fest empfinden werde, wie nie zuvor.« (An Ernst Bertram, Briefe).

9.–15. April 1917

8 Tage Urlaub in Mittenwald; sehr enttäuscht, den Besuch Paul Amanns in München verpaßt zu haben.

1. Juni 1917

T. M. plant den Verkauf des Landhauses in Bad Tölz. »Ich verkaufe das Haus *mit Einrichtung* und 4 Tagewerke großem Garten für 80000 Mark, wovon 12000 als Hypothek auf dem Hause stehen ...« (An Kurt Martens, unveröffentlichter Brief). Der Verkaufserlös soll als Kriegsanleihe gezeichnet werden.

12. Juni 1917

Uraufführung von Hans Pfitzners ›Palestrina‹ unter Bruno Walter im Münchner Prinzregententheater. T. M. besucht fünf Aufführungen. »Wie sehr dieser Palestrina mir am Herzen liegt, kann ich nicht sagen ... Mit seiner metaphysischen Stimmung, seinem Ethos von ›Kreuz, Tod und Gruft‹, seiner Vereinigung von Musik, Pessimismus und Humor (womit zusammen ich den Begriff der Humanität definiere) kommt es meinen tiefsten, eigensten Bedürfnissen entgegen, ja, sein Erscheinen eben jetzt bedeutet mir nicht weniger als ein großes Glück: es macht mich positiv, es erlöst mich von der Polemik ...« (An Bruno Walter, Briefe I).

15. Juni 1917

Besuch von Hans Pfitzner und Frau. »Pfitzners verbrachten neulich einen Abend bei uns. Daß er sich wohl gefühlt hat, bezweifle ich, wiewohl er mindestens fünf Gläser Moselwein trank, auch eine größere Anzahl hausgebackener Kuchenplätzchen zu sich nahm und sich also wenigstens in dieser Hinsicht zu dem Gebotenen positiv verhielt. Im übrigen ist er zum sich wohl fühlen wohl nicht geboren: ein schwieriger, wunder, zwiespältiger Mensch ...« (An Bruno Walter, Briefe I).

Rascher Fortschritt der Arbeit an den ›Betrachtungen‹: In das Kapitel ›Von der Tugend‹ wird die Palestrina-Analyse aufgenommen (Vorabdruck: ›Palestrina‹, in ›Die Neue Rundschau‹, Oktober 1917).

Mitte Juli–Mitte September 1917

Letzter Aufenthalt im Landhaus in Bad Tölz, häufige Besuche von Ernst Bertram: Gespräche, gegenseitige Vorlesungen, Zeit der engsten Freundschaft.

August 1917

Das Landhaus wird an Dr. Willy Wiegand verkauft. Eine Zeitlang als Betrieb der Bremer Presse benutzt.

Heinrich Manns Drama ›Madame Legros‹ wird in Berlin mit großem Erfolg aufgeführt. »Das Stück meines Bruders (ein Berliner Witzblatt nannte es ›Madame Engros‹, von wegen der vielen Aufführungen) ist zweifellos ein starker Wurf.« (An Paul Amann, Briefe).

Arbeit am Kapitel ›Einiges über Menschlichkeit‹.

Oktober 1917
T. M. an ruhrartiger Darmaffektion erkrankt. Krankenbettlektüre: Tolstois ›Krieg und Frieden‹ und zum ersten Mal Stifter; eine dreibändige Stifter-Ausgabe ist das Geschenk Ernst Bertrams: »Zum Gedenken des letzten Sommers in Bad Tölz.«
Arbeit am Kapitel ›Vom Glauben‹.

Anfang November 1917
Besuch der Uraufführung der Oper ›Lanzelot und Eleine‹ von Walter Courvoisier, Wohnungsnachbar in der Mauerkircherstraße. »Die Musik entstand ja in der Mauerkircherstraße über unseren Köpfen, und wir waren recht gerührt, die vertrauten Klänge wieder zu hören.« (An Peter Pringsheim, Briefe I).

November 1917
Die Beendigung der ›Betrachtungen‹ ist abzusehen: Das Kapitel ›Ästhetizistische Politik‹ beendet. »Man muß daran denken, den Champagner kalt zu stellen.« (An Ernst Bertram, Briefe).

Dezember 1917
Öffentliche Lesung aus dem Kapitel ›Einiges über Menschlichkeit‹ in der Vereinigung ›Die Zwanglosen‹, eingeführt von seinem Schwager, Bankdirektor Löhr.

Weihnachten 1917
Arbeit am letzten Kapitel der ›Betrachtungen‹; Umarbeitung des Kapitels ›Politik‹. »Ich schreibe jetzt den Abschnitt des Kapitels ›Politik‹ über mein persönliches Verhältnis zum Staate noch einmal um. Dann bleibt nur noch das Vorwort ...« (An Ernst Bertram, 25. Dezember 1917, Briefe).
Enge Freundschaft mit Bruno Walter, Generalmusikdirektor an der Münchner Staatsoper von 1913 bis 1922: »Der Musik habe ich mich in den letzten Jahren wieder viel mehr genähert, hauptsächlich wohl durch den Verkehr mit B. Walter, dem guten, feurigen, kindlichen, begeisterten Generalmusikdirektor ...« (An Peter Pringsheim, Briefe I).

30. Dezember 1917
Versuch einer Versöhnung der Brüder, ausgehend von Heinrich Mann, der den Artikel ›Weltfrieden?‹ (In ›Berliner Tageblatt‹, 27. Dezember 1917) »fast wie einen Brief, als sei er in einzelnen Abschnitten an mich gerichtet«, empfand.

3. Januar 1918
T. M. lehnt den Versöhnungsversuch ab: »Ich frage mich ..., ob es einen Sinn hätte, die Gedankenqual zweier Jahre noch einmal

in einen Brief zu pressen ...« (An Heinrich Mann, Briefe I, dort unter dem Datum 3. Januar 1919).

Januar 1918

Vortragsreise in den Westen, nach Belgien und Norddeutschland.

Anfang Januar

Straßburg. Zusammentreffen mit Hans Pfitzner, der dort als städtischer Musikdirektor wirkt.

Essen. Lesung im Kruppsaal aus dem ›Zauberberg‹.

9. Januar

Brüssel. Aufführung des 3. Aktes von ›Fiorenza‹ durch die deutsche dramatische Truppe im Théâtre Royal du Parc; die vorgesehene Lesung von ›Das Wunderkind‹ übernimmt wegen T. M.s verspäteten Eintreffens der Regisseur der Aufführung, Saladin Schmitt. »Ich frühstückte beim Gouverneur der Stadt, dem bayerischen General Hurt, im Kreise seiner Offiziere, schmucker und liebenswürdiger Leute, die alle, Gott wußte um welcher Verdienste willen, das Eiserne Kreuz Erster Klasse auf der Brust trugen. Einer von ihnen – er war an einem thüringischen Hofe Kammerherr gewesen – redete mich später brieflich ›Herr Kriegskamerad‹ an; und wirklich, so hart wie diese Herren habe auch ich den Krieg mich ankommen lassen.« (›Lebensabriß‹).

11. Januar

Hamburg. Lesung ›Schwere Stunde‹, aus ›Felix Krull‹ und ›Königliche Hoheit‹, ›Das Wunderkind‹.

Rostock. Gast von Adolf Friedrich, Herzog von Mecklenburg-Schwerin; Lesung.

17. Januar

Lübeck. Lesung auf einer Wohltätigkeitsveranstaltung im Stadttheater zugunsten der Verwundeten des Krieges; das gleiche Programm. Heimreise über Berlin: Besuch bei S. Fischer, der über Papiernot klagt, aber das Erscheinen der ›Betrachtungen eines Unpolitischen‹ bis April 1918 verspricht. Besuch bei den Verwandten seiner Frau in der Tiergartenstraße, Bankier Hermann Rosenberg-Pringsheim und Frau. Nach der Heimkehr: Niederschrift des Vorwortes zu den ›Betrachtungen‹.

22. Januar 1918

Bei Bruno Frank zum Tee zusammen mit Richard Strauss.

23. Januar 1918

Besuch einer ›Meistersinger‹-Aufführung unter Bruno Walter (Brief an Ida Boy-Ed vom 21. Januar 1918).

Februar 1918
Ernst Bertram beendigt sein Nietzsche-Buch.
3. März 1918
Tod Frank Wedekinds in München (›Zum Tode Frank Wedekinds‹, in ›BZ am Mittag‹, 15. März 1918).
16. März 1918
Die ›Betrachtungen eines Unpolitischen‹ abgeschlossen. »Das Untier kommt heute zur Post.« Bemühungen um Papierzuteilung für die Auflage.
17. März 1918
Besuch von Hans Pfitzner; T. M. in einer Aufführung der Oper ›Die Rose vom Liebesgarten‹. »Ein rechter Schopenhauer-Mensch – und der unglaublichste Gegensatz zu seiner Menschlichkeit ... die Musik zur ›Rose vom Liebesgarten‹, deren schwelgerische Schönheit ich gestern wieder erfuhr.« (An Ernst Bertram, Briefe).
18. März 1918
Besuch eines Konzertes unter Bruno Walter in der Akademie: Beethovens ›Coriolan‹-Ouvertüre und ›Pastorale‹; Karl Erb singt ›An die ferne Geliebte‹. Besuch einer Aufführung des ›Fliegenden Holländers‹ mit Erika und Klaus.
Beginn der Arbeit an ›Herr und Hund‹. Daneben die Korrekturen der ›Betrachtungen‹ gemeinsam mit Ernst Bertram.
24. April 1918
Elisabeth Veronika Mann geboren.
Besuch von Dr. Günther Herzfeld, Leutnant und Student, aus dessen Kriegskorrespondenz T. M. in den ›Betrachtungen‹ zitierte: »... ein ungewöhnlich sympathischer Mensch und warmherziger Freund meiner Sieben Sachen.« (An Ernst Bertram, 6. August 1918, Briefe).
Juni 1918
»Das Landschafts-Kapitel im Bauschan-Idyll macht mir botanische Sorgen. Ich brauche Namen. Gerade, daß ich die Esche, die Birke bei Namen zu nennen weiß.« (An Ernst Bertram, 29. Juni 1918, Briefe). Hilfe durch den Botaniker Dr. Gruber, einen Nachbarn. Lektüre von Wielands politischen Schriften. Monika an der ›Spanischen Krankheit‹ erkrankt.
Mitte Juli–Mitte September 1918
In Abwinkl am Tegernsee, Villa Defregger. »Wie erwartet war die Reise höllisch. Aber hier ist es reizend. Die Kinder sind selig über das Ruderboot.« (An Ernst Bertram, 7. Juli 1918, Briefe). Zum ersten Mal einen höheren Berg, den Hirschberg, 1670 m,

erstiegen. Geldentwertung, Verpflegungsschwierigkeiten. »Ich nähre mich vorwiegend von Honig, den ich, obgleich sonst kein Bär, unter allen Dingen am liebsten esse, und von dem meine Frau reichlich gehamstert hat.« (An Paul Amann, Briefe).

August 1918

Arbeit an ›Herr und Hund‹: Beschreibung der Parkstraßen. Stifter-Lektüre: ›Studien‹, ›Der Nachsommer‹.

21. September 1918

Erschöpfender, dankbarer Brief an Ernst Bertram über dessen Nietzsche-Buch, das T. M. nun als Ganzes gelesen hat.

Oktober 1918

Erstausgabe der ›Betrachtungen eines Unpolitischen‹ (Berlin: S. Fischer, 1918, 1.–6. Tsd.). Erste Besprechung von Kurt Martens in ›Münchener Neueste Nachrichten‹. Nachruf auf Eduard Graf Keyserling (›Zum Tode Keyserlings‹, in ›Frankfurter Zeitung‹, 15. Oktober 1918).

15. Oktober 1918

»Habe eben ... ›Herr und Hund‹ abgeschlossen.« (An Hans von Hülsen, Briefe Stargardt).

23. Oktober 1918

Taufe von Elisabeth, der jüngsten Tochter, durch Pastor Kuno Fiedler; Taufpaten: Ernst Bertram und der abwesende Günther Herzfeld (siehe ›Gesang vom Kindchen‹).

Erwerb einer Luther-Büste von Hans Schwegerle.

Beginn der Arbeit am ›Gesang vom Kindchen‹.

9. November 1918

November-Revolution. Waffenstillstand.

Anfang Dezember 1918

T. M. besucht eine Versammlung des ›Politischen Rats geistiger Arbeiter‹ (An Hans Brandenburg, 13. Dezember 1915).

1919

Erste Bekanntschaft mit Josef Ponten durch dessen Roman ›Der babylonische Turm‹.

(Vorabdruck: ›Peinliche Begegnung‹, in ›Münchener Neueste Nachrichten‹, 1. März 1919).

Februar–April 1919

Revolution in München. Ermordung des Ministerpräsidenten Kurt Eisner. Räteregierung. Verschonung der Mannschen Villa vor Plünderung dank Ernst Tollers Einwirken.

21. März 1919

»Ich hoffe, es sind nur noch einige Tage, bis ich Ihnen das Taufkapitel vorlesen kann ... Ich bin mit einer metrischen Ahnungslosigkeit sondergleichen in dies kleine Unternehmen hineingegangen.« (An Ernst Bertram, Briefe).

Ende März 1919

Beendigung des ›Gesang vom Kindchen‹ (›Gesang vom Kindchen‹, ein Idyll, in ›Der Neue Merkur‹, München, April–Mai 1919).

April 1919

Erstausgabe von ›Herr und Hund‹ (›Herr und Hund‹, ein Idyll, mit einem später nicht wieder gedruckten ›Vorsatz‹. München 1919. Vorzugsausgabe zugunsten bedürftiger Schriftsteller in 120 Exemplaren).

21. April–Ostermontag 1919

Michael Thomas Mann geboren. »Es war toll, aber wir sind wohlauf, sind durch alle Stürme persönlich so gut wie unangefochten hindurchgekommen, und zähle ich die Häupter meiner Lieben, so finde ich sie sogar um eines vermehrt. Am Ostermontag (das schwere Geschütz arbeitete) hat meine Frau einem Knäblein das Leben geschenkt, das Michael heißen soll ...« (An Philipp Witkop, Briefe I).

›DER ZAUBERBERG‹ – ZWEITE ARBEITSPERIODE

Ende April 1919

Wiederaufnahme der Arbeit am ›Zauberberg‹.

März 1919

Kurzer Urlaub in Feldafing am Starnberger See. Lektüre von Oswald Spenglers ›Untergang des Abendlandes‹ (s. späteren Essay ›Über die Lehre Oswald Spenglers‹).

Juni 1919

Lektüre des ›Demian‹ von Hermann Hesse, erschienen unter dem Pseudonym Emil Sinclair. »Ich war sehr bewegt und erfüllt und habe mich angelegentlich nach dem Verfasser, seinen Jahren etc. erkundigt.« (An Josef Ponten, Briefe I).

4. Juni 1919

Ernst Bertram habilitiert sich in Bonn. Hedwig Dohm, Katja Manns Großmutter, stirbt 86jährig in Berlin.

16. Juni 1919
Feier des 50. Geburtstages von Hans Pfitzner im Restaurant ›Palais Preising‹ in München; Ansprache ›Tischrede auf Pfitzner‹ (›Tischrede auf Pfitzner‹, in ›Süddeutsche Monatshefte‹, Oktober 1919. ›Aufruf zur Gründung des Hans-Pfitzner-Vereins für Deutsche Tonkunst‹, in ›Rede und Antwort‹, Berlin 1922). Besuch einer Aufführung ›Der arme Heinrich‹ von Hans Pfitzner.

Juli 1919
Bronze-Büste T. M.s von Hans Schwegerle angefertigt.

2. Juli 1919
T. M. liest im Kutscher-Seminar in der ›Union‹, Barerstraße.

9. Juli 1919
Auf der Sitzung der Philosophischen Fakultät der Universität Bonn wurde mit einer Stimmenthaltung die Ehrenpromotion T. M.s beschlossen (›Brief an den Dekan der Philosophischen Fakultät in Bonn‹, in ›Rede und Antwort‹, Berlin 1922).

Mitte Juli–Anfang August 1919
Urlaub als Gast S. Fischers in Glücksburg an der Flensburger Förde, Strandhotel. »Hier frische ich Jugenderinnerungen auf und erfreue mich einer wahrhaft *naiven* Verpflegung – die Gegend ist unberührt, in jeder Beziehung.« (An Kurt Martens, Briefe I).

3. August 1919
Verleihung der Ehrendoktorwürde durch die Philosophische Fakultät der Rheinischen Friedrich-Wilhelm-Universität zu Bonn am Tage der Jahrhundertfeier der Universität.

21. August 1919
Mit Erika und Klaus Besuch einer Aufführung von Heinrich Marschners ›Hans Heiling‹ in der Staatsoper. Frau Katja Mann verbringt die Ferien mit den vier älteren Kindern in Stock am Chiemsee.

September 1919
Persönliche Begegnung mit Josef Ponten. »Ja, ich freue mich unserer Begegnung und Verbindung, ich habe sie in die Wege geleitet, weil die Lektüre des ›Turmes‹ mich sicher machte: hier ist ein Mann und Geist, dessen Gespräch, dessen Freundschaft ehrenvoll und gewinnbringend sein müßte ...« (An Josef Ponten, Briefe I).

Oktober 1919
Erneuter Aufenthalt in Feldafing am Starnberger See.

6. November 1919
Lesung im Essener Kunstverein aus dem ›Zauberberg‹.

2.–13. Dezember 1919

Reise nach Wien mit Bruno Walter, der dort Konzerte gibt. Auf dem Wege: Lesung in Nürnberg aus dem ›Gesang vom Kindchen‹; in Wien Aufführung der ›Fiorenza‹. »Ich will hier einer glücklichen theatralischen Erfahrung gedenken, die mir kurze Zeit nach Kriegsende in Wien zuteil wurde: einer ›Fiorenza‹-Darstellung, mir unvergeßlich, weil sie von allen Umständen so begünstigt war, daß zum erstenmal die theatralischen Gewissensbisse ausblieben, die sonst den Autor bei solchen Versuchen plagen. Dr. Friedrich Rosenthal, damals Oberregisseur des Volkstheaters, ein Liebhaber des spröden Produkts, hatte im Auftrage einer dramatischen Gesellschaft die Aufführung ins Werk gesetzt, und zwar mit einem erlesen kombinierten Ensemble von Schauspielern des Burg- und Volkstheaters, in einer Rollenbesetzung also, die noch an die bescheidenste Stelle einen kunstreichen Sprecher, eine fesselnde Persönlichkeit stellte. Schauplatz war das Akademietheater mit seiner geräumigen Bühne und seinem intimen Zuschauerraum, gefüllt von einem geistig bereitwilligen, international durchsetzten Publikum. Ich wohnte dem Spiel in einer Loge bei, und meine eigene Anteilnahme erstaunte mich.« (›Lebensabriß‹).

Lesung aus dem ›Gesang vom Kindchen‹ im Saal der Staatskanzlei mit einer Begrüßungsansprache von Vizekanzler Dr. Jodok Fink. Besuch eines Wiener Konzertabends von Arnold Rosé (Violine) und Bruno Walter (Klavier): u. a. Beethovens ›Frühlingssonate‹.

25. Dezember 1919

Aufsatz zum 100. Geburtstag Theodor Fontanes (In ›Berliner Tageblatt‹, 25. Dezember 1919).

Januar 1920

Der Hund Bauschan wird wegen einer eitrigen Lungenentzündung getötet.

Offener Brief an Hermann Graf Keyserling zur Gründung der ›Schule der Weisheit‹ in Darmstadt: über die ›Betrachtungen eines Unpolitischen‹ (›Klärungen‹, in ›Das Tagebuch‹, Berlin, 31. März 1920).

28. Januar 1920

T. M. schenkt Stefan Zweig für dessen Autographensammlung sein Manuskript ›Die Hungernden‹.

Februar 1920

In Feldafing am Starnberger See: Arbeit am ›Zauberberg‹. »Ich bin wieder einmal in mein hiesiges Mausloch geschlüpft, auch meine Frau war einige Tage hier, leider bevor das gute Wetter eintrat.« (An Ernst Bertram, Briefe).

März 1920

Frau Katja Mann schwer an Grippe erkrankt.

Arbeit am Zauberberg-Kapitel ›»Mein Gott, ich sehe!«‹ »Der Z[au]b[erber]g wächst langsam aber gleichmäßig, darf ich sagen. Ein paar entschieden kuriose Scenen sind neuerdings entstanden: so bin ich bei einer, die im Röntgen-Laboratorium spielt – auch einer recht unerlaubten Veranstaltung in meinem Lichte.« (An Ernst Bertram, 16. März 1920, Briefe).

22. April 1920

Lesung in Augsburg im Börsensaal: aus dem ›Zauberberg‹. Kritiker Bert Brecht: »Mann las aus seinem Roman ›Der Zauberberg‹, der, wenn die Bruchstücke typisch sind, in sorgsamer und niemals der Metaphysik mangelnder Schilderung des Lebens einiger Dutzend Lungenkranken, eine Art raffinierten oder naiven Guerillakrieg gegen den Tod zeigt. Die Gemeinsamkeit vieler, die das Gleiche erwarten, nämlich den Tod, zeitigt eine eigene Kultur, ein gewisses savoir mourir, vielleicht, das in seiner spielerischen Anmut über die in der Tiefe bewältigten Schwierigkeiten hinwegtäuscht: Für diejenigen, die Sicherheit haben, sei der Tod in Beziehung zum Leben, gewissermaßen und nicht ohne Ehrfurcht gesagt: eine Art Bummelei. Die Geschichte von der Sterbenden, die nicht sterben will, die vor Opposition mit den Beinen strampelt, als der Priester zu ihr kommt, ist in ihrer Mischung tiefer Schauerlichkeit und liebenswürdiger Grandezza so unvergleichlich wie die vom sterbenden Jüngling, der den Damen ein kleines eitles Schauspiel aus seinem beispiellos einsamen und ernsthaft geführten Todeskampf macht, in ihrer Mischung von Reserviertheit und Liebe.« (›Der Volkswille‹, Augsburg).

9.–14. Mai 1920

Vorabdruck des 1. Kapitels des ›Zauberberg‹ (›Ankunft. Nr. 34. Im Restaurant‹, in ›Neue Zürcher Zeitung‹, 9.–14. Mai 1920).

Mai 1920

Plan der Gründung einer Zeitschrift ›Figura‹ zusammen mit Hugo von Hofmannsthal, Jakob Wassermann, Ricarda Huch, Hermann Graf Keyserling: nicht ausgeführt.

Ernst Bertram hält in Bonn einen Vortrag über die ›Betrachtungen eines Unpolitischen‹.

Mai/Juni 1920
Frau Katja Mann zur Erholung nach Oberammergau, Pension Waldhaus.

3. Juni 1920
Besuch einer Aufführung von Richard Wagners ›Walküre‹ »mit meinen beiden Ältesten, an denen meine Augen immer mehr Freude haben und mein Herz immer mehr teilnimmt«. (An Ernst Bertram, Briefe).

Mitte Juli 1920
Einige Tage in Feldafing.

16.–22. August 1920
In Garmisch-Partenkirchen, ›Fürstenhof‹. Zu Besuch bei S. Fischer. Gutachten über die Verlaine-Ausgaben ›Femmes‹ und ›Hombres‹ in der Übersetzung von Kurt Moreck für den Verleger Paul Steegemann (›Brief an einen Verleger‹, in ›Rede und Antwort‹, Berlin 1922).

23. August 1920
Besuch bei der Mutter in Polling.

Anfang September 1920
Wieder in München. Frau Katja reist für zwei Monate nach Oberstdorf. »Unsere rüstige Älteste führt die Schlüssel.« (Brief an Ida Boy-Ed vom 8. September 1920). Lektüre von Georg Brandes' ›Die romantische Schule in Deutschland‹, die für spätere Kapitel des ›Zauberberg‹ wichtig wird und zur Bekanntschaft mit Novalis' Schriften führt. Besuch von Lavinia Mazzucchetti, die Thomas Manns Bücher ins Italienische übersetzt und mit der ihn eine lebenslange Freundschaft verbindet.

26. September 1920
Besuch bei seiner Mutter in Polling, Obb.

2.–20. November 1920
Dreiwöchige Vortragsreise ins besetzte Rheinland und Ruhrgebiet: Lesungen aus ›Zauberberg‹ und den Novellen.

2. November 1920
Abfahrt mit dem Nachtzug München–Frankfurt–Köln.

3. November 1920
Mülheim. Gast der Familie Wilhelm Buller (Frau Hedwig Buller ist die Tochter des Hausarztes der Manns, Dr. Max Hoefler, in Bad Tölz) in Mülheim-Speldorf.

4. November 1920
Lesung in Mülheim.

5. November 1920
Lesung in Duisburg.
7. November 1920
Dortmund. Matinee in Dortmund, Lesung in Bochum.
11. November 1920
Elberfeld. Gast bei Ernst Bertrams Mutter; Lesung.
12. November 1920
Lesung im Konzertsaal ›Erholung‹, Lüdenscheid.
15. November 1920
Lesung in Bonn auf Einladung der Gesellschaft für Literatur und Kunst.
18. November 1920
Köln. Lesung mit einer Ansprache an die Studenten in der Universität: »zu den jungen Menschen, die unter den Eindrücken einer permanenten und unabsehbaren Beleidigung leben ...« (An Rudolf Pannwitz, unveröffentlichter Brief).
20. November 1920
Bonn. Lesung in der Universität.
7. Dezember 1920
Lesung in Wiesbaden.
Januar–Februar 1921
Vortragsreise in die Schweiz. »Ich war oft dort, schon vor dem Kriege. Und als nach schlecht und recht geschlossenem Frieden die Einsperrung, unter der deutsche Weltbedürftigkeit so sehr gelitten, sich ein wenig lüftete, war Ihre Heimat das erste Ausland, das ich nach Wahl und Gelegenheit wieder betrat ... Die Reise zu Ihnen ist kein Abenteuer. Bequem ist Lindau erreicht; man schifft übers Schwäbische Meer und setzt den Fuß auf Ihren redlichen Grund ...« (›Brief über die Schweiz‹).
Lesungsprogramm: ›Das Thermometer‹ aus dem ›Zauberberg‹, aus ›Felix Krull‹, ›Das Wunderkind‹.
17. Januar 1921
Winterthur: »drei Sterne seinem Namen! es war reizend dort, ich wohnte bei den allerliebenswürdigsten Menschen«.
18. Januar 1921
Zürich; im Lesezirkel Hottingen.
19. Januar 1921
Aarau. Solothurn: »dessen Dom und Rathaus zu meinen stärksten architektonischen Eindrücken gehören.« Eine Woche Aufenthalt bei Prof. Robert Faesi in Zollikon bei Zürich.

26. Januar 1921
Bern; vor der Freien Studentenschaft der Universität: ›Schwere Stunde‹.
28. Januar 1921
St. Gallen, im kleinen Tonhallensaal in der Museums-Gesellschaft: aus dem ›Felix Krull‹, ›Das Wunderkind‹, ›Das Eisenbahnunglück‹.
29. Januar 1921
Luzern; in der ›Gesellschaft der Gleichgesinnten‹. »Unvergeßlich die Fahrt von Luzern, wo ich im Kreise der ›Gleichgesinnten‹ geweilt und sie sehr wohlgesinnt gefunden hatte, am Wallensee hin, in dessen geschliffenem Spiegel die Häupter der sieben Kurfürsten sich aufs reinste abbildeten, und hinauf dann, auf gedrangen Pfaden, in die heilig-phantasmagorisch sich auftuende Welt des verschneiten Hochgebirges, gegen den seltsam extremen Ort, mit dessen Namen ... mein Träumen und Bilden seit langem so eng verknüpft ist ...« (›Brief über die Schweiz‹).
30. Januar–3. Februar 1921
Davos; vier Tage im Kurhaus. »An Ort und Stelle, lieber Bertram! Sie können sich denken, daß ich ganz Auge bin. Es ist mehr als kurios, die Realität, nachdem man sie lange vergeistigt, wieder vor sich zu haben.« (An Ernst Bertram, Briefe).
Februar 1921
Geleitwort zum Sonderheft der ›Süddeutschen Monatshefte‹ (Februar 1921): ›Meisterwerke der russischen Literatur‹.

Vortragsreise nach Norddeutschland und Thüringen: dasselbe Vortragsprogramm.
19. Februar 1921
Berlin; Aula des Werner-Siemens-Gymnasiums: »ein fast stürmischer Erfolg mit Behrens, der Oberin und dem Thermometer.« (An Robert Faesi, Briefe I).
Anschließend Jena, Coburg, Weimar. »Es gab 3 Höhepunkte: eine Viertelstunde vor Hodlers Studentenaufbruch in der Jenaer Universität, eine Kropfoperation, der ich, als fremder Arzt verkleidet, im Coburger Krankenhaus beiwohnen konnte, und ein Besuch bei dem alten Lama [Frau Elisabeth Förster-Nietzsche] im Archiv zu Weimar.« (An Robert Faesi, Briefe I).
18. März 1921
Über Wolfgang Borns Graphiken zum ›Tod in Venedig‹ (In ›Vossische Zeitung‹, 8. September 1921): »Bei Ihrem Bilderwerk nun

eben empfinde ich es vor allem als Wohltat, daß es die Novelle ganz und gar aus der naturalistischen Perspektive rückt, sie vom Pathologisch-Sensationellen des Stoffes reinigt und nur das Poetische davon übrigläßt.« (›Vorwort zu einer Bildermappe‹).

April 1921

Zusammenstellung der Aufsätze für den Essayband ›Rede und Antwort‹ (erster Titel: ›Improvisationen‹; Vorwort zu ›Rede und Antwort‹, in ›Gesammelte Abhandlungen und kleine Aufsätze‹, Berlin: S. Fischer 1922, 1.–10. Tsd.): »Jetzt bin ich so fleißig, als es mir nur möglich ist, redigiere einen Essayband ›Improvisationen‹ und wälze meinen Roman jeden Vormittag ein Stückchen weiter.« (An Robert Faesi, Briefe I).

Mai 1921

Acht Tage in Feldafing: Abschluß des Kapitels ›Walpurgisnacht‹ (Ende des 1. Bandes).

29. Mai 1921

Besprechung des Novellenbandes ›Knaben und Mörder‹ von Hermann Ungar (In ›Vossische Zeitung‹, 29. Mai 1921).

6. Juni 1921

Am Geburtstag Besuch einer Aufführung von Bizets ›Carmen‹ mit Erika, Klaus und Golo (Monika erkrankt).

8. Juni 1921

Besuch eines Rezitationsabends des indischen Dichters Rabindranath Tagore bei dem Verleger Kurt Wolff.

10. Juni 1921

Beginn der Arbeit am Vortrag ›Goethe und Tolstoi‹ für die Nordische Woche in Lübeck (›Deutsche Rundschau‹, Berlin, März 1922).

Juli 1921

»Mit meinem Vortrag sitze ich schön in der Tinte und zwar wörtlich. Ohne jede Erfahrung, habe ich drauflosgeschrieben, in dem Wahn, alles sagen zu können, und meiner Frau neulich 2 Stunden vorgelesen, ohne im Entferntesten fertig zu sein.« (An Ernst Bertram, Briefe).

23. Juli 1921

Efraim Frisch besucht T. M., offenbar um ihn für einen Beitrag zu der Sondernummer über die jüdische Frage seiner Zeitschrift ›Der Neue Merkur‹ zu gewinnen. (T. M. zieht vor der Drucklegung seinen Beitrag zurück, er wird erst am 15. Januar 1966 in der ›Frankfurter Allgemeinen Zeitung‹ veröffentlicht.)

8.–23. August 1921
Ferien am Timmendorfer Strand, Villa Oda, zusammen mit Ernst Bertram.
24. August–2. September 1921
Anschließend eine Woche in Wenningstedt auf Sylt, Haus Erika. Beendigung des Vortrags ›Goethe und Tolstoi‹.
2.–8. September 1921
Lübeck, Nordische Woche. Wohnung im Burgtor, Gast der Schriftstellerin Ida Boy-Ed.
4. September 1921
Vortrag in der Aula des Johanneums: ›Goethe und Tolstoi‹. »Der $1^1/_2$stündige Vortrag gestern nahm einen sehr turbulenten u[nd] herzlichen Verlauf. Das Mengstraßenhaus wird angekauft, restauriert, u[nd] ins Parterre kommt eine ›Buddenbrook-Buchhandlung‹.« (An Ernst Bertram, Briefe).
Besuch der Aufführung eines Totentanzspiels in der Ägidienkirche.
10. September 1921
Wiederholung des Vortrages ›Goethe und Tolstoi‹ in Berlin, Beethovensaal.
12. September 1921
Wieder in München. Arbeit am ›Zauberberg‹. Beginn des Kapitels ›Veränderungen‹.
Oktober 1921
Verteidigung des Buches ›Das rätselhafte Deutschland‹ von Oskar A. H. Schmitz gegen ungerechtfertigte kritische Angriffe (›Ein Brief von Thomas Mann‹, in ›Georg Müllers Neueste Nachrichten‹, Heft 12/14, 1921).
31. Oktober 1921
Wiederholung des Vortrags ›Goethe und Tolstoi‹ in München, Saal der ›Vier Jahreszeiten‹. »Der große Saal übervoll und die Menge in tiefster Aufmerksamkeit.« (An Ernst Bertram, Briefe).
5. November 1921
Besuch der Münchener Erstaufführung ›Der Schwierige‹ von Hugo von Hofmannsthal.
6.–12. November 1921
Zürich. Lesung im Lesezirkel Hottingen aus ›Der Zauberberg‹: ›Das Thermometer‹; in der Aula der Universität Vortrag ›Goethe und Tolstoi‹. Täglicher Besuch der Poliklinik zu Studienzwecken für den ›Zauberberg‹. Gast bei Dr. Ernst Hanhart.
Besprechung von Kurt Martens' ›Schonungslose Lebenschronik‹

(›Ein Schriftstellerleben‹, in ›Neue Zürcher Zeitung‹, 30. November 1921).
Besuch des Chefredakteurs der amerikanischen Zeitschrift ›The Dial‹. T. M. schreibt von 1922–1928 in längeren Abständen acht ›German Letters‹.

November 1921
›Rede und Antwort‹ erscheint.

Mitte Dezember 1921
Arbeit an dem Aufsatz ›Das Problem der deutsch-französischen Beziehungen‹ (In ›Der Neue Merkur‹, Januar 1922) als Antwort auf André Gides Aufsatz ›Les rapports intellectuels entre la France et l'Allemagne‹ in der ›Nouvelle Revue Française‹ vom November 1921.
Hält sich in Feldafing, Haus Dr. Georg Richter auf, um dort eine Woche vor Weihnachten in Ruhe arbeiten zu können.

Januar 1922
Vortragsreise mit Frau Katja Mann nach Prag, Brünn, Wien, Budapest: ›Goethe und Tolstoi‹. Im Wiener Hotel ›Imperial‹ »kriminelles Abenteuer«. T. M. wird bestohlen.
Erste persönliche Begegnung mit dem marxistischen Literaturhistoriker und Schriftsteller Georg Lukács, bei dessen Vater T. M. in Budapest häufig zu Gast ist. »... Dr. Georg Lukács, einen Mann, dessen intellektuelle Natur, Weltanschauung und soziales Glaubensbekenntnis keineswegs die meinen sind, in dem ich aber einen strengen, reinen und stolzen Geist ehre und sittlich bewundere ... Er hat mir einmal in Wien eine Stunde lang seine Theorien entwickelt. Solange er sprach, hatte er recht. Und wenn nachher der Eindruck fast unheimlicher Abstraktheit zurückblieb, so blieb doch auch derjenige der Reinheit und des intellektuellen Edelmutes.« (›Brief an Dr. Seipel‹). In dem bald darauf entstehenden Kapitel ›Noch jemand‹ verwendet T. M. für den Jesuiten Naphta Züge Lukács'.
Ernst Bertram als Ordinarius nach Köln berufen.
Schwere Erkrankung Heinrich Manns an Blinddarm- und Bauchfellentzündung. Versöhnung mit dem Bruder am Krankenbett. »Es waren schwere Tage, die hinter uns liegen. Aber nun sind wir über den Berg und werden besser gehen – zusammen, wenn Dir's ums Herz ist, wie mir.« (An Heinrich Mann, 31. Januar 1922, Briefe I).

29. Januar 1922
Besprechung von Knut Hamsuns ›Die Weiber am Brunnen‹ (In ›Prager Presse‹, 29. Januar 1922).
27. Februar–31. März 1922
Frankfurter Goethe-Woche, veranstaltet von den Freunden des Frankfurter Goethe-Museums. Vortrag in der Universität in Anwesenheit von Reichspräsident Ebert und Gerhart Hauptmann: ›Die Idee der organischen Zusammengehörigkeit von Bekenntnis und Erziehung‹ (aus ›Goethe und Tolstoi‹).
1. März 1922
Ansprache vor der Festaufführung der ›Zauberflöte‹ im Frankfurter Opernhaus.
4. März 1922
Eröffnung der Buddenbrook-Buchhandlung in Lübeck in T. M.s Anwesenheit.
19.–20. März 1922
Lesung in Berlin im Theater am Kurfürstendamm und in der Sezession: ›Analyse‹ aus ›Der Zauberberg‹.
April 1922
Kurzer Aufenthalt in Feldafing.
Besprechung von Hans Reisigers Übersetzung des Werkes Walt Whitmans (In ›Frankfurter Zeitung‹, 16. April 1922). »Es kam der Tag (ein wichtiger Tag für mich, persönlich gesprochen), da ich in einem Offenen Brief über Whitman, der durch Reisigers noble Übersetzung mächtigen Eindruck auf mich gemacht, die Einerleiheit von Humanität und Demokratie proklamierte; da ich feststellte, das erste sei nur ein klassizistisch altmodischer Name für das zweite, und nicht Anstand nahm, den göttlichen Namen von Weimar in einem Atem zu nennen mit dem des Donnerers von Manhattan ...« (›Von deutscher Republik‹).
Klaus und Erika im Landerziehungsheim ›Bergschule Hochwaldhausen‹ am Vogelsberg; schon zu Beginn der Sommerferien wieder abgemeldet: Mißstände in der Schule. Erika bereitet sich zu Hause auf das Abitur vor. Klaus geht zu Paul Geheeb auf die Odenwaldschule.
Juni 1922
Frau Katja Mann mit den Kindern auf der Insel Reichenau im Bodensee. Besuch beim Leiter des Landerziehungsheims Schloß Salem, Kurt Hahn, einem früheren Bekannten.
Anfang Juli 1922
Wiederholung des Vortrags ›Goethe und Tolstoi‹ in Heidelberg

im Kollegienhaus: »Heidelberg war reizend. Zum ersten Mal dort, war ich bezaubert von der Romantik der Landschaft und der jugendlichen Geistigkeit der akademischen Sphäre.« (An Ernst Bertram, Briefe). Gast des Rechtshistorikers Prof. Fehr, Bekanntschaft mit den Heidelberger Professoren Hoops, Oncken, Alfred Weber; Besuch eines Kollegs von Prof. Fehr.
Der ›Zauberberg‹ ist bis zum 6. Kapitel ›Jähzorn. Und noch etwas ganz Peinliches‹ gediehen (Vorabdruck: ›Der Zauberberg‹, Kapitel ›Hippe‹ und ›Analyse‹, in ›Wissen und Leben‹, Zürich, Oktober 1922).

Juli 1922

Beginn der Niederschrift der Rede ›Von deutscher Republik‹ (Gerhart Hauptmann zum 60. Geburtstag, in ›Die Neue Rundschau‹, November 1922). »Ich denke daran, einen Geburtstagsartikel über Hauptmann zu einer Art von Manifest zu gestalten, worin ich der Jugend, die auf mich hört, ins Gewissen rede.« (An Ernst Bertram, Briefe).

August 1922

Ferien in Ahlbeck, »wo ich den größten Teil meines republikanischen Manifestes schrieb«. (An S. Fischer, Briefe Stargardt).

September 1922

Steigende Geldsorgen wegen der Inflation: »Ohne fremdes Geld könnte man bei einer Familie wie der meinen ja heute schon nicht mehr leben. Wie jedermann bin ich bedacht, welches herbeizuschaffen ... So wird man zum tätig sich tummelnden Erwerbsmann auf seine älteren Tage ... Jetzt wende ich mich dem ›Zauberberg‹ wieder zu, muß aber ... zugleich amerikanische Briefe schreiben, was natürlich aufhält.« (An S. Fischer, Briefe Stargardt).

6. Oktober 1922

Lesung der Rede ›Von deutscher Republik‹ vor Freunden im Münchner Heim: Kurt Martens, Heinrich Mann, Emil Preetorius, Björn Björnson.

10. Oktober–3. November 1922

Vortragsreise durch Deutschland und Holland.

10. Oktober 1922

Berlin. Besuch bei S. Fischer. T. M. lernt Oskar Loerke kennen.

15. Oktober

Rede im Beethovensaal ›Von deutscher Republik‹. »Über meine Idee der Humanität versuchte ich Auskunft zu geben in der Schrift ›Von deutscher Republik‹, die mir als Abfall vom Deutschtum und Widerspruch zu den ›Betrachtungen‹ verübelt worden ist, während sie innerlich ihre gerade Fortsetzung bildet.« (An Félix Bertaux, Briefe I).

Lesungen in Hannover, Münster, Düsseldorf, Cleve.

Holland. Standquartier in Amsterdam. Lesungen in Nijmwegen, Utrecht, Amsterdam und in anderen Städten.

31. Oktober 1922

In Frankfurt am Main im Saalbau vor 2500 Menschen: ›Hippe‹ aus ›Der Zauberberg‹, die Musterungsszene aus ›Felix Krull‹. Gast des Arztes Dr. Emil Liefmann.

3. November 1922

Rückkehr nach München. »Die ganze Reise gelang recht wohl. Weltsatt und ermuntert und müde läuft man wieder in den Hafen ein.« (An die »Gastfreunde« Familie Wilhelm Buller, Duisburg, unveröffentlichter Brief).

November 1922

Neue Reisepläne im Zeichen der Inflation: »Ich ... werde nun bis Mitte Januar seßhaft sein. Dann geht es wieder einmal in die Schweiz. Anfang März kommt Schweden an die Reihe und Mitte April Hispanien. Es ist ein tolles Leben und die Sammlung auf eine große Composition überhaupt noch zu finden ein Kunststück, das aber vollbracht sein will.« (An Kurt Martens, Briefe I).

(›Russische Dichtergalerie‹, Einführung in Alexander Eliasbergs ›Bildergalerie zur russischen Literatur‹, in ›Prager Presse‹, 3. Dezember 1922).

20. Dezember 1922

Teilnahme an einer spiritistischen Sitzung bei Freiherrn von Schrenck-Notzing (ebenso am 6. und 24. Januar 1923). Aus den von T. M. verfaßten Protokollen über die Sitzungen entsteht der Essay ›Okkulte Erlebnisse‹ (In ›Die Neue Rundschau‹, März 1924).

Januar 1923

Besetzung des Ruhrgebiets. »Es ist, als ob man Deutschland draußen gar nicht als eine Republik wie eine andere, sondern als herrenloses Land betrachtete, als einen national gefühllosen Rumpf, mit dem man machen kann, was man will.« (An Ernst Bertram, Briefe).

Mitte Januar 1923

Vortragsreise in die Schweiz: Chur, Zürich und andere Städte.

31. Januar 1923

Vortrag in Tübingen im Schillersaal des Museums auf Einladung des Allgemeinen Studenten-Ausschusses: ›Goethe und Tolstoi‹.

Mitte Februar 1923

Reise nach Dresden. Gast von Prof. Arthur Nikisch, Sohn des Dirigenten; Lesung aus dem ›Zauberberg‹.

Berlin. Verhandlung über die Verfilmung der ›Buddenbrooks‹: »ein strohdummes und sentimentales Kino-Drama ..., von dem meine Seele nichts weiß, für das sich aber in Skandinavien, Holland, Amerika viel Interesse kundgiebt ...« (An Ernst Bertram, Briefe).

27. Februar 1923

Lesung in Augsburg, »wo die Leute auf dem Podium saßen«: ›Okkulte Erlebnisse‹.

11. März 1923

Tod der Mutter in Wessling, 73 Jahre alt. »Ich glaube nicht, daß ich in meinem Leben schon einmal so traurig gewesen bin.« (An Ernst Bertram, Briefe).

März 1923

Félix Bertaux beabsichtigt, den ›Tod in Venedig‹ zu übersetzen.

25. März–8. April 1923

Österliche Vortragsreise nach Österreich, Ungarn, in die Tschechoslowakei: ›Okkulte Erlebnisse‹.

25.–30. März 1923

Wien, Hotel ›Imperial‹, Zusammentreffen mit Arthur Schnitzler und Raoul Auernheimer.

31. März 1923

Ausflug zum Semmering.

1. April 1923

Besuch bei Hugo von Hofmannsthal in Rodaun.

2. April 1923

Budapest.

5. April 1923

Prag. Besuch bei Frau Mimi Mann.

Elterliche Sorgen um Erika und Klaus in der Inflationszeit. Klaus zu dem Anthroposophen und Okkultisten Alexander von Bernus in Stift Neuburg am Neckar.

19. April–23. Mai 1923

Die Spanische Reise.

»Sie ging zu Schiff, unter noch gebotener Vermeidung Frankreichs, von Genua nach Barcelona, Madrid, Sevilla und Granada, dann, durch die Halbinsel zurück, zum nördlichen Santander, durch den Golf von Biscaya über Plymouth nach Hamburg [mit dem HAPAG-Dampfer ›Toledo‹]. Das Gedächtnis des Himmelfahrtstages in Sevilla wird mir bleiben, mit der Messe im Dom, dem herrlichen Orgelspiel und der Fest-Corrida am Nachmittag. Im ganzen aber hatte der andalusische Süden mir weniger zu sagen, als das klassisch-hispanische Gebiet, Kastilien, Toledo, Aranjuez, Philipps granitne Klosterfestung und jene Fahrt, dem Escorial vorüber, nach Segovia, jenseits des schneehohen Guadarrama.« (›Lebensabriß‹).

Vorträge: ›Goethe und Tolstoi‹ und ›Okkulte Erlebnisse‹, u. a. in der Deutschen Schule in Diego de León und der Deutschen Schule in Madrid in Anwesenheit des Dekans der philosophischen Fakultät der Universität, Professor Adolfo Bonilla; Empfang bei der Infantin Isabella; Gast im Hause Ullmann.

Abfassung des ›German Letter‹ II (In ›The Dial‹, New York, Juni 1923).

Anfang Juni 1923

Das ›Schnee‹-Kapitel des ›Zauberberg‹ beendet (Vorabdruck ›Schnee‹, in ›Die Neue Rundschau‹, Dezember 1923).

6. Juni 1923

Geburtstagsfeier mit Viktor Mann, Dr. Hallgarten, Emil Preetorius, Berthold Litzmann und ihren Frauen.

Juni 1923

Ansprache bei der Rathenau-Gedächtnisfeier der republikanischen Studenten in München: ›Geist und Wesen der deutschen Republik‹ (In ›Frankfurter Zeitung‹, 28. Juni 1923).

ca. 23.–30. August 1923

In Feldberg/Schwarzwald.

September 1923

Der dritte Aufsatz für ›The Dial‹ (›German Letter III‹, New York, Oktober 1923).

Oktober 1923

Ferien in Bozen, Hotel Austria.

Zusammentreffen mit Gerhart Hauptmann, Konzeption der Gestalt des Mijnheer Peeperkorn für den ›Zauberberg‹. »Ich habe mich an Ihnen versündigt. Ich war in Not, wurde in Versuchung geführt und gab ihr nach. Die Not war künstlerisch: Ich trachtete nach einer Figur, die notwendig und kompositionell längst vorgesehen war, die ich aber nicht sah, nicht hörte, nicht besaß. Unruhig, besorgt und ratlos auf der Suche kam ich nach Bozen und dort, beim Weine, bot sich mir an, unwissentlich, was ich, menschlich-persönlich gesehen, nie und nimmer hätte annehmen dürfen, das ich aber, in einem Zustande herabgesetzter menschlicher Zurechnungsfähigkeit, annahm, annehmen zu dürfen glaubte ...« (›Brief an Gerhart Hauptmann‹).

Das Film-Manuskript ›Tristan und Isolde‹ in Zusammenarbeit mit seinem Bruder Viktor verfaßt; der Film ist nicht zustande gekommen (veröffentlicht 1949 von Viktor Mann in seinem Buch ›Wir waren fünf‹).

15. November 1923

Ende der Inflation durch Einführung der Rentenmark.

Winter 1923

Mehrere kleine Arbeiten für die Tagespresse: Besprechung einer Schrift von Ernst Tröltsch usw. (›Naturrecht und Humanität‹, in ›Frankfurter Zeitung‹, 25. Dezember 1923; ›Europäische Schicksalsgemeinschaft‹, in ›Berliner Tageblatt‹, 25. Dezember 1923; ›German Letter IV‹, in ›The Dial‹, New York, Januar 1924).

Besuch des Malers Hermann Ebers, der in einer Bilderfolge die Joseph-Geschichte aus dem Alten Testament illustriert hat. »Um diese Zeit ... zeigte ein Münchener Maler, Jugendfreund meiner Frau, mir eine Bildermappe, die er gefertigt und die die Geschichte Josephs, des Sohnes Jaakobs, in hübscher graphischer Darstellung bot. Der Künstler wünschte sich einen einleitenden Schriftsatz von mir zu seinem Werk, und halb gewillt, ihm den Freundschaftsdienst zu leisten, las ich in meiner alten Familienbibel ... die reizende Mythe nach ...« (›Lebensabriß‹).

Erste Anregung zu einer Joseph-Novelle im Rahmen eines Triptychons historischer Erzählungen.

2. Dezember 1923

Vortrag ›Okkulte Erlebnisse‹ im Münchner ›Odeon‹.

12.–14. Dezember 1923

Vortrag ›Okkulte Erlebnisse‹ in Berlin in der Singakademie, und in Lübeck in der Aula des Johanneums.

25. Dezember 1923

»Der Z[au]b[erber]g ist gedruckt, so weit das Manuskript reicht, d. h. noch immer nicht zu Ende. Fischers Loerke findet das Werk ›großartig‹.« (An Ernst Bertram, Briefe).

31. Januar 1924

Aachen. Lesung in der Deutschen Gesellschaft für Literatur und Kunst aus dem ›Krull‹.

Anfang Februar 1924

Vortrag ›Okkulte Erlebnisse‹ in Frankfurt/Main, Mannheim, Heidelberg und Stuttgart.

Februar–März 1924
Frau Katja Mann für sechs Wochen zur Erholung in Clavadel bei Davos; T. M. mit den Kindern allein.
Essay über Oswald Spenglers ›Untergang des Abendlandes‹ (›Allgemeine Zeitung‹, München, 9. März 1924). Erika Mann besteht das Abitur, wird Schauspielerin.
Anfang April 1924
T. M. an Grippe erkrankt. Frau Katja Mann aus Clavadel zurück.
10. April 1924
Die Bildermappe von Hermann Ebers trifft ein. »Es freut mich außerordentlich, und den Plan, diese reizende Geschichte frisch zu erzählen, könnte mir nichts lebendiger halten als die Gegenwart dieser Bilder, die soviel von ihrer Liebenswürdigkeit wiedergeben.« (An Hermann Ebers, mitgeteilt von Herbert Lehnert in ›Thomas Manns Vorstudien zur Josephstetralogie‹. Jahrbuch der Deutschen Schillergesellschaft 1963)
Ende April 1924
Vorbereitung der England-Reise: »Der Schluß des Z[au]b[erber]g erst eben noch eingeleitet und kompositionell festgestellt. Im Lauf des Juli hoffe ich fertig zu werden.« (An Ernst Bertram, Briefe).
Mai 1924
Die Holland-England-Reise.
2.–4. Mai 1924
Amsterdam. Gast des ›Letterkundige Kring‹. Tischrede über ›Demokratie und Leben‹ (In ›Vossische Zeitung‹, Berlin, 23. Mai 1924).
5. Mai 1924
Überfahrt Vlissingen–London.
6. Mai 1924
Besichtigung Londons unter Führung von Elias Avery Lowe. Erste Bekanntschaft mit dessen Frau Helen T. Lowe-Porter, die die langjährige Übersetzerin seiner Werke ins Englische wurde. Ehrengast des PEN-Clubs; Präsident John Galsworthy hält eine Begrüßungsrede auf T. M. Gast Galsworthys in Hendon. »Das Dinner in London war eine *Demonstration*, hocherfreulich, schön und rührend.« (An Ernst Bertram, Briefe).
12. Mai 1924
Besuch von Oxford: »Die Jahrhunderte und die Jugend stehen einander gut zu Gesichte.« (An Ernst Bertram, Briefe).
Rückreise über Southampton nach Hamburg; weiter nach Berlin, wo Erika Mann ihr Schauspielstudium absolviert.

Juni 1924
Glückwunsch zu Ricarda Huchs 60. Geburtstag (In ›Frankfurter Zeitung‹, 18. Juli 1924).
1. Juli 1924
Nachruf auf Hans von Weber (›Brief an Wolfgang von Weber‹, in ›Der Zwiebelfisch‹, München, September 1924).
Mitte–Ende Juli 1924
Ferienaufenthalt in Kloster auf Hiddensee, Haus am Meer, zusammen mit Gerhart Hauptmann. »Es war auf Hiddensee ..., auch ich war einmal dort und wohnte in dem Hause, das den berühmten Gast damals alljährlich empfing, dem ›Haus am Meer‹. Man verbrachte manchen Abend bei der Lampe zusammen, und an einem davon hatte Hauptmann uns geehrt und erfreut durch eine persönliche Vorlesung aus dem damals noch geheimen Manuskript seines ›Eulenspiegel‹. Es war der erste Gesang, den wir mit Ergriffenheit aus seinem Munde gehört hatten. Am nächsten Abend verlangte er nach einer Mitteilung aus dem ›Zauberberg‹, an dem ich, wie er wußte, damals arbeitete. Ich war in Verlegenheit, es wollte mir wenig gefallen, nach den Eindrücken von gestern mein Licht leuchten zu lassen, und ich deutete mit viel entschuldigender Abwehr dergleichen an. In Hauptmann arbeitete die Entgegnung. Es war einer der typischen und spannenden Augenblicke, in denen sein Mienenspiel, seine Hand Bedeutendes vorbereiten, das dann, wenn es hervortritt, im ersten Augenblick durch seine Schlichtheit überraschen mag ... Ich verstand in der nächsten Sekunde, daß mein Zögern falsch und furchtsam gewesen sei. Er sagte: ›Sie haben unrecht. In meines Vaters Haus sind viele Wohnungen.‹« (›Herzlicher Glückwunsch‹).
August 1924
Anschließend in Bansin, Haus Seeblick, bis zum 16. August, und in Ahlbeck, Haus Heimdahl, vom 18.–25. August: »Die Kinder schieden von der See mit wahren Schmerzen, die kleinen wie die großen, genau wie einst ich ... Ich habe nach dem Morgen-Bade, das ich herrlich finde, stets stramm gearbeitet ... Der Z[au]b[erber]g hat einen großen Schritt gegen das nahe Ende gemacht. Ich rechne mit dem Finis für Ende Oktober.« (An Ernst Bertram, Briefe).
18. August 1924
Rede in Stralsund: Worte des Gedenkens an die Gefallenen des Ersten Weltkrieges auf einer Festveranstaltung zum jährlichen Verfassungstag (›Aus der Rede am 18. August 1924 in Stralsund‹,

in ›Joachim von Winterfeldt zum 60. Geburtstage am 15. 5. 1925‹, Berlin 1925).

1. September 1924

Erika Mann an die Reinhardt-Bühnen in Berlin engagiert.

Klaus als zweiter Theaterkritiker am ›12-Uhr-Mittags-Blatt‹. Beginn seiner literarischen Laufbahn: Essays für die ›Weltbühne‹, Novellen: ›Vor dem Leben‹.

Michael und Elisabeth am Blinddarm operiert.

28. September 1924

Vollendung des ›Zauberberg‹ (Vorabdruct: ›Noch jemand‹, in ›Die Neue Rundschau‹, September 1924), mit Ernst Bertram gefeiert.

Oktober 1924

Urlaub in Sestri Levante, zehn Tage zusammen mit Ernst Bertram. »Hier ruhe ich mich aus.« Ein Brief für Amerika (›German Letter V‹, in ›The Dial‹, New York, November 1924).

4. November 1924

Rede zum 80. Geburtstag Friedrich Nietzsches, im Odeon, München (In ›Ariadne‹, Jahrbuch der Nietzsche-Gesellschaft, München 1925).

8. November 1924

Lesung in der Galerie Caspari: erstmals die Peeperkorn-Kapitel aus dem ›Zauberberg‹.

12.–26. November 1924

Vortragsreise: Stuttgart, Freiburg, Dresden: Gast von Prof. Nikisch; Hannover, Berlin: Zusammentreffen mit Frau Katja Mann und Erika; bei dem Verleger Georg Bondi Begegnung mit Stefan George: »Bei Bondi, an der Hausthür, unheimliche Begegnung mit IHM.« (An Ernst Bertram, Briefe).

T. M. stellt den Essayband ›Bemühungen‹ zusammen.

28. November 1924

›Der Zauberberg‹ (zweibändig) erscheint (Berlin: S. Fischer 1924, 2 Bände, 1.–10. Tsd.); die ersten Auflagen waren schnell vergriffen. »Im Herbst 1924 war, nach unendlichen Zwischenfällen und Hemmnissen, denn also der Roman erschienen, der mich nicht sieben, sondern alles in allem zwölf Jahre in seinem Bann gehalten hatte, und seine Aufnahme hätte viel ungünstiger sein dürfen, um meine Erwartungen bis zur Verblüffung zu übertreffen ... Sicher war, daß die beiden Bände auch nur zehn Jahre früher weder hätten geschrieben werden noch Leser finden können. Es waren dazu Erlebnisse nötig gewesen, die der Autor mit seiner Nation gemeinsam hatte, und die er beizeiten in sich hatte kunstreif machen müssen, um mit seinem gewagten Produkt, wie einmal schon, im günstigen Augenblick hervorzutreten.« (›Lebensabriß‹).

›Große Unterhaltung‹ (In ›Berliner Tageblatt‹, 12. Dezember 1924), Besprechung der Werke Selma Lagerlöfs und Robert Louis Stevensons.

14.–23. Dezember 1924

Vortragsreise nach Dänemark. Lesung in Aarhus. Kopenhagen: Gast des deutschen Gesandten Gerhart von Mutius.

18. Dezember 1924

Vortrag in der Studenterforeningen: ›Goethe und Tolstoi‹.

20. Dezember 1924

Gründungsfeier einer Gesellschaft der ›Freunde der deutschen Literatur‹ im Rittersaal des Odd Fellow Palacet. Lesung aus eigenen Werken. Rückfahrt über Berlin. »Es war eine im persönlichen und selbst im nationalen Sinn erfreuliche Reise.« (An Ernst Bertram, Briefe).

31. Dezember 1924

Besuch einer Aufführung von Humperdincks Oper ›Hänsel und Gretel‹ mit den Kindern Elisabeth und Michael.

DER FÜNFZIGSTE GEBURTSTAG

1. Januar 1925

»Solennes Frühstück« bei Geheimrat Berthold Litzmann.

Januar 1925

Wiederaufnahme der Arbeit an ›Goethe und Tolstoi‹ (In ›Bemühungen‹, Berlin 1925): »Ich arbeite jetzt ›Goethe und Tolstoi‹ für den Essayband neu auf. Die Masse war kalt geworden, erwärmt sich aber nun wieder.« (An Ernst Bertram, Briefe).

Hermann Hesses Besuch bei T. M.

11. Januar 1925

Besuch in Dresden bei Prof. Nikisch, abends Mozarts ›Don Giovanni‹ unter Fritz Busch.

12.–13. Januar 1925

Breslau. T. M. hält zwei Vorträge, einen davon in der Universität: ›Goethe und Tolstoi‹.

Ende Januar 1925

Wachsende Entfremdung zwischen T. M. und Josef Ponten, der in einem ›Offenen Brief‹ gegen die Auffassung vom ›Dichter‹ und ›Schriftsteller‹ in dem Ricarda-Huch-Essay polemisiert hat.

Februar 1925

Literarische Aufgaben der nächsten Zeit: außer dem weiteren Ausbau des Aufsatzes ›Goethe und Tolstoi‹ ein Vorwort zu Goethes ›Wahlverwandtschaften‹ für die neue Epikon-Ausgabe (In ›Die Neue Rundschau‹, April 1925), eine Novelle für das Geburtstagsheft der ›Neuen Rundschau‹, ein politischer Artikel für ›L'Europe Nouvelle‹ (›L'esprit de l'Allemagne et son avenir entre la mystique slave et la latinité occidentale‹, 14. März 1925).

Der erste Wagen. »Ich habe, unter uns gesagt, an Eintrittsgeldern in mein mystisch-humoristisches Aquarium schon einige siebzigtausend Mark verdient, und so habe ich mir denn ein Auto angeschafft, einen hübschen sechssitzigen Fiat-Wagen. Unser Windbeutel Ludwig ist schon zum Chauffeur ausgebildet, und so werde ich denn fortan 33pferdig in die Stadt fahren, nach allen Seiten leutselig grüßend.« (An Ernst Bertram, Briefe).

1. März 1925

Nachruf auf Reichspräsident Friedrich Ebert (In ›Frankfurter Zeitung‹. 6. März 1925).

2.–25. März 1925

Mittelmeerreise auf Einladung der Stinnes-Linie auf M. S. ›General San Martin‹. »Ich bewohne kein Luxus-Appartement und bin es zufrieden. Man hat mir eine ehrenhafte Offizierskabine auf dem Bootsdeck angewiesen, die früher der Arzt innehatte, ein gedrängt praktisch eingerichtetes kleines Gelaß mit einem Tisch zum Schreiben und vielen geräumigen Schubladen unter dem Bett und in der Kommode. Ich habe es gut, aber nicht zu gut, so ist es in Ordnung. Mein Liegestuhl zum Lesen steht vor der Tür.« (›Unterwegs‹, in ›Vossische Zeitung‹, Berlin, 12. April 1925).

Venedig, Cattaro, Port Said, Kairo, Luxor, Karnak. »Wir waren in *Luxor*, in *Karnak*, in den Königsgräbern von Theben. Bei Nacht fuhr ein Schlafwagen uns hin und zurück.« (›Unterwegs‹).

Früheste Erwähnung des Planes vom ›Joseph‹-Roman. »Auf diese Weise werde ich etwa 4 Wochen unterwegs sein, ... in denen es mir, ohne den humanistischen Punkten zu nahe treten zu wollen, hauptsächlich um Ägypten zu tun ist. Ich werde einen Blick auf die Wüste, die Pyramiden, die Sphinx werfen, dazu habe ich die

Einladung angenommen, denn das kann bestimmten, wenn auch noch etwas schattenhaften Plänen, die ich im Geheimen hege, nützlich sein.« (An Ernst Bertram, 4. Februar 1925, Briefe). Fortsetzung der Reise: Konstantinopel mit offiziellem Empfang durch die türkische Hafenbehörde, Athen, Neapel, dort abgebrochen, Rückkehr.

April 1925

Niederschrift der Novelle ›Unordnung und frühes Leid‹ (In ›Die Neue Rundschau‹, Juni 1925).

30. April 1925

»Meine Novelle nähert sich ihrem Ende. Die erste Hälfte ist schon in der Druckerei.« (An Ernst Bertram, Briefe).

Mai 1925

Auf der Generalprobe von Hauptmanns ›Festaktus‹, zur Eröffnung des Deutschen Museums in München gedichtet, zusammen mit dem Dichter und dessen Sohn Benvenuto: »Wir haben uns viel die Hände gedrückt, und alles ist wieder in der Reihe. Er ist ein so gutes Format, ich liebe ihn sehr. Und das Festspiel ist auch so eine zu Herzen gehende Quasselei.« (An Erika Mann, Briefe I).

Mai 1925

Klaus Manns erstes Buch, der Novellenband ›Vor dem Leben‹, erscheint im Enoch-Verlag, Hamburg.

9.–25. Mai 1925

Italienreise.

9.–16. Mai 1925

Teilnahme an der ›Internationalen Kulturwoche‹ in Florenz als deutscher Vertreter, zusammen mit Prof. Ulrich von Wilamowitz-Moellendorff; Vortrag: ›Goethe und Tolstoi‹. T. M. Gast im Landhaus Dr. Richter. Besuch der Uffizien.

17.–25. Mai 1925

In Venedig und am Lido.

24. Mai 1925

Nürnberger Erstaufführung der ›Fiorenza‹ im Stadttheater.

1.–4. Juni 1925

Vier Festtage in Wien: Vortrag im PEN-Club: ›Natur und Nation‹. Festbankett des PEN-Clubs mit einer Ansprache Raoul Auernheimers und einer Erwiderung T. M.s: ›Zum Problem des Österreichertums‹ (In ›Neue Freie Presse‹, Wien, 11. Juni 1925).

2. Juni 1925

Aufführung der ›Fiorenza‹ in der Volksbühne, veranstaltet vom

Wiener Journalisten- und Schriftsteller-Verein ›Concordia‹: »das schönste Geburtstagsgeschenk«.

6. Juni 1925

T. M.s fünfzigster Geburtstag. Zahlreiche Glückwünsche und Festartikel in der europäischen Presse, persönliche Glückwünsche, u. a. von Stefan Zweig, Max Rychner, Alfred Kubin, Hans Pfitzner, Gerhart Hauptmann, Jakob Wassermann, Hugo von Hofmannsthal.

Offizielle Feier im Alten Rathaussaal zu München: Festvortrag von Franz Muncker. Rede des Ersten Bürgermeisters von München, Dr. h. c. Scharnagl. Karl Voßlers Ansprache in der Gestalt und Rolle Settembrinis. Heinrich Manns »kurze, ergreifende Ansprache, die eine Erinnerung an Knabengeburtstage war und nicht mich allein zu Thränen rührte«. (An Ernst Bertram, Briefe). Erwiderung: »Wenn ... mein Treiben und Schreiben in der äußeren Menschenwelt bildende, führende, helfende Wirkungen gezeitigt hat, so ist das ein Akzidens, das mich in demselben Grade überrascht, wie es mich beglückt ... Was das Gewinnende an meiner Arbeit sein mag – etwas Musikalisches, etwas Sittliches, etwas von beidem –, Gott mag es wissen, der es mir gegeben hat ... Auf jeden Fall ist es eine wundervolle, tief dankenswerte Sache, einem großen Kulturvolk, wie dem deutschen, anzugehören, von seiner Sprache getragen zu sein, sein höchstes Erbgut wahren und fortentwickeln zu dürfen.«

7. Juni 1925

Matinee im Münchener Residenztheater: Kammermusik von Mozart. Festvortrag von Prof. Fritz Strich. T. M. liest aus dem ›Felix Krull‹. Mädchenreigen und Ehrung mit einem Lorbeerkranz.

T. M.s Dankesworte. »...ich mußte auch wieder sprechen, was denn auch zwanglos herzlich vonstatten ging.« (An Ernst Bertram, Briefe) (›Danksagung‹, in ›Frankfurter Zeitung‹ vom 11. Juni 1925).

FORDERUNGEN DES TAGES – DER JOSEPH-ROMAN

Mitte Juni 1925

Neue literarische Aufgaben: ein Beitrag zu Hermann Keyserlings ›Ehe-Buch‹ (›Die Ehe im Übergang‹, in ›Das Ehe-Buch‹, hrsg.

von Hermann Graf Keyserling, Celle 1925), ein weiterer Brief nach Amerika (›German Letter VI‹, in ›The Dial‹, New York, Oktober 1925), eine Antwort auf eine Rundfrage der ›Literarischen Welt‹ über Kosmopolitismus (›Was verdanken sie der kosmopolitischen Idee?‹, in ›Literarische Welt‹, Berlin, 9., 16. und 23. Oktober 1925), eine Auseinandersetzung mit Medizinern über ›Zauberberg‹-Probleme (›Vom Geist der Medizin‹, in ›Deutsche Medizinische Wochenschrift‹, Leipzig, 17. Juli 1925).

Die Buchhändlerin Ida Herz ordnet T. M.s Bibliothek. »Ich lasse gerade meine Bibliothek ordnen, die allerdings etwas Kraut-und-Rüben-Charakter hat ...« (An Korfiz Holm, unveröffentlichter Brief). Ida Herz legt sich ein Privatarchiv aus T. M.s verstreuten Veröffentlichungen in Zeitungen und Zeitschriften an. Daraus entsteht eine lebenslange Freundschaft und Korrespondenz.

Plan eines Novellen-Triptychons: »Was ich plante, versteht sich, war eine Novelle als Flügelstück eines historischen Triptychons, dessen beide andre Bilder spanische und deutsche Gegenstände behandeln sollten, wobei das religionsgeschichtliche Motiv als durchgehend gedacht war.« (›Lebensabriß‹).

Juli 1925

Autoausflug zum Landerziehungsheim Schloß Salem beim Bodensee, das Golo und Monika Mann besuchen. T. M. liest vor den Schülern. Ein Schulkamerad der Geschwister »spanischen Geblüts«, wird »wegen seiner exotischen Schönheit für meinen Vater das Modell des jungen Joseph«. (Monika Mann, ›Vergangenes und Gegenwärtiges‹).

15. Juli 1925

Besuch einer ›Parsifal‹-Aufführung im Münchner Residenz-Theater. Erika Mann wird ans Bremer Schauspielhaus verpflichtet.

August 1925

»Den Ehe-Aufsatz für Keyserling habe ich hinter mich gebracht, auf ganz anständige Art, wie mir vorkommt. Es ist ein ziemlich umfangreiches Dokument geworden, hochmoralisch, und enthält auch eine prinzipielle Auseinandersetzung mit der Homoerotik ...« (An Erika Mann, Briefe I).

20.–23. August 1925

Besuch der Salzburger Festspiele. In Alt-Aussee besucht T. M. Jakob Wassermann, der »eine landschaftlich wundervolle Besitzung hat«, trifft dort seinen Verleger S. Fischer.

In Salzburg: ›Mirakel‹ von Karl Gustav Vollmöller, ›Das große Welttheater‹ von Hugo von Hofmannsthal, ›Das Apostel-

spiel‹ von Max Mell, Donizettis ›Don Pasquale‹ unter Bruno Walter.
Anfang September 1925
Korrekturen für den Essayband ›Bemühungen‹: »Aber besorgt bin ich oft, wann ich wohl gelegentlich wieder einmal etwas Neues machen werde.« (An Ernst Bertram, Briefe I).
ab 8. September 1925
Ferienaufenthalt in Casamicciola auf Ischia, Hotel Pithaecusa, mit Michael und Elisabeth.
Oktober 1925
Erstausgabe des Essaybandes ›Bemühungen‹ (Neue Folge der gesammelten Abhandlungen und kleinen Aufsätze. Berlin: S. Fischer 1925, 1.–12. Tsd.).
9.–10. Oktober 1925
Nachträgliche Geburtstagsfeier in Lübeck, ›Fiorenza‹-Aufführungen im Stadttheater; vor der Vorstellung für die ›Volksbühne‹ spricht T. M. Begrüßungsworte.
15. Oktober 1925
Berlin: Porträtsitzungen bei Max Liebermann; S. Fischer hatte eine Radierung für die Gesammelten Werke in zehn Bänden in Auftrag gegeben. Besuch bei Prof. Hönn, Redakteur der Zeitschrift ›Deutsche Politik‹.
November 1925
Uraufführung von Klaus Manns Erstlingsdrama ›Anja und Esther‹ in den Hamburger Kammerspielen mit Klaus und Erika Mann, Gustaf Gründgens und Pamela Wedekind in den Hauptrollen; T. M. sieht die Aufführung in München.
8. November 1925
Ansprache bei der Eröffnung der Münchner Buchwoche (›Das deutsche Buch‹, in ›Prager Tageblatt‹, 6. Dezember 1925).
Vorbereitungen für die Joseph-Novelle: »Ich bin froh, wenigstens jetzt einige Wochen freier Zeit zur Verfolgung meiner Pläne vor mir zu haben.« (An Ida Herz, unveröffentlichter Brief).
Dezember 1925
›Katalog‹: ein Artikel über die Weihnachtsneuerscheinungen 1925 für die ›Frankfurter Zeitung‹ (13. Dezember 1925). Vorbereitung des Vortrages für das ›Carnegie-Institut‹, Paris (Französische Übersetzung: ›Les tendences spirituelles de l'Allemagne d'aujourd'hui‹, in ›L'Esprit International‹, Paris, Januar 1927). »Aber fortan bin ich entschlossen, mir ganz anderes träumen zu lassen, und worauf ich mich freue, ist, mit Ihnen über Abraham und

Hammurabi, Joseph und Amenhotep IV. zu sprechen.« (An Ernst Bertram, 25. Dezember 1925, Briefe).

6. Januar 1926

Lesung ›Unordnung und frühes Leid‹ im Festsaal des Leipziger Neuen Rathauses, veranstaltet vom Börsenverein des Deutschen Buchhandels.

12.–29. Januar 1926

Reise nach Paris auf Einladung der ›Carnegie-Stiftung‹.

12.–18. Januar 1926

Lesungen in Heidelberg, Bonn, Köln, Marburg, Mainz, wo T. M. sich mit seiner Frau trifft.

19. Januar 1926

Spaziergang durch Mainz unter sachkundiger Führung; abends Abfahrt nach Paris.

20. Januar 1926

Ankunft; Unterkunft im Hotel ›Palais d'Orsay‹. Morgens: Spaziergang durch Paris. Nachmittags: Vortragsveranstaltung in den Räumen der ›Dotation Carnegie pour la Paix Internationale‹; Begrüßung durch Prof. Henri Lichtenberger von der Sorbonne. T. M.s Vortrag: ›Die geistigen Tendenzen des heutigen Deutschlands‹. Anschließend Empfang der deutschen Botschaft, unter den Gästen Unterrichtsminister Daladier, Arbeitsminister de Monzie, Kriegsminister Painlevé, Staatssekretär des Äußeren Philippe Berthelot, der österreichische Gesandte Dr. Grünberger, der Afrikaforscher Leo Frobenius, Benjamin Crémieux, Dagny Björnson-Langen, jetzt Mme Sautreau, der Kritiker Dr. Alfred Kerr, Félix Bertaux, Alfred Fabre-Luce.

21. Januar 1926

Besuch einer Sitzung der ›Union pour la Verité‹: »Man hat den Eindruck eines Konventikels, der Versammlung einer Gemeinde von sanften Verschwörern zum Guten.« (›Pariser Rechenschaft‹). Begrüßung durch den Vorsitzenden Paul Desjardins, improvisierte Antwort T. M.s. Anschließend Besuch einer Sitzung der ›Union Intellectuelle Française‹; Ansprachen von Félix Bertaux, Maurice Boucher, Charles du Bos; kurze Dankesworte T. M.s. Diner im Cercle Volney: anwesend u. a. der Deputierte Émile Borel, der Mathematiker, und der Physiker Paul Langevin, der Schriftsteller Pierre Viénot, der Lustspielautor Dr. Zifferer.

22. Januar 1926

Interview des ›Chicago Tribune‹-Korrespondenten Marcus Aurelius Goodrich im Hotel, Besuch des Deutsch-Italieners Guido

Isenburg, Frühstück mit Joseph Chapiro im Café ›Palais d'Orsay‹. Tee bei Charles du Bos mit Edmond Jaloux: »Schlicht, ernst, nachdenklich, fast gestenlos, mehr gemütvoll als sprühend, erschien er [Jaloux] mir bei wiederholten Begegnungen als Typus des französischen Intellektuellen ...« (›Pariser Rechenschaft‹). Besuch der Komödie ›Les Nouveaux Messieurs‹ von de Flers und de Croisset im ›Athénée‹ mit Graf Coudenhove-Kalergi und seiner Frau Ida Roland. Anschließend Souper bei Weber. »Coudenhove, die kleine rotgoldene Kokarde seines ›Pan-Europa‹ im Knopfloch des Abendanzugs, ist einer der merkwürdigsten und übrigens schönsten Menschen, die mir vorgekommen. Zur Hälfte Japaner, zur anderen Hälfte gemischt aus dem internationalen Adelsgeblüt Europas, wie man weiß, stellt er wirklich einen eurasischen Typus vornehmer Weltmenschlichkeit dar, der außerordentlich fesselt und vor welcher der Durchschnittsdeutsche sich recht provinzlerisch fühlt.« (›Pariser Rechenschaft‹).

23. Januar 1926

Besichtigung von Notre Dame; Diner bei Dr. Zifferer in Neuilly mit dem österreichischen Gesandten Dr. Grünberger, Alfred Fabre-Luce und Pierre Viénot. Gespräch mit Dr. Grünberger über Spanien. »Abends in der ›Comédie‹: ›Robert et Marianne‹, Eheirrung von Géraldi. Hochelegante Aufführung.« (›Pariser Rechenschaft‹).

24. Januar 1926

Frühstück mit Félix Bertaux in Sèvres. Gespräch über das Ägypten der Pharaonen. Zum Tee bei dem russischen Dichter Leo Schestow. »Ja, da war auf einmal russische Atmosphäre in diesen paar menschenvollen Räumen, dem Arbeits- und Wohnzimmer, – eine Stimmung, large, kindlich und von großartiger Gutmütigkeit, vergleichsweise nicht ohne einen kleinen Einschlag von Wildheit, mit starkem Tee und Papyros.« (›Pariser Rechenschaft‹). Diner bei Monsieur und Madame Sautreau; unter den Gästen Kriegsminister Painlevé, Victor Basch, Mme Paul Clemenceau, die Schwägerin des ›Tigers‹, Dr. Zuckerkandl und Frau von der österreichischen Botschaft.

25. Januar 1926

Frühstück bei Graf und Gräfin de Ponge im Faubourg St. Germain. Anwesend u. a. Henri Lichtenberger, Maurice Muret, Alfred Fabre-Luce; Tee im ›Institut International de Coopération Intellectuelle‹ unter dem Vorsitz von Julien Luchaire und Robert Eisler. Anschließend Diner bei Salomon Reinach in Boulognesur-Seine. »Dieser Mann ist vielleicht der größte Polyhistor der Gegenwart. Er ist vor allem ... Mythologe, Religionshistoriker, Erforscher primitiver menschlicher Vorwelt.« (›Pariser Rechenschaft‹).

26. Januar 1926

»Anstandsbesuch im Louvre. Die Umstände sind jeder ernstlichen Vertiefung entgegen.« Frühstück in der deutschen Botschaft mit Botschafter von Hoesch. Lesung in der ›École Normale Supérieure‹ aus ›Goethe und Tolstoi‹. Diner im Pariser PEN-Club, dem ›Cercle Littéraire International‹, mit Edmond Jaloux, Jules Romains, François Mauriac, Benjamin Crémieux, Walter Hasenclever, Charles du Bos, Félix Bertaux, Iwan und Claire Goll, Leo Schestow u. a. Ansprache Benjamin Crémieux' und kurze Entgegnung T. M.s: »Meine Partner haben Französisch gesprochen und ich habe Deutsch gesprochen, und wir haben einander ausgezeichnet verstanden. Lassen wir das symbolisch sein! Fassen wir es auf als Symbol für das Europa, auf das wir hoffen und an das wir glauben!« (›Pariser Rechenschaft‹).

27. Januar 1926

Führung durch Paris durch Dr. Zifferer und Pierre Viénot. Besuch bei dem russischen Dichter Iwan Schmeljow, dem Verfasser der ›Sonne der Toten‹. Erschütternder Eindruck eines Emigrantendaseins: »... äußerste Eingeschränktheit, eine Armeleutwohnung ...« Abends im ›Théâtre Michel‹ ein Stück von Alfred Savoir.

28. Januar 1926

Besprechung mit dem Verlag Kra über eine französische Gesamtausgabe. Dimitri Mereschkowski und Ludwig Lewisohn besuchen T. M. im Hotel. Abends Abreise nach München.

Anfang Februar 1926

Einige Tage in Ettal, Klosterhotel, mit den beiden jüngsten Kindern.

10. Februar 1926

Wieder in München: an der Grippe erkrankt; bei Frau Katja Verschlimmerung durch Lungenentzündung. Während des Krankenlagers Niederschrift der ›Pariser Rechenschaft‹ und des Aufsatzes über die Todesstrafe (Vorabdruck: ›Pariser Rechenschaft‹, in ›Die Neue Rundschau‹, Mai–Juli 1926; ›Die Todesstrafe‹, in ›Vossische Zeitung‹, 10. März 1926). »Ich lese viel und habe sogar einen kleinen Artikel über die Todesstrafe geschrieben.« (An Ida Herz, 14. Februar 1926, unveröffentlichter Brief).

April 1926
Die Novelle ›Unordnung und frühes Leid‹ erscheint (Berlin: S. Fischer, 1926, 1.–20. Tsd.).
Vorbereitung der Festrede für die 700-Jahrfeier Lübecks.
1.–28. Mai 1926
Erholungsaufenthalt in Arosa, Waldsanatorium, dort die Rede ›Lübeck als geistige Lebensform‹ niedergeschrieben (Lübeck: Otto Quitzow 1926).
T. M. bemüht sich um einen Ehrendoktortitel für S. Fischer anläßlich seines 40jährigen Verlagsjubiläums, u. a. bei Prof. Philipp Witkop, Freiburg. Gruß an den in Berlin tagenden PEN-Kongreß (›Dem Kongreß‹, in ›Literarische Welt‹, Berlin, 21. Mai 1926).
28. Mai 1926
Aula der Universität Zürich, Lesung ›Unordnung und frühes Leid‹.
30. Mai–2. Juni 1926
Kurzer Aufenthalt in München.
3.–9. Juni 1926
Die 700-Jahrfeier der Hansestadt Lübeck. Gast bei Ida Boy-Ed im Burghaus. Trifft dort Hans von Hülsen, den er wegen seiner guten skandinavischen Beziehungen bittet, das Mißverständnis mit Professor Böök, Stockholm, aufzuklären.
4. Juni 1926
›Fiorenza‹-Aufführung.
5. Juni 1926
Festvortrag im Stadttheater: »... wenn ich für meinen Vortrag eben diesen Titel wählte: ›Lübeck als geistige Lebensform‹, so ist die Lebensform und Lebensauswirkung *eines Lübeckers* gemeint, des Lübeckers, der vor Ihnen spricht, der ein Künstler, ein Schriftsteller, ein Dichter, wenn Sie wollen, geworden, und als Künstler, als Schriftsteller ein Lübecker geblieben ist.« (›Lübeck als geistige Lebensform‹).
T. M. wird der Titel eines Professors durch den Senat verliehen.
6. Juni 1926
Besuch seiner alten Schule, des Katharineums.
8. Juni 1926
Lesung in Hamburg.
11. Juni 1926
Gast bei S. Fischer in Berlin zusammen mit Gerhart Hauptmann und Oskar Loerke.

28. Juni 1926
Frau Katja Mann kehrt aus Arosa zurück.
Mitte Juli 1926
Heirat Erika Manns mit Gustaf Gründgens, Oberregisseur an den Hamburger Kammerspielen.
T. M. schreibt die Einleitung zu Frans Masereels ›Mein Stundenbuch‹ (München: Kurt Wolff 1926). Ausflug an den Bodensee und nach Schloß Salem.
1. August 1926
Vorarbeiten zum Joseph-Roman. »Ich sitze tief in den Vorarbeiten zu einem kleinen, schwierigen, aber durchaus reizvollen Roman ›Joseph in Ägypten‹. Es ist die biblische Geschichte selbst, die ich real und humoristisch wiedererzählen will.« (An Félix Bertaux, unveröffentlichter Brief, TMA, Zürich).
31. August–13. September 1926
Ferienaufenthalt in Forte dei Marmi.
Dort die Einleitung zu Joseph Conrads ›Der Geheimagent‹ (In: ›Das 40. Jahr 1896–1926‹, Berlin: S. Fischer 1926) und auf Anforderung des ›Berliner Tageblatts‹ den Artikel ›Die Unbekannten‹ (›Berliner Tageblatt‹, 10. Oktober 1926) niedergeschrieben. Episode mit einem Zauberer, die später ihren literarischen Niederschlag in der Novelle ›Mario und der Zauberer‹ findet.
September 1926
T. M. tritt dem ›Komitee der Paneuropäischen Union‹ (Präsident Graf Coudenhove-Kalergi) bei.
Ende September 1926
Achttägige Reise mit Frau Katja und Ernst Bertram zur Tochter Monika nach Lausanne, die dort eine pianistische Ausbildung erhält. »Wir wohnten in Ouchy, besuchten Montreux, Genf, Caux etc., hielten uns in Schweizer Städten auf, ... und standen lange am Fall von Schaffhausen.« (An Ida Herz, unveröffentlichter Brief). Rückkehr über Schloß Salem.
Oktober 1926
Klaus Manns ›Kindernovelle‹ erschienen. »Eissis ›Kindernovelle‹ las ich gestern Abend ohne Pause. Habe recht lachen können. Aber Zweifel beschlichen mich doch hie und da.« (An Erika Mann, Briefe I).
Mitte Oktober 1926
Golo Mann besteht das Abitur. Er studiert in Heidelberg u. a. Philosophie bei Karl Jaspers, Geschichte, Germanistik.

16. Oktober 1926
Teilnahme am Begräbnis Professor Berthold Litzmanns; T. M. schreibt einen Nachruf (›Abschied von Berthold Litzmann‹, in ›Münchner Neueste Nachrichten‹, 21. Oktober 1926).

18.–28. Oktober 1926
Reise nach Berlin und Hamburg.

19. Oktober 1926
Vortrag in der Berliner Funkstunde über Joseph Conrad; Lesung von Erika Mann aus dem ›Zauberberg‹.

21.–24. Oktober 1926
Hamburg. Hotel ›Atlantic‹: Besuch bei Klaus Mann; Lesung aus dem ›Zauberberg‹.

27. Oktober 1926
Berlin. Sitzung des vom Preußischen Kultusminister Dr. Becker einberufenen Gremiums der Urwähler der Sektion für Dichtkunst in der Preußischen Akademie der Künste: Ludwig Fulda, Gerhart Hauptmann (nicht anwesend), Arno Holz, Thomas Mann, Hermann Stehr für die Zuwahl von 21 Akademie-Mitgliedern, u. a. Hermann Hesse, Ricarda Huch, Oskar Loerke, Heinrich Mann, Josef Ponten, Arthur Schnitzler, Jakob Wassermann, Franz Werfel. Ricarda Huch zu ihrer Wahl: »Ich wurde in die Akademie gewählt, lehnte unter der Hand ab, dann quälten sie mich so (vermittels Thomas Mann), daß ich wohl oder übel zusagen mußte.« (10. November 1926).

2. November 1926
Rede zur Eröffnung der ›Münchener Gesellschaft 1926‹ im Steinicke-Saal (In ›Der Zwiebelfisch‹, München, Heft 1, 1926/27).

18. November 1926
Festsitzung der Preußischen Akademie der Künste unter ihrem Präsidenten Max Liebermann in Anwesenheit von Kultusminister Dr. Becker. Gründung der Sektion für Dichtkunst. T. M. antwortet auf die Ansprachen Liebermanns und Dr. Beckers. »Ich unterließ nicht, die Widerstände zu kennzeichnen, die in deutschgeistiger Sphäre dem akademischen Gedanken entgegenstehen, und die Möglichkeit ihrer inneren Überwindung anzudeuten ... Es war kein Zufall, daß man mich reden hieß: Wie vielleicht kein zweiter hatte ich den zeitlichen Zwang zum Übergange aus dem Metaphysisch-Individuellen ins Soziale unter heftigen Kämpfen am eigenen Leibe erfahren ...« (›Lebensabriß‹).

23. oder 24. November 1926
Festabend der Deutschen Akademie im Hotel ›Vier Jahreszeiten‹,

München. Ansprache T. M.s, der zum Senator der Akademie ernannt worden ist.

25. November 1926

Uraufführung des Schauspiels ›Dorothea Angermann‹ von Gerhart Hauptmann in den Münchner Kammerspielen. Auf der Begrüßungsfeier im Münchner Rathaus hält T. M. die Festrede ›An Gerhart Hauptmann‹ (In ›Die Forderung des Tages‹, Berlin 1930).

30. November 1926

Kundgebung ›München als Kulturzentrum‹ in der Tonhalle mit Reden von T. M., Heinrich Mann, Leo Weismantel, Willi Geiger, Walter Courvoisier, Paul Renner (›Bleibt München Kulturzentrum?‹, in ›Vossische Zeitung‹, Berlin, 7. Dezember 1926). »Gestern abend hatten wir in der Tonhalle vor einem Riesenpublikum eine ›kulturpolitische Kundgebung‹ – sechs Reden gegen die Münchener Reaktion, unter frenetischem Beifall. Es war eine Explosion.« (An Rudolf Goldschmit-Jentner, Briefe I).

10.–13. Dezember 1926

Vortragsreise nach Wien, Heidelberg und Köln; Zusammentreffen mit Ernst Bertram.

Dezember 1926

Niederschrift der Einleitung zum Joseph-Roman ›Höllenfahrt‹. »Ich bin recht froh, daß ich wieder schreibe. Man fühlt sich eigentlich doch nur und weiß nur etwas von sich, wenn man etwas macht ... Der Joseph wächst Blatt für Blatt, wenn es vorläufig auch nur eine Art von essayistischer oder humoristisch-pseudowissenschaftlicher Fundamentlegung ist, womit ich mich amüsiere. Denn Spaß macht mir die Sache mehr, als je etwas anderes. Es ist einmal etwas Neues und auch geistig Merkwürdiges, indem Bedeuten und Sein, Mythus und Wirklichkeit diesen Leuten beständig in einander gehen, und Joseph eine Art von mythischem Hochstapler ist.« (An Erika Mann, 23. Dezember 1926, Briefe I).

23. Dezember 1926

Besuch der Aufführung von Wolfgang Goetz' ›Gneisenau‹: »ein lächerliches Ansinnen, dem wir aber nachkommen«. (An Erika Mann, Briefe I).

Weihnachten 1926

Am Weihnachtsabend zahlreiche Gäste, u. a. Prof. Alfred Pringsheim und dessen Sohn Prof. Peter Pringsheim, Bruno Frank mit ihren Frauen und Wilhelm Speyer. Von den Kindern sind Erika und Klaus abwesend.

Januar 1927
Ernst Bertram erhält einen Ruf nach München, den er aber zugunsten seines Kölner Ordinariats zu T. M.s großer Enttäuschung ablehnt.
Niederschrift der ›Worte an die Jugend‹ (In ›Literarische Welt‹, Berlin, 7. Januar 1927).
Ende Januar–Mitte Februar 1927
Aufenthalt in Ettal bei Oberammergau. Herzlicher Brief an Karl Arnold über dessen Buch ›Schlaraffenland‹ (In ›Berliner Tageblatt‹, 11. Februar 1927).
Thomas Mann und Hermann G. Scheffauer zeichnen als Herausgeber für die Romanreihe ›Romane der Welt‹, Vorwort von T. M. im ersten Band: Hugh Walpole, ›Bildnis eines Rothaarigen‹ (In ›Prager Presse‹, 23. März 1927).
11. März 1927
In Berlin Sitzung der Sektion für Dichtkunst: T. M. verliest Heinrich Manns Protest gegen das Zensurgesetz, das im Reichstag vorbereitet wird.
12.–15. März 1927
Reise nach Warschau auf Einladung der polnischen Sektion des PEN-Clubs: »Das Jahr 1927 sodann brachte eine Reise nach Warschau, dessen Gesellschaft den deutschen Schriftsteller mit einer unvergeßlichen Gebärde hochherzig-freundschaftswilliger Gastlichkeit empfing. Ich spreche von der Warschauer Gesellschaft im ganzen, denn nicht nur die im PEN-Club zusammengeschlossenen Schriftsteller konnten sich, wohl eine Woche lang, in herzlicher Aufmerksamkeit nicht genugtun, sondern der Adel, die amtlichen Stellen schlossen sich an, und ich gewann den Eindruck eines durchgehend herrschenden Verhältnisses aufrichtiger Ehrerbietung und Dankbarkeit zur deutschen Kultur ...« (›Lebensabriß‹).
Offizieller Empfang am Bahnhof durch die Mitglieder des PEN-Clubs. Diner des PEN-Clubs in Anwesenheit der literarischen, gesellschaftlichen und diplomatischen Welt mit Reden in deutscher, polnischer und französischer Sprache von Przybyszewski, Horcyca, Juliusz Kaden-Bandrowski; T. M.s Entgegnung: ›Rede in Warschau‹ (In ›Die Forderung des Tages‹, Berlin 1930). Frühstück beim Prinzen Janusz Radziwill, dem Führer der konservativen Partei. Besuch bei Kaden-Bandrowski, anwesend u. a. der Adjutant Marschall Pilsudskis. Gespräch über dessen Stellung im Lande. »Ich gewann den Eindruck einer gemäßigten Persönlich-

keit, die sehr verehrt wird, und obzwar Militär, durchaus kein Militarist ist.« (Aus einem Interview).
Empfang beim Grafen Branicki auf dessen Schloß in Wilanow mit dem Schriftsteller F. A. Ossendowski. Abends Empfang beim deutschen Geschäftsträger Dr. Eberhard von Pannwitz. Besuch der Bibliothek in Krakau.
In einer polnischen Vorstellung im Teatr Polski, anschließend Zusammensein mit den Schauspielern. Abends Vortrag T. M.s im überfüllten Saal des Hotels ›Europejski‹: ›Freiheit und Vornehmheit‹. Besuch des germanistischen Seminars der Universität Warschau in Begleitung des Rektors Boleslav Hrymiewiecki und Prof. Lempickis; abends Teilnahme an der E.T.A. Hoffmann-Feier des PEN-Clubs in der historischen Weinstube ›Fugger‹ mit einem Vortrag Horcycas über den Dichter.
Abschiedsabend mit Kaden-Bandrowski und Professor Lempicki. Offizieller Abschied am Bahnhof durch den Staatssekretär des Äußeren Grabowski.

16. März 1927

Lesung im Kunstverein in Danzig: ›Freiheit und Vornehmheit‹ aus ›Goethe und Tolstoi‹.

20. März 1927

Zurück in München.

März 1927

Beitrag für Jacques Mortanes Buch ›Das neue Deutschland‹: über das deutsch-französische Verhältnis (›Fragment‹, Zürich: Orell Füssli, 1927).

3.–7. Mai 1927

Vortragsreise ins Rheinland und nach Heidelberg. Lesung aus ›Unordnung und frühes Leid‹.

3. Mai 1927

Köln. Excelsior Hotel Ernst.

4. Mai 1927

Essen. Direktor Vielhaber führte ihn durch die Kruppschen Wohnsiedlungen.

5. Mai 1927

Frankfurt am Main. Gast bei Dr. Emil Liefmann.

6. Mai 1927

Rasttag in Königswinter, Ausflug zur Rheininsel Grafenwerth.

7. Mai 1927

Heidelberg.

10. Mai 1927
Tod der Schwester Julia Löhr.
Mai 1927
Polemik mit dem Herausgeber des ›Tagebuchs‹, Stefan Großmann, über die Herausgeberschaft der ›Romane der Welt‹ (Antwort auf einen Offenen Brief von Stefan Großmann, in ›Das Tagebuch‹, Berlin, 28. Mai 1927).
Mitte Juli 1927
Aufenthalt in Bad Kreuth. »Ich war 1½ Wochen allein in Kreuth (dem alten ›Wildbad‹, Lieblingsaufenthalt meiner Eltern) und habe den ersten Abschnitt des ›Joseph‹ fertig gemacht.« (An Ernst Bertram, Briefe).
Glückwunsch zu Max Liebermanns 80. Geburtstag (In ›Kunst und Künstler‹, Berlin, Juli 1927).
10. August–11. September 1927
Sommeraufenthalt in Kampen auf Sylt, Haus Kliffende, mit seiner Frau und den drei jüngsten Kindern. »Das Meer ist herrlich dort, ich habe noch immer den weichen Donner der Brandung im Ohr, und überdies war man in Haus Kliffende vorzüglich aufgehoben. Ich schäme mich, nichts geleistet zu haben; außer unförderlichen Kleinigkeiten ist nichts zustande gekommen. Und ›Joseph‹ ruht noch jetzt.« (An Ernst Bertram, Briefe).
14. August 1927
Glückwunsch zu John Galsworthys 60. Geburtstag (In ›Neue Freie Presse‹, Wien, 14. August 1927).
September–Oktober 1927
Der ›Amphitryon-Essay‹: ». . . wochenlange Liebesvertiefung in Kleists Lustspiel und die Wunder seines metaphysischen Witzes.« (›Lebensabriß‹).
10. Oktober 1927
T. M. hält vor der Festaufführung des ›Amphitryon‹ im Münchner Schauspielhaus den Vortrag: »Die große Szene in Kleists ›Amphitryon‹« (In ›Vossische Zeitung‹, 16. Oktober 1927).
Oktober 1927
Klaus und Erika Mann begeben sich auf eine Weltreise durch die Vereinigten Staaten, nach Japan, Korea, Rußland. »Eure gutgelaunte Kabelung, gestern, hat recht erheiternd und beruhigend gewirkt, denn etwas besorgt waren wir doch gewesen, sowohl unter dem Eindruck von Nachrichten, die von Stürmen auf dem Atlantic meldeten und zwar keine ernsten Besorgnisse, aber doch Vorstellungen mesquiner Qual erweckten, – wie auch in Betreff

Eurer Landung und ersten Eindrücke.« (An Klaus und Erika Mann, Briefe I).

20.–28. Oktober 1927

Reise nach Berlin mit Lesungen in Stettin und Frankfurt an der Oder: aus ›Unordnung und frühes Leid‹ und den Kleist-Vortrag.

8. November 1927

Lesung aus dem Joseph-Roman im Auditorium maximum, München.

30. November–10. Dezember 1927

Große Vortragstournee: Karlsruhe, Wiesbaden (›Freiheit und Vornehmheit‹), Aachen, Mönchen-Gladbach, Krefeld, Düsseldorf (im Luise-Dumont-Theater ›Natur und Nation‹), – während dieser Tage Gast bei der Familie Wilhelm Buller, Duisburg, trifft dort mit Prof. Werner Heuser, dem späteren Direktor der Düsseldorfer Kunstakademie, zusammen, den er in Kampen kennengelernt hat – Trier, Frankfurt am Main.

(Vorabdruck: ›Höllenfahrt‹, Eingangskapitel von ›Die Geschichten Jaakobs‹, in ›Die Neue Rundschau‹, Dezember 1927).

9. Januar 1928

Lesung in Berlin aus dem Joseph-Roman.

10. Januar 1928

Sitzung der Sektion für Dichtkunst in Berlin; Zuwahl neuer Mitglieder: Theodor Däubler, Alfred Döblin, Leonhard Frank, Alfred Mombert, Fritz von Unruh.

Anfang Februar 1928

Reise nach Wien. Empfang im Rathaus; Lesung im Kulturbund aus dem Joseph-Roman.

Februar 1928

Scharfe Polemik in der ›Literarischen Welt‹ (24. Februar 1928) mit der nationalistischen und nationalsozialistischen Presse, u. a. der ›Berliner Nachtausgabe‹, dem ›Tag‹ und dem ›Völkischen Beobachter‹ über sein Verhältnis zu Frankreich.

März 1928

Auseinandersetzung mit dem von Arthur Hübscher erhobenen Vorwurf, durch die Kürzung der ›Betrachtungen eines Unpolitischen‹ für die Ausgabe der ›Gesammelten Werke‹ den Inhalt des Buches verfälscht zu haben: ›Kultur und Sozialismus‹ (In ›Preußische Jahrbücher‹, April 1928). In diesem Essay eine frühe Sympathie-Äußerung für die sozialistische Gesellschaftsidee: »Was not täte, was endgültig deutsch sein könnte, wäre ein Bund und Pakt der konservativen Kulturidee mit dem revolutionären Gesellschaftsgedanken, zwischen Griechenland und Moskau, um es pointiert zu sagen ...«

12. März 1928

Festsitzung der Akademie der Künste in Berlin: Feierliche Einführung der neuen Mitglieder.

April 1928

Frühjahrs-Autotour über Zürich, Genf, Neuchâtel, Aix-les-Bains, Grenoble, Cannes, St. Raphaël, Marseille.

21.–24. Mai 1928

Vortragsreise: Lesung in der Frankfurter Universität; Besuch der Internationalen Presse-Ausstellung (›Pressa‹) mit Ernst Bertram in Köln; Lesung in Düsseldorf.

Juni–August 1928

Verschärfung der Polemik mit Arthur Hübscher. Dieser beschuldigt in einem Offenen Brief in den ›Süddeutschen Monatsheften‹ T. M. erneut der bewußten Verfälschung des Inhalts der ›Betrachtungen‹ durch die Kürzungen. Durch die unautorisierte Veröffentlichung von fünf Privatbriefen erhalten diese Angriffe den Charakter eines Racheaktes der Zeitschrift wegen T. M.s Weigerung, ihr weiterhin Beiträge zu Verfügung zu stellen (›Eine Erklärung‹, in ›Münchener Neueste Nachrichten‹, 19. Juni 1928; ›Um Thomas Manns Betrachtungen‹, in ›Süddeutsche Monatshefte‹, Juli 1928; ›Konflikt in München‹, in ›Das Tagebuch‹, 11. August 1928; ›Die Flieger, Cossmann und ich‹, in ›Berliner Tageblatt‹, 13. August 1928).

Sommer 1928

Kegelabende in der vom Ehepaar Bruno Frank in Tegernsee gemieteten Villa des Berliner Theaterdirektors Meinhard. Gäste u. a. Fritzi Massary, Max Pallenberg und Fritz Strich.

Ende Juni 1928

Weiterarbeit am ›Joseph‹-Roman. »Der Roman schreitet trotz aller Hindernisse fort. Eben ist Rahel eingeführt, des Lammes Mutterschaf, und ich glaube, sie wird Ihnen besser gefallen, als die gräuliche kleine Dina.« (An Ernst Bertram, 30. Juni 1928, Briefe).

Juli 1928

Besuch der Gedächtnis-Ausstellung zum 400. Todestag Albrecht Dürers in Nürnberg (›Dürer‹, in ›Hamburger Nachrichten‹, 28. Juni 1928).

1.–30. August 1928

Ferienaufenthalt in Kampen, Haus Kliffende; Besuch von Ernst Bertram.

September 1928
Die Jubiläumsrede: ›Hundert Jahre Reclam‹ (Leipzig: Philipp Reclam jun. 1928).
Einleitungen zu Ludwig Lewisohns ›Der Fall Herbert Crump‹, Edmond Jaloux' ›Die Tiefen des Meeres‹, Theodor Fontanes ›Ausgewählte Werke‹ im Reclam-Verlag.
1. Oktober 1928
Das hundertjährige Jubiläum des Verlages Philipp Reclam jun. im Alten Theater zu Leipzig. T. M. hält die Festrede. Unter den Gästen: Gerhart Hauptmann, Kurt Martens, Börries Freiherr von Münchhausen, Josef Ponten, Jakob Schaffner.
31. Oktober–9. November 1928
Vortragsreise nach Österreich und in die Schweiz. Lesungen aus dem Joseph-Roman mit einem einleitenden Vorwort (›Ein Wort zuvor: Mein ‚Joseph und seine Brüder'‹, in ›Neue Freie Presse‹, Wien, 31. Oktober 1928).
5. November 1928
Wien: im Kulturbund. Empfang im Rathaus.
7. November 1928
Basel: im Stadtcasino.
9. November 1928
Luzern.
25. November–12. Dezember 1928
Vortragsreise durch Deutschland: »... auf sehr anstrengender und Stunde um Stunde besetzter Vortragstournee ...« (An Iwan Schmeljow, Briefe I); Lesungen aus den ›Geschichten Jaakobs‹.
25. November 1928
Duisburg. Gast der Familie Wilhelm Buller.
26./27. November 1928
Köln und Koblenz. Besprechung einer Angelegenheit der Nietzsche-Gesellschaft mit Ernst Bertram.
29. November 1928
Wiesbaden.
1. Dezember 1928
Hamburg. Nachmittags-Tee bei Hans-Friedrich Blunck und der Hamburger Gruppe des PEN-Clubs. Abends Lesung im großen Hörsaal der Universität.
2.–4. Dezember 1928
Lübeck. Besuch eines Orgelkonzertes in der Marienkirche. »Jetzt bin ich in meiner Vaterstadt, wo ich geboren und aufgewachsen bin, und hörte gestern abend ein schönes Konzert von Buxte-

hude in der Kirche, wo ich konfirmiert worden bin.« (An Hildegard und Gabrielle Buller, Briefe I).
Lesung in der neuen Aula der Oberrealschule zum Dom. Besuch einer Aufführung der ›Ägyptischen Helena‹ von Richard Strauss im Stadttheater.
Weitere Lesungen in Magdeburg, Liegnitz, Berlin.
Dezember 1928
Mehrere Buchbesprechungen für die Tagespresse zur Weihnachtszeit (Bücherliste, in ›Das Tagebuch‹, 1. Dezember 1928; ›Jakob Wassermann, Lebensdienst‹, in ›Reclams Universum‹, Leipzig, 13. Dezember 1928; ›Die Welt ist schön‹, in ›Berliner Illustrirte Zeitung‹, 23. Dezember 1928).

DER NOBELPREIS

Januar 1929
In Ettal bei Oberammergau. Ausarbeitung der Lessing-Rede. (Vorabdruck: ›Dina‹, Erzählung, in ›Die Neue Rundschau‹, Januar 1929).
21. Januar 1929
Festrede auf der Lessing-Feier der Preußischen Akademie der Künste in Berlin. Begrüßungsansprache Max Liebermanns, Festvortrag von Prof. Julius Petersen, Festrede Thomas Manns (›Zu Lessings Gedächtnis‹, in ›Berliner Tageblatt‹, 20. Januar 1929); ›Rede über Lessing‹, in ›Neue Schweizer Rundschau‹, Februar 1929).
22. Januar 1929
Tonfilmaufnahme mit Teilen aus der Lessing-Rede. Mittagessen bei Dr. Bermann Fischer mit Oskar Loerke, George Grosz und Frau.
22. März 1929
Ansprache zum ›Tag des Buches‹ in der Universität München.
Um den 10. April 1929
Vortrag Jakob Wassermanns in München auf einer Veranstaltung der Goethe-Gesellschaft: ›Unterhaltung mit dem Leser‹; bei dem anschließenden Festessen hält T. M. die Tischrede. »Früh taucht bei ihm die Formel auf, die ihm das Schlimmste und Widersacherischste besagt, das eigentlich Unmoralische, was das Leben niederhält, das Wort von der ›Trägheit des Herzens‹. Die Formel ist

darum so gut gewählt, weil sie zugleich künstlerisch und moralisch zu empfinden ist: dem Künstler kommt sie zuerst vom Herzen. Die ›Trägheit des Herzens‹ ist die natürliche Gegnerin aller Kunst, sie ist es, mit der die Kunst sich mißt, die Aufwieglerin der Herzen.« (›Tischrede auf Jakob Wassermann‹, in ›Berliner Tageblatt‹, 10. April 1929).

April–Mai 1929

Unterbrechung der Arbeit am Joseph-Roman durch einen Freud-Essay. »Diesen Augenblick komme ich von einem Aufsatz über ›Die Stellung Sigmund Freuds in der modernen Geistesgeschichte‹, einer ausladenden Abhandlung über das Problem der Revolution, voller pädagogischer Absichten, und namentlich derjenigen dienend, die psychoanalytische Bewegung als die einzige Erscheinungsform des modernen Anti-Rationalismus erkennen zu lassen, welche keinerlei Handhabe bietet zu reaktionärem Mißbrauch.« (An Charles du Bos, 3. Mai 1929, Briefe I).

etwa 12.–14. Mai 1929

Berlin. Gast bei S. Fischer. Gespräch im Restaurant ›Wannsee-Terrassen‹ mit S. Fischer und Frau sowie Dr. Bermann Fischer über den Plan eines populären Goethe-Buches. Es lag ein günstiges Angebot des Verlages Knaur Nachf., Berlin, vor. Der Plan wurde nicht ausgeführt.

16. Mai 1929

Vortrag ›Die Stellung Freuds in der modernen Geistesgeschichte‹ im Auditorium maximum, München, auf Einladung des Clubs demokratischer Studenten (In ›Psychoanalytische Bewegung‹, Wien, Mai/Juni 1929). »Am 16. habe ich hier bei gewaltigem Zudrang der Jugend den Vortrag über Freud gehalten. Es war ein wohltuender Abend.« (An Ernst Bertram, Briefe).

25. Mai–18. Juni 1929

Kuraufenthalt in Bad Gastein, Haus Hirt: »Der neugierige Badepöbel auf der Promenade bringt mich um, und das Ganze ist beengend. Aber das Wasser ist entschieden von Wirkung ... Wir hatten schöne, sommerliche Tage, jetzt sitzen wir tief in kalten Wolken. Zum Arbeiten komme ich gar nicht, die Korrespondenz verzehrt die etwa dafür in Betracht kommenden Morgenstunden.« (An Erika Mann, Briefe I).

Juni 1929

Besuch der Primaner des Lübecker Katharineums mit ihrem Direktor Dr. Georg Rosenthal auf ihrer Klassenfahrt. »Es ging nach Süden, und in München fiel ein Gruppenbesuch für mich ab: es war – zum mindesten für mich – eine reizende Stunde. Man trank ein Glas Bier und plauderte.« (›Ansprache an die Jugend‹). Vorbereitung der Essay-Sammlung ›Die Forderung des Tages‹.

8. Juli 1929

Niederschrift der ›Rede über das Theater‹.

15. Juli 1929

Tod Hugo von Hofmannsthals. T. M.s Nachruf: »... neulich, das letzte Mal ... saßen wir mit den Frauen und plauderten. Wir sprachen von Deutschland, seinen Meistern, von dem Verhältnis unseres Volkes zur Politik, von der Zerrissenheit und leidvollen Gehässigkeit, die dies fremde Element in seine Seele getragen, von der Strenge der Ansprüche, die seit fünfzehn Jahren, etwa seitdem wir beide vierzig geworden, die Zeit an die Lernfähigkeit, Lernwilligkeit des deutschen Menschen stelle.« (›In memoriam Hugo von Hofmannsthal‹, in ›Neue Freie Presse‹, Wien, 21. Juli 1929).

20. Juli 1929

Eröffnung der Heidelberger Festspiele mit der ›Rede über das Theater‹ (In ›Die Neue Rundschau‹, September 1929). Aufführung von Shakespeares ›Sommernachtstraum‹ und Gerhart Hauptmanns ›Florian Geyer‹. Festbankett der Stadt zu Ehren Gerhart Hauptmanns und Thomas Manns.

29. Juli–23. August 1929

Ferienaufenthalt mit den jüngsten Kindern in Rauschen, Samland, Kurhaus.

4. August 1929

Glückwunsch zu Knut Hamsuns 70. Geburtstag (In ›Vossische Zeitung‹, 4. August 1929).

Arbeit an einer neuen Novelle: ›Mario und der Zauberer‹ (›Tragisches Reiseerlebnis‹, später ›Mario und der Zauberer‹, in ›Velhagen und Klasings Monatshefte‹, Bielefeld und Leipzig, April 1930). »Auf dieser bequemen, aber weitläufigen Reise das angeschwollene Material, das unabgeschriebene Manuskript des ›Joseph‹ mitzuschleppen, empfahl sich nicht sehr. Da ich mich aber auf beschäftigungslose ›Erholung‹ durchaus nicht verstehe und eher Nachteil als Nutzen davon erfahre, beschloß ich, meine Vormittage mit der leichten Ausführung einer Anekdote zu füllen, deren Idee auf eine frühere Ferienreise, einen Aufenthalt in Forte dei Marmi bei Viareggio und dort empfangene Eindrücke zurückging: mit einer Arbeit also, zu der es keines Apparates bedurfte und die im bequemsten Sinn des Wortes ›aus der Luft gegriffen‹ werden konnte.« (›Lebensabriß‹).

T. M. pachtet ein Dünengrundstück in Nidden, Memelgebiet. »Übrigens hatte der Aufenthalt außer der literarischen eine Lebensfolge. Wir besuchten von dort [Rauschen] aus die Kurische Nehrung, deren Landschaft uns vielfach anempfohlen worden war ..., verbrachten einige Tage in dem zum litauisch verwalteten Memelgebiet gehörigen Fischerdorfe Nidden und waren von der unbeschreiblichen Eigenart und Schönheit dieser Natur, der phantastischen Welt der Wanderdünen, den von Elchen bewohnten Kiefern- und Birkenwäldern zwischen Haff und Ostsee, der wilden Großartigkeit des Strandes so ergriffen, daß wir beschlossen, uns an so entlegener Stelle ... einen festen Wohnsitz zu schaffen.« (›Lebensabriß‹). Auftrag an einen Architekten, ein Sommerhaus zu bauen.

24. August 1929

Lesung in Königsberg im ›Goethe-Bund‹ aus dem Joseph-Roman. Begrüßungsansprache von dem Ehrenpräsidenten des Goethe-Bundes Ludwig Goldstein, dem Oberbürgermeister von Königsberg Dr. h. c. Lohmeyer und von Walter von Molo.

September 1929

Besprechung der ›Deutschen Literaturgeschichte‹ von Arthur Eloesser (›Die deutsche Literatur‹, in ›Die Neue Rundschau‹, Dezember 1929).

12.–14. September 1929

Berlin. Vergebliche Verhandlungen mit S. Fischer um eine einmalige Freigabe der ›Buddenbrooks‹ wegen des Angebots des Th. Knaur Nachf.-Verlages, eine billige Sonderausgabe herzustellen.

1. Oktober 1929

Die Buddenbrook-Buchhandlung in Lübeck liquidiert: »Erst vor einigen Jahren hat Thomas Mann in seiner unnachahmlichen, zugleich lässigen und gestrafften Haltung auf dem Treppenvorsprung stehend, die Hand an der Uhrkette, die ›Buddenbrook-Buchhandlung‹ eröffnet.« (Fritz Endres, Das Ende der Buddenbrook-Buchhandlung).

7. November 1929

Die Sonderausgabe der ›Buddenbrooks‹ zu 2,85 M. erscheint bei S. Fischer. »Ungeheure Aufregung deswegen.« (Loerke, Tagebücher, S. 197).

12. November 1929

T. M. wird der Nobelpreis für Literatur 1929 durch das Nobelpreis-Comité der Schwedischen Akademie zuerkannt. T. M. erhält das Telegramm am 12. November mittags. Als erste deutsche Zeitung bringt die ›B. Z. am Mittag‹ die Nachricht noch am selben Tage. »Das Jahr sollte nicht ohne stürmische Erlebnisse und verwirrenden Weltdrang zu Ende gehen. Die sensationelle Auszeichnung, welche die Schwedische Akademie zu vergeben hat und die nach siebenzehn Jahren zum erstenmal wieder nach Deutschland fiel, hatte, soviel ich wußte, schon mehr als einmal dicht über mir geschwebt und traf mich nicht unvorbereitet. Sie lag wohl auf meinem Wege – ich sage es ohne Überheblichkeit, aus gelassener, wenn auch nicht uninteressierter Einsicht in den Charakter meines Schicksals, meiner ›Rolle‹ auf Erden, zu der nun einmal der zweideutige Glanz des Erfolges gehört und die ich durchaus menschlich betrachte, ohne viel geistiges Aufheben davon zu machen. Im Sinn einer solchen nachdenklich hinnehmenden Gelassenheit habe ich den geräuschvollen Zwischenfall, bei dem mir so viel Festlich-Freundliches geschah, als lebenszugehörig anerkannt und ihn in möglichst guter Haltung bestanden – auch innerlich, was das Schwierigere ist.« (›Lebensabriß‹).

14. November 1929

Huldigungs- und Gratulationsartikel in der Weltpresse. Glückwünsche des Reichskanzlers Hermann Müller, des Lübecker Senats, der Stadt München und der bayerischen Regierung.

16. November 1929

Nobelpreisfeier des Schutzverbandes deutscher Schriftsteller, Gruppe Bayern; T. M. liest aus ›Mario und der Zauberer‹.

18. November 1929

Vortrag im Verein für medizinische Psychologie, München: ›Die Stellung Freuds in der modernen Geistesgeschichte‹.

19. November 1929

Feier des Rotary-Clubs, München. Würdigung durch Emil Preetorius. Ansprache T. M.s: ›Bürgerlichkeit‹ (Aus der Rede bei der Nobelpreis-Feier des Münchner Rotary-Clubs, in ›Jugend‹, München, Januar 1930).

Besprechung von André Gides Autobiographie ›Si le grain ne meurt ...‹ (In ›Die Literatur‹, Stuttgart, Dezember 1929): »Ich wäre über Ihr Lebenswerk überhaupt gern ausführlicher gewesen, aber ich folgte dem Ruf der Redaktion in einer Zeit großen Trubels und hatte zu Besserem keine Ruhe.« (An André Gide, Briefe I).

20.–25. November 1929

In Oberammergau, Pension Bölsche, mit Hans Reisiger. »Erholung von dem Trubel in München.« (Brief von Katja Mann, 21. November 1929, unveröffentlicht).

26.–30. November 1929

Reise ins Rheinland: Bochum (Aufführung der ›Fiorenza‹), Duisburg, Köln, Bonn. »Das Stockholmer Vorkommnis verlieh einer von längerer Hand verabredeten Vortragsreise ins Rheinland einen besonderen, festlichen Akzent. Die Feier in der Aula der Universität Bonn, deren philosophische Fakultät mich kurz nach dem Kriege zum Doktor h. c. promoviert hatte, bleibt mir unvergeßlich durch einen jugendlichen Zudrang, der nach Aussage besorgter Professoren den Fußboden des alten Saales auf eine bedenkliche Belastungsprobe stellte.« (›Lebensabriß‹). Festakt im Auditorium maximum mit Ansprache des Dekans und Würdigung in einer Rede Oskar Walzels.

Lesung T. M.s aus dem Joseph-Roman, verlegt in die Beethoven-Halle. Begrüßung durch den blinden Dichter Adolf von Hatzfeld.

6.–23. Dezember 1929

Reise mit Frau Katja Mann nach Stockholm zur Entgegennahme des Nobelpreises.

7. Dezember 1929

Berlin. Vormittags von Korrespondenten der Weltpresse interviewt; nachmittags Empfang der Internationalen Studentenvereinigung im Humboldt-Haus: Begrüßung durch Willy Haas und Rudolf Kayser. T. M. liest das Kapitel ›Schulkrankheit‹ aus dem ›Felix Krull‹; abends Lesung im großen Konzertsaal der Hochschule für Musik, veranstaltet vom Schutzverband deutscher Schriftsteller: ›Mario und der Zauberer‹. Begrüßung durch Arnold Zweig; anschließend Beisammensein mit Heinrich Mann und Freunden, unter ihnen Wilhelm Herzog, im Restaurant Frolicz in der Fasanenstraße.

9. Dezember 1929

Ankunft in Stockholm. Empfang durch Vertreter der Schwedischen Akademie, der Deutschen Gesellschaft und der Deutsch-schwedischen Vereinigung. Unterkunft im ›Grand Hotel‹. Interview mit Vertretern der skandinavischen Presse. Empfang bei dem deutschen Gesandten Dr. von Rosenberg. Lesung auf der Veranstaltung der Deutsch-schwedischen Vereinigung: aus den ›Buddenbrooks‹ und dem Joseph-Roman.

10. Dezember 1929, 17 Uhr

Der feierliche Festakt der Überreichung der Nobelpreise durch

König Gustaf V. an Prof. Louis Victor de Broglie und Prof. Sir Owen Williams Richardson (Physik), Prof. Arthur Harden und Prof. Hans von Euler-Chelpin (Chemie), Prof. Sir Frederic Hopkins (Medizin) und Thomas Mann in Anwesenheit des Kronprinzenpaares, Mitglieder der Schwedischen Akademie und anderer wissenschaftlicher Körperschaften im großen Saal des ›Konserthuset‹. Begrüßungsansprache durch den ehemaligen Ministerpräsidenten Hammarskjöld als Vorsitzenden des Verwaltungsrates des Nobelpreis-Comités. Ansprachen schwedischer Professoren an die jeweiligen Preisträger und Entgegennahme der Urkunden aus der Hand des Königs. Prof. Frederik Böök würdigt Thomas Mann in deutscher Sprache. Der Text der Urkunde: »Thomas Mann, Inhaber des literarischen Nobelpreises des Jahres 1929, insbesondere für seinen großen Roman ›Buddenbrooks‹, der im Laufe der Jahre eine immer mehr gefestigte Anerkennung gefunden hat als ein klassisches Werk der Gegenwart.«
Abends: Festbankett im Spiegelsaal des ›Grand Hotel‹. Kurze Ansprachen der Preisträger; die T. M.s schließt mit dem vierfachen Hurra auf die Nobelstiftung. »Ich tue wohl daran, den Weltpreis, der mehr oder weniger zufällig auf meinen Namen lautet, meinem Lande und Volke zu Füßen zu legen, diesem Lande und Volk, mit dem meinesgleichen sich heute nur fester noch verbunden fühlt als zur Zeit seiner klirrendsten Machtentfaltung. Dem deutschen Geist, der deutschen Prosa insbesondere, gilt dieses Jahr der Stockholmer Weltpreis, nach langen Jahren wieder einmal, und Sie machen sich schwer eine Vorstellung von der sensitiven Empfänglichkeit dieses verwundeten und vielfach unverstandenen Volkes für solche Zeichen der Weltsympathie.« (›Rede in Stockholm‹, in ›Berliner Tageblatt‹, 15. Dezember 1929).

11. Dezember 1929

Frühstück im Stockholmer Rotary-Club; Begrüßung durch den Klubpräsidenten Direktor Belfrage, Chef der Stockholmer Börse; abends: Diner im Schloß beim König von Schweden. Unter den Gästen auch frühere Nobelpreisträger, wie Selma Lagerlöf und Erzbischof Nathan Söderblom, sowie der Verleger Albert Bonnier.

12. Dezember 1929

Lesung in der Deutsch-schwedischen Vereinigung vor ungefähr 500 Mitgliedern der deutschen Kolonie aus ›Felix Krull‹, ›Tonio Kröger‹ und ›Das Wunderkind‹.

14. Dezember 1929
Abreise nach Kopenhagen.
15. Dezember 1929
Empfang in der deutschen Gesandtschaft durch Ulrich von Hassell. Prof. Roos von der Kopenhagener Universität würdigt Thomas Mann in einem Vortrag; unter den Gästen Ministerpräsident Stauning, Außenminister Dr. Munch, Björn Björnson. Anschließend Gast auf dem Fest des 25. Jubiläums des Dänischen Journalistenverbandes im Hotel d'Angleterre.
18. Dezember 1929
Lesung in der Studenterforeningen aus ›Buddenbrooks‹ und dem Joseph-Roman.
19. Dezember 1929
Berlin; Bankett des Deutschen PEN-Clubs im Zoologischen Garten. Begrüßung durch den Vorsitzenden Fedor von Zobeltitz, Festrede von Arthur Eloesser, Ansprache des preußischen Kultusministers Dr. Becker, Glückwünsche von René Lauret als Vertreter des Französischen PEN-Clubs, von Oskar Loerke im Auftrage der Sektion für Dichtkunst; T. M. dankt mit der Versicherung, die Anerkennung der Heimat sei ihm am beglückendsten. Glückwunsch zu S. Fischers 70. Geburtstag (In ›Literarische Welt‹, Berlin, 19. Dezember 1929).
20. Dezember 1929
T. M. spricht im Rundfunk: Darstellung der Stockholmer Feierlichkeiten in improvisierter Rede. Abends Lesung zugunsten der jüdischen Altershilfe im Hause von Hugo Simon: aus den ›Geschichten Jaakobs‹.
23. Dezember 1929
Zurück nach München. Festessen der Stadt München in der Ratstrinkstube des Münchener Rathauses. Begrüßung durch Oberbürgermeister Dr. h. c. Scharnagl. T. M.s Dankesworte.
Weihnachten 1929
»Wir hatten ein recht wohliges Fest und fühlten uns im Hafen nach langer Sturmfahrt ...« (An Ernst Bertram, Briefe).
4.–13. Januar 1930
Eine Woche Aufenthalt in Ettal bei Oberammergau. Den ›Lebensabriß‹ niedergeschrieben, beendet Anfang Februar (In ›Die Neue Rundschau‹, Juni 1930).
11. Februar 1930
Silberne Hochzeit. »Nicht genug Dank zollen aber kann ich ... der Frau, die seit nun bald auf den Tag fünfundzwanzig Jahren

mein Leben teilt, – dies schwierige, Geduld vor allem erfordernde, aber leicht ermüd- und verstörbare Leben, von dem ich nicht weiß, wie es sich ohne den klugen, tapferen und zart-energischen Beistand der außerordentlichen Gefährtin auch nur, wie geschehen, hätte behaupten sollen.« (›Lebensabriß‹).

DER JOSEPH-ROMAN – WEITERFÜHRUNG

14. Februar–16. April 1930
»Inspektionsreise« nach Ägypten und Palästina. Stürmische Überfahrt von Genua nach Alexandria.
21. Februar 1930
Auf dem Nildampfer ›Assuan–Wadi Halfa‹ nach Nubien; dort einige Tage Aufenthalt.
Anfang März 1930
Rückfahrt über Assuan und Luxor.
2. März 1930
T. M. gratuliert Arthur Eloesser zum 60. Geburtstag aus Assuan (›Vossische Zeitung‹, Berlin, 20. März 1930). Rückkehr nach Kairo, Frau Katja Mann an der Ruhr erkrankt.
18. März 1930
Empfang im Literarischen Klub ›Al Diafa‹ in Kairo.
19. März 1930
Von der arabischen Zeitung ›Al Mokattam‹ eingeladen.
26. März–1. April 1930
Jerusalem. T. M. ebenfalls erkrankt; Deutsches Diakonissen-Hospital. »... in Kairo mußte meine Frau an Amöben-Dysenterie erkranken, und nun bin ich hier in Palästina von derselben Krankheit befallen worden, sodaß wir beide uns in recht kläglichem Zustande im hiesigen Spital befinden.« (An Ernst Bertram, Briefe).
8. April 1930
Heimreise über Italien. »Es war eine bedeutende Reise, weit nilaufwärts ins Nubische, dann langsam über Assuan, Luxor, Kairo über den Kanal ins Vorder-Asiatische. Habe ich acht gegeben!« (An Maximilian Brantl, Briefe I).
18. Mai 1930
Berlin. Rede auf dem Pan-Europa-Kongreß in der Singakademie: ›Die Bäume im Garten‹ (In ›Vossische Zeitung‹, 20. Mai 1930).

Juni 1930
Teilnahme am Internationalen PEN-Club-Kongreß in Den Haag im Rittersaal des Binnenhofes.
7. Juli 1930
Lesung aus dem Joseph-Roman in der Universität München. Arbeit an der Einleitung zu Theodor Storms ›Gesammelten Werken‹ (›Der Lyriker Theodor Storm – Theodor Storm, der Mensch‹, in ›Daheim‹, Berlin, November 1930): »Ich bin von einer rasch herzustellenden Nebenarbeit, der Einleitung zu Storms Werken im Knaur-Verlag, sehr in Anspruch genommen ...« (An Ida Herz, 23. Juni 1930, unveröffentlichter Brief).
16. Juli–Anfang September 1930
Ferienaufenthalt im neuen Dünenhaus in Nidden auf der Kurischen Nehrung. »Wir hatten damals an der Ostsee – hoch oben im kurischen Gebiet, ein Haus. Mein Vater ist an der Ostsee geboren, und es hat ihn immer wieder dorthin oder auch an ein anderes Meer gezogen ... Das Haus lag mitten im Kiefernwald, eine Viertelstunde Weg vom Strand. Es hatte braune Holzwände, blaue Fensterläden und ein Dach aus Stroh und blickte auf das Binnenmeer, das sogenannte Haff.« (Monika Mann, ›Vergangenes und Gegenwärtiges‹). Vorwort für Hermann Ungars posthumen Novellenband ›Colberts Reise und andere Erzählungen‹ (In ›Berliner Tageblatt‹, 10. Oktober 1930).
2. September 1930
Prof. Alfred Pringsheim begeht seinen 80. Geburtstag in Nidden. »Ofei wird also 80, – das ist eine phantastische Tatsache. Man muß bedenken, daß er die witzigsten Augen der Welt hat, einen Mund, der niemals Ruhe gibt, dem die Scherze und die lustigen Assoziationen nur so entströmen, ... daß er niemals Auto fährt und fast nie Trambahn –, ... daß er Klavier spielt wie ein junges Blut, daß er noch heute Mathematik treibt in seinem kleinen geheimnisvollen Arbeitszimmer mit der Galerie und den astronomischen Geräten, und daß er kalte Enten brauen kann, Braten tranchieren, Salate würzen ...« (Erika Mann, ›Glückwunsch‹).
11.–Mitte September 1930
Reise nach Den Haag und Genf.
13. September 1930
Rede auf der Regionalkonferenz Europa–Afrika des Rotary-Clubs in Den Haag: ›Die geistige Situation des Schriftstellers in unserer Zeit‹ (In ›Neue Freie Presse‹, Wien, 14. und 16. September 1930).

14. September 1930
Bei den Reichstagswahlen große Zunahme der nationalsozialistischen Stimmen.
Lesung in Genf in der ›Athenée‹ aus dem Joseph-Roman; Einladung beim Reichsaußenminister Dr. Curtius; Teilnahme an einer Vollversammlung des Völkerbundes.
Mitte September 1930
Abfassung des Platen-Essays für die Tagung der Platen-Gesellschaft (›Platen – Tristan – Don Quichotte‹, in ›Die Neue Rundschau‹, Januar 1931).
Ende September 1930
Besuch Bertrams in München; stärker sich herausbildende Gegensätze ihrer politischen Anschauungen: »Montag mich zu T. M. gewagt, zu dritt ... tobte man dort über Hitler gewaltig ...« (Ernst Bertram an einen Freund).
4. Oktober 1930
Festvortrag auf der Tagung der Platen-Gesellschaft in Ansbach: ›Platen – Tristan – Don Quichotte‹. Verleihung der Platen-Plakette durch den Präsidenten der Gesellschaft Hans von Hülsen.
Oktober 1930
Der Essayband ›Die Forderung des Tages‹ erscheint (Reden und Aufsätze aus den Jahren 1925–1929, Berlin: S. Fischer 1930, 1.–8. Tsd.).
15.–19. Oktober 1930
Berlin.
15. Oktober
Lesung im Lehrervereinshaus aus dem ›Zauberberg‹ und dem Joseph-Roman.
17. Oktober
›Deutsche Ansprache‹: T. M. warnt in einer Rede im Beethovensaal zu Berlin vor der aufsteigenden Gefahr des Nationalsozialismus: der politische Platz des Bürgertums sei heute an der Seite der Sozialdemokratie. Rechtsradikale und Nationalsozialisten versuchen, die Veranstaltung zu stören. Trotz Unruhe und Schlägerei im Saal führt T. M. seine Ansprache zu Ende (›Deutsche Ansprache, Ein Appell an die Vernunft‹, Berlin: S. Fischer 1930, 1.–6. Tsd.).
18. Oktober
Lesung in der Singakademie als Gast des Verbandes deutscher Erzähler aus dem Joseph-Roman. Begrüßung durch Jakob Schaffner.

25. Oktober 1930
Besuch eines Bruno-Walter-Konzerts mit Gustav Mahlers ›Lied von der Erde‹.
Ende Oktober 1930
Wahrscheinlich Beendigung des ersten Bandes des Joseph-Romans: ›Die Geschichten Jaakobs‹.
Dezember 1930
Der Plan, ein Goethebuch für das Jahr 1932 zu schreiben, von den Verlegern Knaur und S. Fischer stark unterstützt, wird schließlich aufgegeben. »Sie können sich denken, daß der ›Joseph‹ das Hauptargument gegen den Goethe-Plan ... geblieben ist. Hinzu kommt, daß mir der Gedanke, ein für mein Leben bedeutendes und verantwortungsvolles Werk auf Bestellung und gegen ein im Voraus zu empfangendes Hoch-Honorar in Angriff zu nehmen, zuweilen unheimlich ist: Ich habe es nie getan, meine Bücher entstanden frei, aus Not und Spaß, und der Erfolg war ein unerwartet-behaglich Hinzukommendes ...« (An Ernst Bertram, Briefe).
Das ›Bild der Mutter‹, geschrieben auf Anfrage einer Illustrierten (›Bild der Mutter, Erinnerungen‹, in ›Illustrierte Leipziger Zeitung‹, 11. Dezember 1930). Besprechung von Heinrich Manns neuem Roman ›Die große Sache‹ (In ›Literarische Welt‹, Berlin, 12. Dezember 1930).
Ende Dezember 1930
Besuch Ernst Bertrams in München. »Die Kleinen spielten nett bei T. M., sie gaben mir ein Konzert. Ich machte einen langen Spaziergang mit Tom ...« (Ernst Bertram an einen Freund).
Januar 1931
»Ich spinne noch immer an meinem biblisch-mythologischen Roman fort, der ein höchst eigensinniges Unternehmen ist und vielleicht zu sehr Experiment, als daß man soviel Zeit und Kräfte darin investieren dürfte.« (An Iwan Schmeljow, Briefe I).
Mitte Januar–12. Februar 1931
In St. Moritz, Hotel ›Chantarella‹. Zusammentreffen mit Jakob Wassermann, der aus seinem Roman ›Der Fall Maurizius‹ vorliest. »Der Jakob las mehrmals aus seinem neuen Roman vor, – es ist sehr großartig und etwas komisch wie immer.« (An Erika Mann, Briefe I).
Während des Aufenthaltes Arbeit an dem politischen Aufsatz ›Die Wiedergeburt der Anständigkeit‹ (In ›Der Staat seid Ihr‹, Berlin, 2.–23. März 1931).

März 1931

Der Historiker und Philosoph Erich von Kahler lädt T. M. nach Wolfratshausen bei München ein, um ihm aus seinem entstehenden Werk ›Der deutsche Charakter in der Geschichte Europas‹ vorzulesen; T. M. lehnt wegen Überlastung ab; aus dieser Korrespondenz entwickelt sich eine bis ans Lebensende dauernde Freundschaft.

27. März 1931

Heinrich Manns 60. Geburtstag. Geburtstagsfeier in der Preußischen Akademie der Künste zu Berlin. Festreden von Kultusminister Adolf Grimme, Gottfried Benn, Lion Feuchtwanger und T. M.; Dankesworte von Heinrich Mann. Thomas Mann: »Lübecker Gotik und ein Schuß Latinität – es wäre ja ein Irrtum, wollte man bei jedem von uns nur das eine oder andere finden: das Altdeutsche bei mir, weil ich ›Buddenbrooks‹ schrieb, das Romanische bei dir, weil du die ›Herzogin‹, die ›Kleine Stadt‹ und so manche italienische Novelle geschrieben hast ... In ›Professor Unrat‹ ist von dem heimatlichen gotischen Spuk so viel, daß man sagen kann, er ist ganz darin; und man braucht sich nur genauer bei dir umzusehen, um ihn im einzelnen auch sonst zu finden.« (›Vom Beruf des deutschen Schriftstellers in unserer Zeit‹, in ›Die Neue Rundschau‹, Berlin, Mai 1931).
(Vorabdruck: ›Das bunte Kleid‹, in ›Der Morgen‹, Darmstadt, April 1931).

5. Mai–16. Mai 1931

Reise nach Paris auf Einladung des Verlegers Fayard, zum Erscheinen der französischen Ausgabe des ›Zauberberg‹.

5. Mai

Vortrag in Straßburg im Konservatorium: ›Die geistige Situation des Schriftstellers in unserer Zeit‹, anschließend Lesung aus dem Joseph-Roman.

6. Mai

Ankunft in Paris.

7. Mai

Mittags Frühstück in der deutschen Botschaft; abends Vortrag im Institut International de Coopération Intellectuelle: ›Vornehmheit und Freiheit‹, Begrüßung durch Stephan Valot und Jules Romains.

11. Mai

Vortrag im Germanistischen Institut der Sorbonne: ›Die Stellung Freuds in der modernen Geistesgeschichte‹. Besuch bei Félix Bertaux. Erste persönliche Begegnung mit André Gide und Jean Schlumberger.

11. Juni 1931

Vortrag in Erlangen auf Einladung des republikanischen Studentenbundes: ›Europa als Kulturgemeinschaft‹ (s. ›Die Bäume im Garten‹, 18. Mai 1930).

12. Juni 1931

Derselbe Vortrag in München.

Juli 1931

Mehrtägiger Besuch André Gides in München.

5. Juli 1931

Lesung in der Münchener Universität zugunsten der ›Glaspalasthilfe‹ aus dem Joseph-Roman in Anwesenheit Gides. »André Gide war zu unserer Freude ein paar Tage in München, und ich hatte Gelegenheit, seine reizvolle und tief merkwürdige Persönlichkeit intensiver auf mich wirken zu lassen, als es in Paris möglich war. Wir machten en famille einen hübschen Ausflug an den Starnberger See, und er war sogar so aufmerksam, einer Vorlesung aus meinem biblischen Roman beizuwohnen, die ich abends in der Universität hielt. Er sagte mir erstaunlich schlagende Dinge darüber, die mir ein Beweis seiner Intuition waren.« (An Jean Schlumberger, Briefe I).

6.–8. Juli 1931

Teilnahme an den Sitzungen des ›Comité Permanent des Lettres et des Arts‹ in Genf. Leiter der Tagung: Präsident Jules Destrée, Belgien. Weitere Teilnehmer: Paul Valéry, Gonzague de Reynold, Gilbert Murray, Henri Focillon, Josef Strzygowski, Wilhelm Waetzoldt, Ugo Ojetti, John Masefield, Ragnar Ostberg, Nini Roll Anker, Hélène Vacaresco (Elena Vacarescu), George Oprescu, Adolfo Costa du Rels, Béla Bartók, Karel Čapek, Roberto Paribeni, Julien Luchaire, Salvador de Madariaga. »Das sind wir, so fanden wir uns zusammen am 6. Juli 1931 in dem luftigen, bequem ausgestatteten ... Saal des Völkerbund-Palais in Genf, großenteils fremd untereinander zunächst, aber vielfach bekannt der eine mit dem Werk des anderen, jeder aus seiner produktiven Einsamkeit kommend, aber ein jeder mit dem guten Willen, die Strenge dieser Einsamkeit ins Gesellschaftlich-Gesprächige sich lösen zu lassen.« (›Der Geist in Gesellschaft‹). Thema der Tagung ist die Förderung der geistigen Beziehungen durch die technischen Kommunikationsmittel. Höhepunkt der Tagung ein Exposé Paul Valérys, auf das T. M. in seiner Schlußansprache zurückgreift: »Das neue Bild müsse gefunden werden, der synthetische Mensch des neuen Humanismus, der neue Europäer ...« (Aus einem Sitzungsbericht).

Mitte Juli–Anfang September 1931

Ferienaufenthalt im Sommerhaus zu Nidden.

21. August 1931

T. M. verwahrt sich in einem Brief an den Herausgeber der ›Nouvelles Littéraires‹, Maurice Martin du Gard, gegen eine unsachliche und herabsetzende Besprechung der französischen Ausgabe des ›Wälsungenblut‹ (›Sang Réservé‹, in ›Les Nouvelles Littéraires‹, Paris, 29. August 1931).

3. September 1931

Vortrag in Königsberg: aus ›Goethe und Tolstoi‹.

4. September 1931

Lesung in Elbing aus den ›Buddenbrooks‹, dem ›Zauberberg‹ und dem Joseph-Roman.

7. September 1931

Die 400-Jahrfeier des Katharineums zu Lübeck. Auf Reden und zahlreiche Begrüßungsworte folgt auf dem Festakt in der Katharinenkirche Thomas Manns ›Ansprache an die Jugend‹ (›Vossische Zeitung‹, Berlin, 8. September 1931): »Es ist nichts weiter als ein schicklicher Gegenbesuch, den ich diesmal der Vaterstadt und ihrer alten Schule abstatte, ein Gegenbesuch bei der Jugend. Ein Sommerabend schwebt mir vor – er liegt etwa zwei Jahre zurück – da sah ich in München auf unserer Gartenterrasse sehr liebe Gäste bei mir. Es war Jugend, Lübecker Jugend, Katharineumsjugend.« Abends Aufführung von Plautus' ›Die verwechselten Zwillinge‹ durch Oberprimaner.

September (?) 1931

Ein Beitrag für Harald Brauns Buch ›Dichterglaube‹ (Stimmen religiösen Erlebens, hrsg. von Harald Braun, Berlin-Steglitz: Eckart-Verlag 1931): ›Fragment über das Religiöse‹.

November 1931

Vorabdruck: ›Jaakobs Hochzeit‹ (In ›Corona‹, München, Zürich).

Dezember 1931

T. M. erkrankt an »infektiösem Katarrh mit obligater Magen- und Darmaffektion«. »Zum Hl. Abend, namentlich zu jener Dunkel-Viertelstunde vor der Bescherung, wenn die Kinder singen, bin ich etwas aufgestanden und bin tatsächlich glücklich über mein Hauptgeschenk, das wir uns zur Belebung der Wirtschaft geleistet haben, einen kombinierten Radio-Grammophon-Apparat, bei dem auch die Platten durch den Dynamo-Lautsprecher klingen, – ein Ohrenschmaus.« (An Ernst Bertram, Briefe) (›Demütigung und Erhebung‹, in ›Die grüne Post‹, Berlin, 27. Dezember 1931).

DAS GOETHEJAHR 1932

Januar 1932
Wachsende Wirtschafts- und Finanzkrise in Deutschland. Die Arbeitslosenzahl steigt auf sechs Millionen. Arbeit an dem Goethe-Vortrag: ›Goethe als Repräsentant des bürgerlichen Zeitalters‹ (In ›Die Neue Rundschau‹, April 1932): »Dies Jahr ist wahrlich ein Ehrenjahr des deutschen Menschen und der deutschen Kultur; ... die Erhebung des Selbstbewußtseins, die damit verbunden ist, kann ein leidendes Volk wie das deutsche wohl brauchen.« (›Ansprache bei der Einweihung des erweiterten Goethe-Museums in Frankfurt am Main‹). Akademie der Künste, Sektion für Dichtung: Wahlsitzung. Es werden u. a. Gottfried Benn und Ina Seidel hinzugewählt.
5.–24. Februar 1932
Aufenthalt in St. Moritz, Hotel ›Chantarella‹. »Eine Woche lang haben wir volle Sonne gehabt und heute zum ersten Mal leichten Schneefall und zauberischen Schleierdunst um die Berge. Schwer zu sagen, was schöner ist.« (An Robert Faesi, Briefe).
Arbeit an dem Vortrag ›Goethes Laufbahn als Schriftsteller‹ (›Goethes Laufbahn als Schriftsteller‹, in ›Corona‹, München, Berlin, Zürich, Februar 1933); Besprechung von Alfred Jeremias, ›Handbuch der altorientalischen Geisteskultur‹ (›Die Einheit des Menschengeistes‹, in ›Vossische Zeitung‹, Berlin, 17. Februar 1932), einer Hauptquelle für den Joseph-Roman.
25. Februar 1932
Vortrag in Bern: ›Goethe als Repräsentant des bürgerlichen Zeitalters‹.
26. Februar 1932
Derselbe Vortrag in Luzern.
13.–24. März 1932
»Zweite Goethe-Reise.«

14. März
Prag. Vortrag auf der Goethe-Gedenkfeier im Neuen Theater; Gast des Prager PEN-Clubs.
15. März
Wien, Hotel ›Imperial‹. Vortrag in der ›Hofburg‹: ›Goethe als Repräsentant‹ in Anwesenheit Hermann Brochs; danach Interview über Hitler und seinen verderblichen Einfluß auf Deutschland.
16. März
Besuch bei Sigmund Freud. Zusammentreffen mit Franz Werfel.
18. März
Berlin. Festvortrag auf der Feier von Goethes 100. Todestag in der Preußischen Akademie der Künste: ›Goethe als Repräsentant des bürgerlichen Zeitalters‹: »Ich rufe die Empfindungen auf, die mich bestürmten, als ich vor Jahren zum erstenmal durch Goethes Elternhaus am Hirschgraben zu Frankfurt ging. Diese Treppen und Zimmer waren mir nach Stil, Stimmung, Atmosphäre urbekannt. Es war die ›Herkunft‹, wie sie im Buche, im Buch meines Lebens steht, ... und zugleich der Anfang des Ungeheueren. Ich war ›zu Hause‹, und dennoch ein scheuer und später Gast in der Ursprungssphäre des Genius.« (›Goethe als Repräsentant des bürgerlichen Zeitalters‹). Verleihung der Goethe-Medaille »für wertvolle Mitarbeit bei der Goethe-Jahrhundertfeier« mit einem von Reichspräsident von Hindenburg unterzeichneten Begleitschreiben.
19. März
Besuch der Aufführung von Hauptmanns ›Vor Sonnenuntergang‹.
20.–24. März
Weimar, Hotel ›Fürstenhof‹. Festvortrag auf der Goethe-Gedächtnis-Woche in der Stadthalle: ›Goethes Laufbahn als Schriftsteller‹. Aufführung des ›Tasso‹, Gastspiel des Burgtheaters, Wien, und des ›Egmont‹ durch das Bochumer Stadttheater. Besuch der Goethe- und Schillerhäuser.
April 1932
Aufenthalt in Lugano, Villa Castagnola.
10./11. Mai 1932
Nürnberg. Vortrag im Rahmen der Volkshochschule im Saal des Verkehrsmuseums: ›Goethes Laufbahn als Schriftsteller‹.
12.–14. Mai 1932
Tagung des ›Comité Permanent des Lettres et des Arts‹ in Frank-

furt am Main im Bürgersaal des Römers: ›Entretiens sur Goethe‹. Feierliche Eröffnung durch einen Festakt in der Oper. Begrüßung durch Rudolf G. Binding, Ansprachen des Präsidenten des Comités, Jules Destrée, sowie weiterer Mitglieder des Comités. Thema der 1. Sitzung: ›Goethe Européen‹; Referat T. M.s: ›Goethe et la Vocation d'Écrivain‹, weitere Referate von Hélène Vacaresco (Elena Vacarescu), Salvador de Madariaga, Paul Valéry. Abends Aufführung der ›Zauberflöte‹ im Opernhaus mit einer Ansprache von T. M. Tagungsthema der 3. Sitzung: ›Les Voyages‹, zu dem T. M. nach Referaten von George Oprescu, Roberto Paribeni und Wilhelm Waetzoldt das Schlußwort beisteuert: ›Goethe et l'Allemagne‹ (In ›Entretiens sur Goethe‹, Paris 1932).

14. Mai 1932

Ansprache bei der Einweihung des erweiterten Goethe-Museums in Frankfurt am Main. »Ich bekenne mich tief ergriffen von der Ehre, mit der diese Stunde mich belädt: der Ehre, dies fromme Liebeswerk, diesen Reliquienhort, das Frankfurter Goethe-Museum – gleichsam als Vertreter der Nation zu treuen Händen entgegenzunehmen ... Ja, ich habe ihn geliebt von jung auf, warum soll ich es hier und heute nicht sagen, – mit einer Liebe, die die höchste Steigerung der Sympathie, die Bejahung des eigenen Selbst in seiner Verklärung, Idealität, Vollendung war.« (›Ansprache bei der Einweihung des erweiterten Goethe-Museums in Frankfurt am Main‹, in ›Festgabe zum Goethejahr 1932‹, Halle 1932). Verleihung der Meistermedaille des ›Freien deutschen Hochstifts Frankfurt am Main‹ am grünen Bande. Der Besitzer ist Stiftsherr des ›Freien Deutschen Hochstifts‹ mit ewiger Mitgliedschaft. Anschließend Fahrt nach Darmstadt zur Uraufführung von André Gides ›Ödipus‹. Rückfahrt nach München über die Bergstraße, Heidelberg und Stuttgart. Besuch von Leopold Schwarzschild, dem Herausgeber des ›Tagebuch‹, bei T. M. – Schwarzschild plant, seine Zeitschrift in München herauszugeben; gibt diesen Plan aber wieder auf.

8. Juni 1932

Vortrag in München: ›Goethes Laufbahn als Schriftsteller‹. »Gestern habe ich hier im Auditorium maximum vor fünfzehn- oder siebzehnhundert Menschen den in Weimar ins Wasser gefallenen Goethe-Vortrag wiederholt. Die Leute, viele junge Leute, zeigten sich leidenschaftlich angetan. Man stelle mit Deutschland auf, was man wolle, – meinesgleichen wird nie allein sein.« (An Ernst Bertram, Briefe). Der Ausdruck »ins Wasser gefallen« ist wörtlich zu verstehen; es herrschte am Tage des Vortrages in Weimar ein heftiges und stürmisches Regenwetter.

Ende Juni 1932

Wahrscheinlich um diese Zeit Beendigung des 2. Bandes des Joseph-Romans: ›Der junge Joseph‹.

2. Juli–4. September 1932

Ferienaufenthalt im Sommerhaus Nidden. Die ersten beiden Wochen zusammen mit Hans Reisiger, »einem angenehmen Hausgenossen«; am 15. Juli kommt Frau Katja Mann mit den Kindern nach.

Weiterarbeit am Joseph-Roman. »Ich schreibe am 3. Band des ›Joseph‹. Fischer wollte durchaus die beiden fertigen ›schon‹ jetzt herausgeben, aber ich habe mich geweigert. Man möchte das Ganze doch zu seiner Stunde en bloc hinstellen.« (An Ernst Bertram, 23. Juli 1932, Briefe).

(Vorabdruck: ›Die Fahrt zu den Brüdern‹, Erzählung, in ›Die Neue Rundschau‹, August und September 1932).

31. Juli 1932

Bei den Reichstagswahlen erreichen die Nationalsozialisten einen starken Stimmengewinn: 230 von 608 Mandaten.

August 1932

Scharfe Stellungnahme zu den Ausschreitungen der Nationalsozialisten in Königsberg: »Werden die blutigen Schandtaten von Königsberg den Bewunderern der seelenvollen ›Bewegung‹, die sich Nationalsozialismus nennt, sogar den Pastoren, Professoren, Studienräten und Literaten, die ihr schwatzend nachlaufen, endlich die Augen öffnen über die wahre Natur dieser Volkskrankheit, dieses Mischmasch aus Hysterie und vermuffter Romantik, dessen Megaphon-Deutschtum die Karikatur und Verpöbelung alles Deutschen ist?« (›Was wir verlangen müssen‹, in ›Berliner Tageblatt‹, 8. August 1932).

Die politischen Ereignisse hemmen den Fortschritt der Arbeit am Joseph-Roman: »Ich bin ein gutes Stück weiter mit dem 3. Bande des ›Joseph‹ gekommen, und wäre nicht die Politik gewesen, so wär's gewiß noch mehr und besser geworden.« (An Ida Herz, Briefe I).

Oktober 1932

In München Niederschrift seiner Erinnerungen an die Sitzungen des ›Comité Permanent des Lettres et des Arts‹ in Genf und Frankfurt am Main (›Der Geist in Gesellschaft‹, in ›Neue Zürcher Zeitung‹, 9. und 10. Oktober 1932); Abfassung einer Rede für Wiener

Arbeiter, »einer überzeugungsvollen Sympathieerklärung für deren Sache«.

22. Oktober 1932

Rede im Arbeiterheim zu Wien-Ottakring vor Arbeitern. »Es geschieht zum ersten Mal, daß ich, der bürgerlich geborene Schriftsteller, vor einem sozialistischen Arbeiterpublikum spreche, und diese Situation ist kennzeichnend nicht nur für die Zeit, die das mit sich bringt, sondern ich empfinde sie auch als epochal für mein persönliches Leben und meine geistige Entwicklung.« (›Rede vor Arbeitern in Wien‹, in ›Gesammelte Werke in zwölf Bänden‹, Band XI).

23. Oktober 1932

T. M. liest im Wiener Rundfunk aus dem Joseph-Roman.

11.–14. November 1932

Besuch bei Ernst Bertram in Köln-Marienburg, dort Zusammentreffen mit Hans Carossa.

Dezember 1932

Besprechung von Arthur Eloessers ›Deutsche Literaturgeschichte‹, zweiter Band (In ›Die Neue Rundschau‹, Januar 1933).

11. Dezember 1932

Ansprache auf der Feier von Gerhart Hauptmanns 70. Geburtstag im Münchner Nationaltheater: »Dies kindliche Reimwort ›Kunst bringt Gunst‹ ... es bestimmt und erklärt sein Wesen, seine Würde und Volkstümlichkeit wirklich vollkommen und glücklicher als irgendeinen anderen heutigen Ruhm.« (›An Gerhart Hauptmann‹, in ›Vossische Zeitung‹, Berlin, 15. Dezember 1932).

Gerhart Hauptmann zu Gast bei T. M.

T. M. unterbricht die Arbeit am Joseph-Roman und bereitet den Wagner-Essay zum 50. Todestag des Komponisten am 13. Februar 1933 vor.

Die Emigration

1933–1938

DIE SCHWEIZER JAHRE

1. Januar 1933
Erika Mann eröffnet mit ihrer Freundin Therese Giehse und anderen jungen Schauspielern das literarische Kabarett ›Die Pfeffermühle‹ in der ›Bonbonnière‹, München; wegen der politischen Verhältnisse muß es bald darauf schließen.

2. Januar 1933
Arbeit am Wagner-Essay (›Leiden und Größe Richard Wagners‹, in ›Die Neue Rundschau‹, April 1933). »Meine Gesundheit ist nicht die beste, die Nerven, der Kopf sind recht ermüdbar. Ich habe ein bißchen viel zu tragen, auch zu vielerlei. Am Joseph ... schreibe ich z. Z. wieder einmal gar nicht, sondern bereite einen Vortrag über Wagner für Amsterdam, Brüssel und Paris, zum 50. Todestage, vor. Eine heikel-reizvolle Aufgabe mit großen Kompositionsschwierigkeiten bei starkem Gedankenzudrang.« (An Adele Gerhard, Briefe I).

20. Januar 1933
T. M. sagt seine Teilnahme an der Veranstaltung des ›Sozialistischen Kulturbundes‹ in der Berliner Volksbühne ab. Die von ihm vorbereitete Ansprache soll dort verlesen werden (›Bekenntnis zum Sozialismus‹, in ›Sozialistische Bildung‹, Berlin, Februar 1933). Die für den 19. Februar vorgesehene Veranstaltung kommt nicht mehr zustande, sie wird nach der nationalsozialistischen Machtergreifung verhindert.

30. Januar 1933
Adolf Hitler deutscher Reichskanzler. Vollendung des Wagner-Essays.

3.–7. Februar 1933
Einige Tage in Garmisch-Partenkirchen, Pension ›Nirwana‹.

10. Februar 1933
Vortrag auf Einladung der Goethe-Gesellschaft München im Auditorium maximum zur Erinnerung an Richard Wagners 50. Todestag: ›Leiden und Größe Richard Wagners‹.

11. Februar 1933
Abreise nach Holland – ohne Vorahnung, daß diese Reise ins Exil führen wird.

13. Februar 1933
Festrede auf der Wagner-Gedenkfeier der Amsterdamer Wagner-Vereinigung im Concertgebouw zu Amsterdam.

14. Februar 1933
Brüssel. Wiederholung des Wagner-Vortrags auf französisch auf einer Veranstaltung des PEN-Clubs im Palais des Beaux Arts. Anschließend Empfang der deutschen Botschaft durch Graf Lerchenfeld.

18. Februar 1933
Paris. Zweimalige Wiederholung des Wagner-Vortrags im Théâtre des Ambassadeurs und im Foyer de l'Europe.

19. Februar 1933
Heinrich Mann traf ohne Gepäck nach durchreister Nacht in Paris ein. Gespräche der Brüder über die zukünftigen Pläne. Ein paar Tage später reiste Nelly Kröger nach. In Berlin verliest Kultusminister Adolf Grimme auf dem Kongreß ›Das Freie Wort‹ in der Krolloper unter dem Beifall der Anwesenden T. M.s ›Bekenntnis zum Sozialismus‹. (Graf Kessler, Tagebuch, S. 705 f).

26. Februar–Mitte März 1933
Erholungsaufenthalt in Arosa, ›Neues Waldhotel‹. »Mit den Vorträgen war viel Gesellschaftliches verbunden, und da ich vorher angestrengt gearbeitet hatte, so fanden wir es gut, von Paris aus zur Erholung auf ein paar Wochen hierher zu gehen. Medi stieß zu uns, um Ski zu laufen.« (An Lavinia Mazzucchetti, Briefe I).

27. Februar 1933
Der Reichstagsbrand; Warnungen aus Deutschland, T. M.s Sicherheit sei nicht gewährleistet. »... ich stehe auf der Liste derer, die sich ›pazifistischer Exzesse‹ schuldig gemacht haben, des ›geistigen Landesverrates‹ ... Übrigens fragt es sich ja, ob für meinesgleichen fortan überhaupt noch Raum sein wird in Deutschland, ob die Luft dort für mich zu atmen sein wird. Ich bin ein viel zu guter Deutscher, mit den Kultur-Überlieferungen und der Sprache meines Landes viel zu eng verbunden, als daß nicht der Gedanke eines jahrelangen oder auch lebenslänglichen Exils eine sehr schwere, verhängnisvolle Bedeutung für mich haben müßte.« (An Lavinia Mazzucchetti, Briefe I). T. M. plant ein Buch über Deutschland, das ›Buch des Unmuts‹, wobei er seine Tagebuch-Aufzeichnungen benutzen will; nicht zustande gekommen. 1946

wurden die erweiterten Tagebuch-Notizen unter dem Titel ›Leiden an Deutschland‹ veröffentlicht. (s. Oktober 1946).

12. März 1933
Erika und Klaus Mann kehren noch einmal aus dem Ausland nach München zurück, warnen die Eltern telephonisch vor dem »schlechten Wetter« in Deutschland; Erika kehrt sofort zurück, Klaus verläßt Deutschland am 13. März und fährt nach Paris.

17. März 1933
T. M. tritt aus der Sektion für Dichtung der Preußischen Akademie der Künste aus. Weigert sich, den ihm vom Präsidenten Max von Schillings übersandten Revers zu unterschreiben. »Es ist mein Entschluß, von meinem Leben alles Amtliche abzustreifen, das sich im Laufe der Jahre darangehängt hat, um fortan in völliger Zurückgezogenheit meinen persönlichen Aufgaben zu leben.« (An Max von Schillings, 17. März 1933).

Mitte–Ende März 1933
»Improvisierter Aufenthalt« in Lenzerheide, ›Chalet Canols‹. Besuch bei Hermann Hesse in Montagnola.

22. März 1933
»Ich habe mich heute Morgen zum ersten Mal wieder mit dem ›Joseph‹ beschäftigen können und möchte mich möglichst auf die Riesenaufgabe, die da noch zu lösen bleibt, konzentrieren. Konzentration, Sammlung ist überhaupt mein Begehren. Ich bin aus der Akademie ausgetreten, vom Vorsitz des Schutzbundes [deutscher Schriftsteller] zurückgetreten und will allen Flitterstaat des Offiziellen abtun, um, wo es immer sei, in Zurückgezogenheit meinen persönlichen Aufgaben [zu] leben ...« (An Ida Herz, unveröffentlichter Brief).

24. März 1933
Das Ermächtigungsgesetz, von allen Parteien des Reichstags außer den Sozialdemokraten (nach Ausschluß der Kommunisten) angenommen, macht Hitler den Weg zur Diktatur frei. »Mir klingen die Ohren von Mord- und Schauergeschichten aus München, die die fortlaufenden regulären Gewalttaten politischer Art ständig begleiten: wüste Mißhandlungen von Juden ... Kein Abflauen der Gewalttätigkeit.« (›Leiden an Deutschland‹).

Ende März–Ende April 1933
In Lugano, Villa Castagnola.

Anfang April 1933
Erika Mann rettet in München Manuskripte, u. a. die Handschrift des Joseph-Romans. »Meine älteste Tochter, die sich nach dem

Umsturz noch einmal nach München und in das schon beschlagnahmte Haus zurückgetraut hatte, brachte mir das Manuskript nach Südfrankreich [Gedächtnisfehler: Nach Arosa], und langsam, nach der ersten Verstörung durch den neuen, entwurzelten Zustand, begann dort wieder die Arbeit daran, die in dem Schweizer Asyl, dessen wir uns fünf Jahre lang erfreuten, am See von Zürich, fortgeführt und beendet wurde.« (›Joseph und seine Brüder‹. Ein Vortrag).

3. April 1933

Mit Hilfe Golo Manns werden die beiden jüngsten Geschwister, Elisabeth und Michael, aus Deutschland herausgeholt.

17. April 1933

»Ich fange langsam an, ein bißchen zu arbeiten, nach schlimmen Wochen. Bruno Franks sind hier, auch Fuldas, Emil Ludwig, Remarque, vor allem Hermann Hesse, den ich sehr liebe und verehre.« (An Stefan Zweig, Briefe I).

16./17. April 1933

›Protest der Richard-Wagner-Stadt München‹ gegen T. M.s Wagner-Vortrag, unterzeichnet u. a. vom bayerischen Kultusminister Hans Schemm, dem Präsidenten der Akademie der bildenden Künste Geheimrat German Bestelmeyer, dem Generaldirektor der Bayerischen Staatsgemäldesammlung Geheimrat Friedrich Dörnhöffer, dem Generalintendanten der Bayerischen Staatstheater Clemens von Franckenstein, dem Vorstand der Musikalischen Akademie Eduard Niedermeyer, dem Präsidenten der Industrie- und Handelskammer Josef Pschorr, außerdem von Hans Knappertsbusch, der der Urheber des Protestes war, Hans Pfitzner, Richard Strauss, Olaf Gulbransson, Angelo Jank, Bernhard Bleeker. T. M. dankt dem Kritiker Willi Schuh für sein Eintreten in dem Artikel ›Thomas Mann, Richard Wagner und die Münchener Gralshüter‹: »Ihr Artikel vor allem ist mir ein Zeichen und Gewähr, daß die Unehre einmal aufseiten der Urheber dieser traurigen Eselei und ihrer mehr oder weniger kommandierten Gefolgschaft sein wird.« (An Willi Schuh, Briefe I).

18. April 1933

T. M. bestellt Rechtsanwalt Dr. Valentin Heins zu seinem Sachwalter in München, dem Golo sämtliche noch vorhandenen Manuskripte und Familienpapiere, u. a. die Korrespondenz zwischen T. M. und seiner Frau übergibt. Ein Koffer, den Golo aus dem Geheimschließfach des Schreibtisches mit Tagebüchern und anderen Dokumenten füllt, wird von dem den Nazis ergebenen

Chauffeur Holzner nicht auf die Bahn gebracht, sondern der Gestapo übergeben. Gelangt allerdings nach Monaten wieder in T. M.s Besitz, der die Tagebücher eines Tages, in Pacific Palisades, verbrennt.

25. April 1933

T. M. gibt seinem Sohn Golo, der in München sein Studium abschließen will, Anweisung für die Nachsendung des Arbeitsmaterials zum Joseph-Roman. Ida Herz besorgt die Verpackung der wichtigsten Teile der Bibliothek und sendet sie an eine Deckadresse in die Schweiz.

1.–4. Mai 1933

In Basel, Hotel ›Drei Könige‹, wo T. M. sich nach einer Unterkunft für den Winter umsieht.

8. Mai–17. Juni 1933

Provisorische Niederlassung, auf Anregung René Schickeles, in Bandol (Var), ›Grand Hotel‹, an der französischen Riviera. Der Plan, in Basel eine Unterkunft zu finden, war fehlgeschlagen. Von Bandol aus sucht T. M. nach einem geeigneten billigeren Ort für längeren Aufenthalt. »Ich habe Frau und Kinder bei mir und die notwendigsten Bücher; das Klima ist höchst liebenswürdig, und es fehlt nicht an wohltuenden Zeichen der Sympathie und Treue. Dennoch äußert die Mitgenommenheit meiner Nerven sich in einer Trägheit und Unlust des Geistes, die an jedem lichten Morgen wieder schon nach wenigen Zeilen über den guten Willen zum Vorwärtsdringen den Sieg davonträgt.« (An Alfred Neumann, Briefe I).

10. Mai 1933

Bücherverbrennungen in Deutschland. In Berlin werden T. M.s letzte politischen Schriften verbrannt; in Köln weiß Ernst Bertram die Verbrennung der Bücher T. M.s und Friedrich Gundolfs durch Verhandlungen zu verhindern.

18. Juni–20. September 1933

Umzug nach Sanary-sur-Mer, ›La Tranquille‹. »Seit zehn Tagen bewohnen wir dies schön gelegene und allerliebst eingerichtete kleine Haus, in dem wir vier unserer Kinder, die jüngeren, bei uns haben. Unsere Zukunftspläne sind sehr schwankend.« (An Robert Faesi, Briefe).

Juli 1933

Besuch von Blanche Knopf und Ben Huebsch, die mit verschiedenen exilierten Schriftstellern Verträge schließen und Dollar-Vorauszahlungen machen. »Hier ist jetzt die Sommerhitze auf voller Höhe, aber eigentlich furchtbar wird sie doch nie, da fast immer ein wenig Wind ist, und die Abende sind erquickend. Ich sitze oft bis spät auf der kleinen Veranda vor meinem Arbeitszimmer, rauche meine Cigarre, sehe die Sterne an und bedenke des Lebens Sonderbarkeit.« (An A. M. Frey, Briefe I).

14. Juli 1933

T. M. schreibt eine ausführliche Entgegnung gegen Hans Pfitzners Artikel ›Zur Kundgebung gegen die Wagner-Rede‹ in der Frankfurter Zeitung vom 2. Juli 1933. Die Veröffentlichung wird von der ›Neuen Rundschau‹ wegen der Gefährdung der im Druck befindlichen ›Geschichten Jaakobs‹ abgelehnt. (Nicht veröff.; Ms. im T. M.-Archiv, Zürich). Klaus Mann bereitet das 1. Heft seiner Zeitschrift ›Die Sammlung‹ vor. Erhält am 29. Juli von seinem Vater die telegraphische Einwilligung, seinen Namen auf den Prospekt der künftigen Mitarbeiter zu setzen. Anfang September erscheint das 1. Heft.

August 1933

Mehrfache Versuche, u. a. von Erich Ebermayer, T. M. zur Rückkehr nach Deutschland zu bewegen. Eindeutige Aufforderung Dr. Bermann Fischers, der T. M.s Anwesenheit in Deutschland wegen der Erhaltung des Verlages für notwendig hält, vom 17. Juli 1933, der gerade zum 50. Geburtstag Katja Manns eintrifft. Auf Drängen ausländischer Verleger, besonders der amerikanischen Firma Alfred Knopf, New York, sieht T. M. sich gezwungen, den Joseph-Roman in Einzelbänden zu veröffentlichen. Der Druck des 1. Bandes, ›Die Geschichten Jaakobs‹ hat bereits begonnen. »Eben habe ich die Revision der umbrochenen Bogen abgeschlossen und war von Rahels Tod wieder gerührt wie beim Schreiben. Es ist doch manches Schöne und Merkwürdige in dem Band, z. B. der Segensbetrug und Jaakobs Hochzeit. Dies Kapitel las ich neulich abends im Garten vor: etwa 20 Personen hörten zu, und die kleine Terrasse vor meinem Zimmer diente als Podium. Man schien sehr angetan.« (An Gottfried Bermann Fischer, Briefe I).

Sanary-sur-Mer wird zum Treffpunkt deutscher Emigranten: Arnold Zweig, Lion Feuchtwanger, Ernst Toller, Bert Brecht, Erwin Piscator, Antonina Vallentin, Fritzi Massary, Hermann Kesten, Fritz Wolf, Franz Werfel, Wilhelm Herzog, Rudolf Leonhard, Balder Olden, Ludwig Marcuse und andere. Heinrich Mann, der an seinem Romanwerk ›Henri Quatre‹ zu arbeiten beginnt, wohnt wie René Schickele in Nizza, Julius Meier-Graefe in St. Cyr.

Am 23. August wird Heinrich Mann die deutsche Staatsangehörigkeit aberkannt.

24. August 1933

Das Haus Poschingerstraße 1 wird von der politischen Polizei München beschlagnahmt bzw. »sichergestellt«.

21. September 1933

Beginn des Reichstagsbrand-Prozesses, dessen Verlauf T. M. aufmerksam verfolgt (siehe ›Leiden an Deutschland, Tagebuchblätter aus den Jahren 1933 und 1934‹).

27. September 1933

Niederlassung in Küsnacht bei Zürich, Schiedhaldenstraße 33. Die Wohnung wurde durch Frau Faesi vermittelt.

Klaus Mann gibt in Amsterdam die Emigrantenzeitschrift ›Die Sammlung‹ unter dem Patronat von André Gide, Aldous Huxley und Heinrich Mann heraus; Golo hat kurz vor dem Staatsexamen das Studium in München abgebrochen und eine Stellung als Lektor für Deutsch im Lehrerseminar St. Cloud angenommen; Monika – noch in Sanary – will sich zu Freunden nach Florenz begeben; Michael wird als Geiger in die Meisterklasse des Zürcher Konservatoriums aufgenommen; Elisabeth, »die im Sommer ihre Studien auf eigene Hand fleißig fortgesetzt hat«, besucht die Unterprima eines Gymnasiums in Zürich.

1. Oktober 1933

Wiedereröffnung des Kabaretts ›Die Pfeffermühle‹, unter Erika Mann. »Sie hat hier mit einem für Zürcher Verhältnisse ganz beispiellosen Erfolg ihr literarisches Cabaret, das ganz allein auf ihrer Energie und Phantasie, ihrer zart melancholischen und doch mutig angreifenden Geistigkeit steht, wieder eröffnet. Das kleine Lokal ›Zum Hirschen‹, sonst ein recht geringes Beisl, ist Abend für Abend überfüllt ...« (An Ernst Bertram, Briefe I).

5. Oktober 1933

Der erste Band des Joseph-Romans ›Die Geschichten Jaakobs‹ erscheint (Berlin: S. Fischer 1933, 1.–10. Tsd.). Die Freundschaft mit Ernst Bertram endet. »Zu vieles steht zwischen uns, dessen briefliche Erörterung uferlos, peinlich und nicht einmal ungefährlich wäre ... aber ich weiß, daß Ihre seelische Spannkraft nie weit gereicht hat. Sie reicht jetzt so weit, daß Sie das mir von Grund aus Abscheuliche bejahen und verherrlichen und mich zugleich herzlich einladen, ebenfalls gemeinsame Sache damit zu machen. Ich kann diese Mahnungen nur als Äußerung einer etwas gedankenlosen Gutmütigkeit empfinden.« (An Ernst Bertram, Briefe).

14. Oktober 1933
Der S. Fischer Verlag veranlaßt T. M., ein Telegramm aufzusetzen, in dem er seinen Namen von der Mitarbeiterliste von Klaus Manns Zeitschrift ›Die Sammlung‹ streichen läßt, um den Verkauf seines ersten Joseph-Bandes nicht zu gefährden.
November 1933
T. M. unterstützt Carl J. Burckhardts Intervention bei der ›Rockefeller-Stiftung‹ für den jüdischen Philosophen Heinrich Hellmund, der in die Schweiz emigriert und mittellos ist.
8. November 1933
Zwei Lesungen in der Universität Zürich aus dem ›Jungen Joseph‹.
Dezember 1933
T. M. lehnt den Beitritt zur Reichsschrifttumskammer (Vorsitz Hans Friedrich Blunck) ab: »Ich werde die Eintrittsformulare der Berliner Zwangsorganisation auf keinen Fall unterzeichnen.« (An A. M. Frey, Briefe I).
4. Dezember 1933
Tod Stefan Georges in Minusio bei Locarno.
T. M. verwendet sich für Julius Meier-Graefe um eine ständige Mitarbeiterschaft bei der ›Neuen Zürcher Zeitung‹. Von der politischen Polizei wird die Zahlung der ›Reichsfluchtsteuer‹ gefordert. »Die Befriedigung des Münchener Finanzamtes hindert übrigens nicht, daß meine übrige Habe, völlig sinn- und rechtloser Weise, mit Beschlag belegt bleibt, namentlich Haus und Inventar, – während auf der anderen Seite wieder der Arrest der Honorare aufgehoben wurde, sodaß Bermann für die Jaakobsgeschichten zahlen konnte. Logik und Vernunft hat das alles nicht.« (An A. M. Frey, Briefe I).
Gute Resonanz aus dem Kreise der Freunde auf die ›Geschichten Jaakobs‹: Briefe und Besprechungen von Rudolf Kayser, Stefan Zweig, Robert Faesi, Julius Meier-Graefe, A. M. Frey, Franz Werfel, Heinrich Mann und anderen. Zwiespältige Aufnahme in der deutschen Presse. ». . . das kritische Echo in der heimatlichen Presse [war] vorwiegend so miserabel, von einer so frechen Stumpfheit, daß ich mich manchmal in tiefster Seele beleidigt und angewidert fühlte . . . Fast jede Äußerung, die einem vor Augen kommt, flößt einem Grauen ein vor der – schon gar nicht mehr bewußten – Unterworfenheit und Entmanntheit dieser Seelen.« (An A. M. Frey, Briefe I).
Über Stifters ›Witiko‹, Antwort auf eine Rundfrage nach einem

Geschenkbuch zu Weihnachten (In ›Die Welt im Wort‹, Prag, Wien, 21. Dezember 1933).
Zwei Lesungen im Hörsaal des Polytechnikums vor Züricher Studenten: aus dem Joseph-Roman.
5. Dezember 1933
Lesung aus dem ›Jungen Joseph‹ in Lausanne.
Weihnachten 1933
»Wir haben das Weihnachtsfest mit den versammelten Kindern, dazu ein paar Freunden, Reisiger und Therese Giehse vom Schauspielhaus, recht vergnüglich begangen. Die Dunkelheit des hiesigen Winterklimas setzt mir etwas zu, abgesehen von den laufenden Unzuträglichkeiten, für die das Vaterland aufkommt.« (An Hermann Hesse, Briefe I).
Jakob Wassermann in Altaussee/Steiermark gestorben. »Die Todesnachricht traf uns nicht unerwartet, da wir ihn vor wenigen Wochen hier gesehen und seinen Verfall hatten feststellen müssen, wirkte aber auf mich, bei meiner gegenwärtigen Empfindlichkeit, doch als ein schwerer Choc.« (An Ernst Bertram, Briefe I).
6. Januar 1934
Lesung aus dem ›Jungen Joseph‹ in Lausanne.
15. Januar 1934
Vortrag im Züricher Schauspielhaus: ›Leiden und Größe Richard Wagners‹.
Mitte Januar 1934
Vorbereitung des Druckes des zweiten Bandes des Joseph-Romans (Vorabdruck: ›Jaakob trägt Leid um Joseph‹, in ›Die Neue Rundschau‹, Januar 1934). »Unterdessen lese ich die Korrekturen meines II. Bandes und schreibe etwas zerstreut am III. weiter.« (An Karl Vossler, Briefe I).
27. Januar 1934
Beginn einer langjährigen Korrespondenz mit dem ungarischen Religionshistoriker und Mythologen Karl Kerényi.
28. Januar–9. Februar 1934
Vortragstournee durch zehn Schweizer Städte.
29. Januar 1934
Neuchâtel; in der ›Société des Belles Lettres‹: ›Leiden und Größe Richard Wagners‹.
31. Januar 1934
Solothurn; ebenfalls.

1.–4. Februar 1934
Bern, Hotel Bellevue Palace Bernerhof; ebenfalls. Zusammentreffen mit Professor Fritz Strich.
2. Februar
Thun. Lesung ›Das bunte Kleid‹. »Gestern gegen Abend fuhr ich dann nach Thun und aß bei dem Vorsitzenden, einem Dr. Saurer mit Adler-Kabriolett und seiner reichsdeutschen Frau zu Abend. Die Vorlesung in der Aula des Progymnasiums vor etwa 200 Personen war harmlos und keinerlei Anstrengung. Das Publikum mäuschenstill und höflich, aber sichtlich dumm.« (An Katja Mann, 3. Februar 1934, im S. Fischer Almanach 1964).
3. Februar 1934
Bern. Halbstündige Lesung aus ›Herr und Hund‹.
5. Februar 1934
Glarus. Lesung ›Das bunte Kleid‹.
6. Februar 1934
Burgdorf. Lesung in der ›Casino-Gesellschaft‹.
7. Februar 1934
Olten. Lesung in der ›Akademia‹.
8. Februar 1934
Aarau. Lesung in der ›Literatur- und Lesegesellschaft‹.
9. Februar 1934
Baden. Vortrag ›Leiden und Größe ...‹.
26. Februar–18. März 1934
Erholungsaufenthalt in Arosa, ›Neues Waldhotel‹. Arbeit am Kapitel ›Die Feste Zel‹ mit deutlichen Anklängen an Emigrationserlebnisse: »›Es sind euer zu viele‹, fuhr er tadelnd fort. ›Täglich kommen welche von da- oder dorther, ... und wollen das Land betreten ... Vor allem, wißt ihr zu leben? Ich meine: habt ihr zu essen und könnt so oder so für euch aufkommen, daß ihr nicht dem Staate zur Last fallt oder zu stehlen gezwungen seid?‹« (›Joseph in Ägypten‹). Lektüre des ›Don Quijote‹ von Cervantes und von Kerényis Buch über ›Griechisch-orientalische Romanliteratur in religionsgeschichtlicher Beleuchtung‹, vom Verfasser übersandt.
21.–22. März 1934
Basel. Wagner-Vortrag und Besuch des dort gastierenden Kabaretts ›Die Pfeffermühle‹.
27. März 1934
Besuch von Ida Herz in Küsnacht.

April 1934
Blanche Knopf aus New York besucht das Ehepaar Mann und lädt es in die USA ein.
Der zweite Band des Joseph-Romans ›Der junge Joseph‹ erscheint (Berlin: S. Fischer 1934, 1.–10. Tsd.).
2. April (Ostern) 1934
Besuch Annette Kolbs in Küsnacht. Gesuch an das Reichsinnenministerium Berlin, die Münchener Polizeibehörden zur Verlängerung des Reisepasses und Aufhebung der Beschlagnahme seines Hauses, der Bibliothek, des Inventars und Vermögens zu veranlassen. »Aus meiner inneren angeborenen und naturnotwendigen Abneigung gegen das nationalsozialistische System mache ich auch heute, an dieser Stelle, um so weniger Hehl, als ich die Geringschätzung kenne und würdige, die der siegreiche Nationalsozialismus der Speichelleckerei ... entgegenbringt.« (TMA, Zürich).
5.–6. April 1934
Teilnahme an einem internationalen Vortragszyklus in Locarno; Vortrag ›Leiden und Größe ...‹ »Reisiger war mit mir in Locarno und las über Whitman. Ein sympathischer französischer Germanist, Vermeil, aus Straßburg, war da, den ich über Goethe sprechen hörte, ferner der italienische Sozialist Labriola u. a. Die Teilnahme des Publikums war lebhaft.« (An Ida Herz, unveröffentlichter Brief).
23. April 1934
Lesung im Züricher Schauspielhaus.
30. April 1934
Vortrag im Münstersaal, Basel, ›Goethes Laufbahn als Schriftsteller‹.
Mai 1934
Wachsen des Joseph-Romans (Vorabdruck: ›At the Well‹, in ›Menorah Journal‹, New York, April 1934). »Die ägyptische Fortsetzung nimmt schon viel Raum ein, schon ein paar hundert Seiten, obgleich ich sachlich noch nicht weiter vorgedrungen bin als bis zu einer ersten Umschau des Entrückten in Potiphars Haus.« (An Käte Hamburger, Briefe I).
Besuch von T. M.s Schwiegereltern in Küsnacht.
17. Mai–18. Juni 1934
Erste Reise in die Vereinigten Staaten auf Einladung des Verlegers Alfred A. Knopf aus Anlaß der amerikanischen Ausgabe der ›Geschichten Jaakobs‹ in der Übersetzung von Helen T. Lowe Porter.

17. Mai
Paris.
18. Mai
Boulogne.
19.–29. Mai
Überfahrt auf dem R. M. S. ›Volendam‹ der ›Holland-Amerika-Linie‹. Lektüre des ›Don Quijote‹, Notizen über die Eindrücke einer Seereise: »Ich habe einfach Lampenfieber – ist es ein Wunder? Meine Jungfernfahrt über den Atlantik, die erste Begegnung und Bekanntschaft mit dem Weltmeer steht mir bevor, und am Ende, jenseits der Erdkrümmung, über die das Riesenmeer sich zieht, erwartet uns Neu-Amsterdam, die Weltstadt.« (›Meerfahrt mit Don Quijote‹).
29. Mai
Ankunft in New York. »Wir sind, zur Ankunft gerüstet, an Deck gegangen, der Einfahrt beizuwohnen. Schon hebt im Dunst der Ferne eine vertraute Figur, die Freiheitsstatue, ihren Kranz empor, eine klassizistische Erinnerung, ein naives Symbol, recht fremd geworden in unserer Gegenwart ...« (›Meerfahrt mit Don Quijote‹). Empfang am Kai durch Alfred A. Knopf, Journalisten, Interviews. Abends: Begrüßungsdinner bei Knopf, unter den Gästen Willa Cather, H. L. Mencken, Dr. Henry Seidel Canby.
30. Mai
Empfang beim New Yorker PEN-Club im Hause von Henry Goddard Leach.
31. Mai
Lunch bei den Herausgebern der ›Nation‹.
1. Juni
Goethe-Vortrag in Yale University, German Department.
4. Juni
Dinner im ›Authors' Club‹ mit 95 Gästen; Ernennung zum Ehrenmitglied.
5. Juni
Lunch im ›Dutch Treat Club‹; abends im Dodsworth-Theater.
6. Juni
Lunch mit den Herausgebern der ›New York Times‹; abends: Testimonial-Dinner im ›Plaza‹ mit 300 Gästen; Begrüßungsansprache von Bürgermeister La Guardia, weitere Reden, T. M.s Ansprache auf englisch: »The man who addresses you, ladies and gentlemen, is one who depends on solitude and seclusion, on a quiet and even attention to his own tasks; therefore not of a parti-

cularly social nature ... For that reason, however, he loves people and knows, too, or rather hopes, to ally himself to them by means of the quietest and most personal pursuit of his calling.« (›American Address‹). Unter den Gästen Präsident Nicholas Murray Butler, Willa Cather, Henry Goddard Leach, Sinclair Lewis, Dorothy Thompson, Dr. Canby.

7. Juni

Ansprache im Rundfunk, Besichtigung des Rockefeller Center unter Führung von Merle Crowell.

8. Juni

Besuch von Freunden, Abschiedsdinner im ›Central Park Casino‹.

9. Juni

Abfahrt auf R. M. S. ›Rotterdam‹.

18. Juni 1934

Zurück in Küsnacht. »Das Abenteuer ist zurückgelegt und scheint nur noch ein Traum. Ein etwas wirrer, aber sehr freundlicher. Ich habe viel Gutes und Wohltuendes erfahren und geerntet, was in Jahr und Tag gesät worden. Das ›Testimonial-Dinner‹ am 6. Juni war ein großer Erfolg: 300 Personen mit dem Mayor von New York an der Spitze.« (An Gottfried Bermann Fischer, Briefe I).

30. Juni 1934

›Röhm-Putsch‹. Unter dem Vorwand eines Aufstandes der SA beseitigt das NS-Regime alte und neue Gegner. T. M.s Anteilnahme für die Opfer kommt in ›Leiden an Deutschland‹ zum Ausdruck.

25.–28. Juli 1934

Teilnahme an einem ›Internationalen Kunst-Kongreß‹ in Venedig. »Der Gewinn war das Wiedersehen mit der aus tiefen und komplexen Gründen von jeher innig geliebten Stadt und der zugehörigen Bäder-Insel, wo eine gewisse, nun schon 20 Jahre alte Geschichte spielt.« (An Karl Kerényi, Briefe I).

Das aus dem Roman ›Der junge Joseph‹ ausgeschiedene Kapitel ›Der Knabe Henoch‹ wird von der jüdischen Zeitschrift ›Der Morgen‹ veröffentlicht (Berlin, Juli 1934).

25. Juli 1934

Ermordung des österreichischen Bundeskanzlers Dollfuß durch die Nationalsozialisten.

2. August 1934

Tod Hindenburgs; verfassungswidrige Vereinigung des Amtes des Reichspräsidenten mit dem des Reichskanzlers durch den ›Führer‹. T. M. nach der Rückkehr aus Venedig in einer Arbeits-

krise. »Aber ich kann nicht sagen, wie die Atrozitäten des 30. Juni, die österreichischen Schrecknisse und dann der Staatsstreich jenes Menschen, seine weitere Erhöhung ... mir zugesetzt haben, wie sehr sie mich erregen und mich dem entfremden, was ich wohl, wenn mein Herz fester und kälter wäre, als das einzig mir Wichtige und Gemäße betrachten sollte. Was geht mich die ›Weltgeschichte‹ an, sollte ich wohl denken, solange sie mich leben und arbeiten läßt? Aber ich kann so nicht denken.« (An Karl Kerényi, Briefe I).
Plan, ein Buch über Deutschland zu schreiben: »Die Zeit scheint mir reif für eine Äußerung wie ich sie vorhabe, und der Augenblick könnte bald kommen, wo ich bereuen würde, mein abwartendes Schweigen über die dafür gegebene Frist hinaus fortgesetzt zu haben.« (An Karl Kerényi, Briefe I).

September 1934

Arbeit am Joseph-Roman unterbrochen. »... so schreibe ich vorläufig jenes Feuilleton, genannt ›Meerfahrt mit Don Quijote‹ (In ›Neue Zürcher Zeitung‹, 5.–15. November 1934), eine plauderhaft assoziative Sache, die mir dienen muß, Zeit zu gewinnen und überdies den Essayband komplettieren wird.« (An Ferdinand Lion, Briefe I).
Besuch von Emil Preetorius, »gealtert, leise sprechend und erschüttert von dem, was sie draußen über ihr Land erfahren«. (An Ferdinand Lion, Briefe I).

Oktober 1934

Erholungsaufenthalt in Lugano, Villa Castagnola.

15. Oktober 1934

Tod des Verlegers Samuel Fischer in Berlin nach einem Erholungsaufenthalt in Freudenstadt im Schwarzwald. »Ein Stück meines eigenen Lebens sinkt mit dem alten, müden Mann ins Grab, und eine Epoche geht dahin, der ich mich geistig und moralisch zugehörig fühlte und von der noch einzelne Vertreter da und dort in einem Zeitklima, das nicht mehr das ihre ist, ihr Lebenswerk zu Ende führen.« (›In memoriam S. Fischer‹, in ›Basler Nachrichten‹, 28. Oktober 1934).

22. Oktober 1934

Ansprache im Schweizer Rundfunk: »Es soll der Dankesgruß sein an ein Land, ein Staatswesen und seine Kulturordnung, die mir, seit anderthalb Jahren schon, zur Heimat geworden sind, da das Schicksal nicht wollte, daß ich in die alte, gewohnte zurückkehrte.« (›Gruß an die Schweiz‹, in ›Schweizer Spiegel‹, Zürich, Dezember 1934).

Anfang November 1934
»Nach langer Unterbrechung bin ich jetzt wieder am 3. Bande, der mir noch fast Unabsehbares zu tun gibt ...« (An A. M. Frey, Briefe I).
(Vorabdruck: ›Wie Joseph dem Potiphar verkauft wurde‹, in ›Die Neue Rundschau‹, Dezember 1934).
November 1934
Besuch Hans Reisigers in Küsnacht.
Weihnachten 1934
»Der Kinder- und Gästetrubel war groß im Hause während der Festzeit; ich bin etwas mitgenommen davon – Ruhe und das Gleichmaß der Tage ist doch das Beste, was unsereiner sich wünschen kann ...« (An Karl Kerényi, Briefe). Als gemeinsames Weihnachtsgeschenk wird ein junger Schäferhund namens Billi angeschafft, »der des Hauses Wächter sein und mit mir spazieren gehen soll. Ich denke, wir werden gute Freunde werden und jedenfalls wird er dazu beitragen, mir, der ich in München immer einen solchen Gesellen hatte, das Exil vertrauter nach alter Art zu machen.« (An Ida Herz, unveröffentlichter Brief).
Januar 1935
Freundliche Resonanz aus Deutschland. »Aus Deutschland kommt mir immer noch – oder wieder? – viel Gutes und Freundliches. Sogar ein Kölner Student schrieb mir neulich eine Art von Liebesbrief. Es scheint sich hie und da die Sehnsucht nach ›was anderem‹ hervorzuwagen.« (An Ernst Bertram, Briefe).
Besuch des Verlegers Alfred A. Knopf aus New York.
20.–30. Januar 1935
Vortragstournee nach Prag, Brünn, Wien, Budapest, wieder Wien mit dem Wagner-Vortrag. »Ich war seit 3 Jahren nicht in diesen Städten und bin neugierig, sie unter so veränderten Umständen wiederzusehen. Auch gastiert meine Tochter Erika gerade in Prag mit ihrer ›Pfeffermühle‹.« (An Rudolf Kayser, Briefe I).
25. Januar 1935
Wien. Vortrag im mittleren Konzerthaussaal.
27. Januar 1935
Budapest. Vortrag im ›Belvarósi Seinház‹. Gast bei Lajos Baron Hatvány in der Ofener Burg. Dort persönliche Bekanntschaft mit Karl Kerényi, der einige Monate später an T. M. schreibt: »Und wenn ich schon bei Erinnerungen bin, muß ich sagen, wie gern ich mich an Ihre Anwesenheit in Budapest erinnere. Es war besonders die jugendliche Frische in Ihrem Wesen, die auf mich Ein-

druck machte. So, von Weitem, gehören Sie ja schon zu den Klassikern meiner eigenen Jugendzeit.«
29. Januar 1935
Wien. Lesung aus dem Joseph-Roman in der ›Urania‹.
Februar 1935
In St. Moritz, ›Hotel Chantarella‹; Zusammentreffen mit Bruno Walter und Frau.
März 1935
T. M. liest Erich von Kahlers ›Israel unter den Völkern‹ im Manuskript und empfiehlt es in einem Gutachten (nicht veröffentlicht) Gottfried Bermann Fischer zur Veröffentlichung; eine Publikation kommt dann unter dem nationalsozialistischen Regime nicht mehr in Frage; das Buch erscheint 1936 in Zürich.
Beitrag für die Tagung des ›Comité Permanent des Lettres et des Arts‹ vom 1.–3. April 1935 in Nizza, an der T. M. selbst nicht teilnimmt: ›La Formation de l'Homme Moderne‹ (In ›Entretiens‹, ›La Formation de l'Homme Moderne‹, éd. par la Société des Nations. Paris: Institut International de Coopération Intellectuelle 1935; deutsch später unter dem Titel ›Achtung, Europa!‹ veröffentlicht). »In allem Humanismus liegt ein Element der Schwäche, das mit seiner Verachtung des Fanatismus, seiner Duldsamkeit und seiner Liebe zum Zweifel, kurz: mit seiner natürlichen Güte zusammenhängt und ihm unter Umständen zum Verhängnis werden kann. Was heute not täte, wäre ein *militanter* Humanismus, ein Humanismus, der seine Männlichkeit entdeckte und sich mit der Einsicht erfüllte, daß das Prinzip der Freiheit, der Duldsamkeit und des Zweifels sich nicht von einem Fanatismus, der *ohne* Scham und Zweifel ist, ausbeuten und überrennen lassen darf.« (›Achtung, Europa!‹).
28. März 1935
Der Essayband ›Leiden und Größe der Meister‹ erscheint (Berlin: S. Fischer 1935, 1.–4. Tsd.). Es ist die letzte Veröffentlichung in Deutschland bis zum Jahre 1946. »Die erste Auflage ist sehr rasch verkauft worden; ich hab' es, offen gestanden, erwartet.« (An Ferdinand Lion, Briefe I).
Ende April–Mitte Mai 1935
Besuch der alten Pringsheims aus München. T. M. erkrankt: Darmspasmen. Zweifel an der richtigen Anlage von ›Joseph in Ägypten‹: »Verstimmung, Müdigkeit, Unlust, produktive Lähmung oder Halblähmung, Unzufriedenheit mit Anlage und Stil des 3. Bandes, der stark angeschwollen ist und wahrscheinlich

ganz anders, weniger als Roman, viel leichter und märchenhafter hätte angegriffen werden müssen ... Reicht die Spannkraft nicht mehr, um dies Werk seiner Anfänge würdig zu Ende zu führen?« (An Ferdinand Lion, 29. April 1935, Briefe I).

Mitte Mai 1935

Ferienreise nach Nizza zum Besuch von Heinrich Mann und René Schickele.

Die französische Ausgabe ›Les Histoires de Jacob‹ erschienen. »Wenn mich nicht alles täuscht, so haben Sie die schwierige Aufgabe dieser Übertragung mit außerordentlichem Takt und Gelingen gelöst, und ich darf hoffen, daß Ihnen in der französischen Öffentlichkeit der gebührende Dank dafür gezollt werden wird.« (An Louise Servicen, Briefe I).

26. Mai 1935

Offizielle Feier des 60. Geburtstags, veranstaltet vom Lesezirkel Hottingen im Corso-Theater, Zürich, vor einem 1000köpfigen Publikum: Concerto grosso von Vivaldi. Festrede von Prof. Robert Faesi. Überreichung der Festgabe der Stadt Zürich durch Vizepräsident Stadtrat J. Gschwend. Dankesworte Thomas Manns: »... wird mir recht bewußt, daß meine Danksagung nicht nur über diesen Saal hinausgehen muß, sondern auch über diese Stadt, daß sie sich an das ganze Schweizerland richten muß, dessen freien Frieden ich nun schon so lange genieße und in dem ich mich glücklich fühle. ›Glück‹, das ist wohl im wesentlichen *Harmonie*, Übereinstimmung mit der Umgebung; und diese Übereinstimmung eben habe ich in Ihrem Lande gefunden.« (›Des Dichters Dank‹, in ›Neue Zürcher Zeitung‹, 2. Juni 1935). Aufführung des 3. Aktes von ›Fiorenza‹.

6. Juni 1935

Geburtstagsfeier im Kreise der Familie mit sämtlichen Kindern, Hans Reisiger, Bruno Frank und Frau und anderen Freunden. Der S. Fischer Verlag schenkte eine Kassette mit handgeschriebenen Glückwünschen fast aller S. Fischer-Autoren und anderer Freunde, unter ihnen Albert Einstein, Bernard Shaw, Alfred Kubin, Knut Hamsun, Karl Kerényi. Briefliche Glückwünsche seiner Freunde René Schickele, Alfred Neumann, Ernst Bertram und anderer. »Der Trubel ist groß, und wann ich all das lesen und gar beantworten soll, wissen die Götter. Aber die Hunderte von Briefen aus Deutschland, ja, ja, aus Deutschland, sogar aus Arbeitsdienstlagern, – ich leugne es nicht, daß sie meinem Herzen wohlgetan haben. Es war ein heiter-festlicher Tag gestern im Kreise der

Kinder und Freunde, von morgens bis in die Nacht ...« (An Alfred Neumann, Briefe I).
(Vorabdruck: ›Joseph redet vor Potiphar‹, in ›Die Neue Rundschau‹, Juni 1935).

5. Juni 1935
Julius Meier-Graefe, enger Freund René Schickeles, in Vevey gestorben.

Juni 1935
Erika Mann wird die deutsche Staatsangehörigkeit entzogen. Eheschließung mit dem englischen Dichter Wystan H. Auden. Dadurch erwirbt sie die britische Staatsangehörigkeit. Ihre Ehe mit Gustaf Gründgens wurde um 1929 geschieden.

9. Juni–13. Juli 1935
Zweite Reise in die Vereinigten Staaten.

9. Juni
Paris. Besuch bei Annette Kolb und Félix Bertaux.

10. Juni
Einschiffung auf M. S. ›Lafayette‹.

20. Juni
Verleihung der Ehrendoktorwürde (›Litterarum doctor honoris causa‹) der Harvard University zusammen mit Albert Einstein.

22.–29. Juni
Gast des holländisch-amerikanischen Schriftstellers Hendrik Willem van Loon in dessen Landhaus in Riverside, Connecticut. »Nur in Riverside, auf dem Lande, bin ich ein paarmal dazu gekommen, mein Kapitel etwas zu fördern.« (An Gottfried Bermann Fischer, Briefe I).

30. Juni
Gast von Mr. und Mrs. Roosevelt, privates Dinner im Weißen Haus. »Ich hörte, daß unsere Wahl [zum Ehrendoktor], besonders auch meine, nicht ohne Anteilnahme des Präsidenten Roosevelt zustande gekommen ist. Dieser lud meine Frau und mich privat, ohne Beanspruchung des Botschafters natürlich, zu sich ins Weiße Haus nach Washington, wohin wir von New York mit dem Airplane in 1 Stunde 20 Minuten reisten. Es war mein erster Flug, ein technisches Abenteuer, nicht sehr bedeutend sonst, ausgenommen eine Strecke über beleuchteten Wolken, mit einem Blick wie vom Rigi.« (An Gottfried Bermann Fischer, Briefe I).

5. Juli
Rückreise von New York auf M. S. ›Berengaria‹ der ›Cunard White Star Line‹.

12. Juli
Ankunft in Cherbourg.

13. Juli
Zurück nach Küsnacht.

Juli 1935
Arbeit am ›Joseph in Ägypten‹: »Der dritte Band ist unbeschreiblich schwierig. Ich habe jetzt gerade eine große Szene vor zwischen Potiphar und seiner Frau; Klaus meinte, sie habe etwas von Proust. Aber dann muß ich die Anfänge des Bandes erst einmal überarbeiten und konzentrieren; sie waren falsch angegriffen.« (An René Schickele, Briefe I).

Um den 15.–28. Juli 1935
Besuch der Schwiegereltern, Prof. Pringsheims und Frau; Katjas Mutter feiert ihren 80. Geburtstag.

August 1935
Letzter Besuch Hans von Hülsens bei T. M.

17.–29. August 1935
Reise nach Salzburg.

17. August 1935
Übernachtung in Innsbruck.

19. August 1935
Wagner-Vortrag in Salzburg.

20. August 1935
Lesung aus dem ›Joseph‹ in Bad Gastein. Konzert- und Theaterbesuche: Gounods ›Faust‹; Beethovens ›Fidelio‹ unter Arturo Toscanini mit Lotte Lehmann in der Titelrolle; Verdis ›Falstaff‹ unter Arturo Toscanini. Mehrmaliges Zusammensein mit Bruno Walter und Arturo Toscanini.

27. August 1935
T. M. liest im Mozarteum das Kapitel von ›Mont-Kaws bescheidenem Sterben‹ aus dem Joseph-Roman: »einen Todesfall, darin bin ich nun einmal stark.« (An René Schickele, Briefe I).

28. August 1935
Mozarts ›Don Giovanni‹ unter Bruno Walter.

29. September 1935
Lektüre von Kerényis Aufsatz ›Gedanken über Dionysos‹: »Er kommt mir unglaublich zupaß, denn gerade bin ich im Begriff, die Passion der Frau des Potiphar aufs Dionysische, Mänadenhafte zu stilisieren, und gewiß werden Sie einmal Spuren Ihrer Studie in dem Roman finden.« (An Karl Kerényi, Briefe).

Oktober 1935
Besuch von Otto Basler, Lehrer aus Aarau, der mit T. M. einen regen Briefwechsel führt.
Lektüre von Prousts Romanen ›Auf der Suche nach der verlorenen Zeit‹: »Zur Zeit hat die arme Herrin (Mut-em-enet) viel zu leiden, wobei sie mir psychologisch leicht von Proust beeinflußt scheint, der mich nun einmal fesselt. Er ist von einer phantastischen Müßigkeit, die mich verblüfft und anzieht. Und Dinge, wie ›der Tod meiner Großmutter‹ in der ›Herzogin von Guermantes‹, mit den Blutegeln im Haar, sind doch unvergeßlich.« (An René Schickele, Briefe I).
Heinrich Manns Roman ›Die Jugend des Königs Henri Quatre‹ erscheint in Amsterdam. »Für Heinrichs Roman habe ich größte Bewunderung. Zweifellos, das ist große Literatur, und Besseres hat Europa heute wohl nicht zu bieten, nicht erst zu reden davon, wie hoch es die innerdeutsche Mediokrität überragt.« (An René Schickele, Briefe I).
7. Oktober 1935
Vorwort zu Martha Karlweis' Jakob-Wassermann-Buch (›Zum Geleit‹, in: Martha Karlweis, ›Jakob Wassermann, Bild, Kampf und Werk‹, Amsterdam: Querido Verlag N. V. 1935).
13. Oktober 1935
Brief an das Nobel-Friedenspreis-Comité in Oslo, der die Wahl Carl von Ossietzkys für den Friedenspreis befürwortet: »Welch eine Woge von Freude und Genugtuung durch die Welt gehen würde, wenn das Comité zu dem vielleicht weniger korrekten und glatten, dafür aber sittlich gewichtigeren Entschluß gelangte, einem Märtyrer der Friedensidee wie dem seit Jahren das Konzentrationslager erduldenden Ossietzky den Preis zuzuerteilen, das ist in Worten schwer auszudrücken ...« (›An das Nobel-Friedenspreis-Comité, Oslo‹, ›Nobelpriset och Carl von Ossietzky‹, in ›Göteborgs Handels- och Sjöfarts-Tidning‹, 11. Juli 1936).
8. November 1935
T. M. liest in Winterthur für die ›Winterthurer Hilfe für Emigrantenkinder‹ aus ›Joseph in Ägypten‹.
17. November 1935
T. M. liest in Zollikon in der Gesellschaft ›Jung Zollikon‹ aus dem Joseph-Roman.
20. November 1935
Feier des 50. Geburtstages von Eduard Korrodi, dem Literar-

historiker und Feuilletonchef der ›Neuen Zürcher Zeitung‹, im Zürcher Zunfthaus. Improvisierte Tischrede T. M.s: »Es war eine beziehungs- und erinnerungsvolle, lebensbedeutsame Constellation an unserem Tisch ... Auch ich bin noch besonders froh, meinen keck usurpierten Auftrag ausgeführt zu haben, da ich höre, daß wirklich in Deutschland sich nichts geregt und gerührt hat zu diesem Tage.« (An Eduard Korrodi, Briefe I).

Ende November 1935

T. M. enttäuscht über die Nachricht von Knut Hamsuns Beitritt zur norwegischen nationalsozialistischen Partei unter Quisling. »Welche unbegreifliche Roheit! Er schadet seinem Bilde bei Mit- und Nachwelt ganz zweifellos durch diesen unseligen Schritt. Seine Sympathie für das Regime mag zum Teil auf der Verwechslung von diesem mit Deutschland überhaupt beruhen, dem er, wie allen großen Skandinaven, zu Dank verpflichtet ist.« (An René Schickele, Briefe I).

Dezember 1935

Besuch Gottfried Bermann Fischers, der sich darum bemüht, seinen Verlag in der Schweiz zu etablieren. Es kommt zu keinem Ergebnis.

11. Dezember 1935

Lesung in der ›Töpfergesellschaft‹, Solothurn, aus ›Joseph in Ägypten‹.

14. Dezember 1935

Lesung vor der ›Freien Studentenschaft‹ in Bern, »wo das Publikum im Rathaussaal einem Joseph-Kapitel mit einer Aufmerksamkeit lauschte, daß man eine Nadel hätte können zu Boden fallen hören«. (An Otto Basler, Briefe).

Januar 1936

Gründung des Bermann Fischer Verlages in Wien.

10. Januar 1936

Lesung in Basel zugunsten des ›Hilfswerks für die Flüchtlinge aus geistigen Berufen‹.

Mitte Januar–Anfang Februar 1936

Aufenthalt in Arosa.

3. Februar 1936

In einem Offenen Brief an Eduard Korrodi protestiert T. M. gegen dessen Artikel ›Deutsche Literatur im Emigrantenspiegel‹, in dem die Emigrantenliteratur mit der jüdischen gleichgesetzt wird. Durch diese öffentliche Solidaritätserklärung mit dem Emigrantentum bricht T. M. endgültig mit dem nationalsozialistischen

Regime. »Die tiefe, von tausend menschlichen, moralischen und ästhetischen Einzelbeobachtungen und -eindrücken täglich gestützte und genährte Überzeugung, daß aus der gegenwärtigen deutschen Herrschaft nichts Gutes kommen *kann*, für Deutschland nicht und für die Welt nicht, – diese Überzeugung hat mich das Land meiden lassen, in dessen geistiger Überlieferung ich tiefer wurzele als diejenigen, die seit drei Jahren schwanken, ob sie es wagen sollen, mir vor aller Welt mein Deutschtum abzusprechen.« (An Eduard Korrodi, Briefe I).

Seine Entscheidung findet starken Widerhall. »Ich mußte einmal mit klaren Worten Farbe bekennen: um der Welt willen, in der vielfach recht zweideutig-halb-und-halbe Vorstellungen von meinem Verhältnis zum Dritten Reiche herrschen, und auch um meinetwillen; denn schon lange war mir dergleichen seelisch nötig ... Vielen Leidenden habe ich wohl getan, das zeigt mir der Briefstrom; vielen Unbeteiligten auch ein Exempel gegeben, daß es doch noch etwas wie Charakter und feste Überzeugung gibt.« (An Hermann Hesse, Briefe I).

Februar 1936

Vorbereitung der Novellensammlung ›Stories of Three Decades‹ für die angelsächsischen Länder; T. M. schreibt das Vorwort dazu (New York: Alfred A. Knopf 1936).

27. Februar 1936

Glückwunsch zu Bruno Walters 60. Geburtstag am 15. September. »Ich danke dem Schicksal, daß es mir den Gleichaltrigen, so ganz anders Geschaffenen und Begabten als Mittelsmann gab zwischen meiner Sphäre und der, worin er schaltet und ›waltet‹, wie alles in allem nur wenige es tun und getan haben: der Musik. Die Liebe zu dieser geheimnisvollen, strengen und überschwenglichen Kunst ist mit mir geboren und vertieft worden durch bestimmende Bildungserlebnisse ..., und früh war es mein eigener Ehrgeiz und meine Lust, Wesen und Wirken der Musik mit dem des Wortes zu verflechten, ihre Art zu weben, zu ›denken‹ und zu verbinden, auf jenes zu übertragen und die Erzählung als Themengespinst und Kontrapunktik, als klingende Ideenarchitektur, erstehen zu lassen.« (›Für Bruno Walter‹, in: Paul Stefan, ›Bruno Walter‹. Mit Beiträgen von Lotte Lehmann, Thomas Mann, Stefan Zweig. Wien, Leipzig, Zürich: H. Reichner 1936).

13. März 1936

Glückwunsch zum 65. Geburtstag seines Bruders Heinrich am 27. März. »Welchen Wunsch soll ich Dir sagen an diesem Tage?

Nun, den natürlichsten, größten, der alles umfaßt: Daß in fünf Jahren, bis du siebenzig bist, unser Volk und Land uns wieder möge brauchen können.« (›Dem Fünfundsechzigjährigen‹, in ›Die Neue Weltbühne‹, Paris, 26. März 1936).

April–Anfang Mai 1936

Arbeit an dem Vortrag ›Freud und die Zukunft‹ zu Sigmund Freuds 80. Geburtstag (In ›Imago‹, Zeitschrift für psychoanalytische Psychologie, Wien, 22. Band, 1936). T. M. liest einigen Freunden und Nachbarn, unter anderem Erich von Kahler, Bernard von Brentano, Franz W. Beidler, dem Wagner-Enkel, den Freud-Aufsatz »zur Probe« vor: »Ich konnte zufrieden sein.« (An Alfred Neumann, Briefe I).

Alfred Neumann widmet seinen neuen Roman ›Das Kaiserreich‹ »seinem großen Freund Thomas Mann«.

5.–ungefähr 15. Mai 1936

Vortragsreise nach Wien, Brünn, Prag.

8. Mai

Wien. Festvortrag ›Freud und die Zukunft‹ auf der Feier des 80. Geburtstags von Sigmund Freud im ›Akademischen Verein für medizinische Psychologie‹. Besuch bei Sigmund Freud; T. M. überreicht ihm eine von zahlreichen Gelehrten und Schriftstellern, unter anderem von Romain Rolland, H. G. Wells, Virginia Woolf, Stefan Zweig und Thomas Mann unterzeichnete Glückwunschadresse. Wiederholung des Vortrags in Brünn im Typos-Saal der Masaryk-Hochschule und in Prag.

5.–18. Juni 1936

Reise zur Tagung des ›Comité de la Coopération Intellectuelle‹ in Budapest.

5. Juni

Abreise nach Wien, von dort mit dem Auto Lajos Hatványs nach Budapest, wo T. M. dessen Gast ist.

7. Juni

Freud-Vortrag in Budapest.

8.–12. Juni

Tagung des Komitees, Referat von T. M. ›Humaniora und Humanismus‹ (In: ›Altes und Neues‹, Frankfurt am Main: S. Fischer 1953). Nach dem Vortrag eines englischen Teilnehmers ergreift T. M. das Wort zu einer improvisierten Rede (›Der Humanismus und Europa‹, in ›Pester Lloyd‹, 11. Juni 1936): »In der ungarischen Hauptstadt war es, wo ich mir in öffentlicher Sitzung eine improvisierte Rede gegen die Freiheitsmörder und über die Notwendigkeit einer militanten Demokratie abgewann – eine Äußerung, mit der ich gegen den recht akademischen und schon um der faschistischen Delegierten willen ziemlich leisetreterischen Charakter der Unterhaltungen fast bis zur Taktlosigkeit verstieß, die aber mit einer minutenlangen Beifallsdemonstration des ungarischen Publikums beantwortet wurde und mir die begeisterte Umarmung Karel Čapeks, des tschechischen Dichters, eintrug, der, als die Demokratie sein Land verriet, an gebrochenem Herzen starb.« (›Sechzehn Jahre‹).

9. Juni

Lesung aus dem Joseph-Roman im Innerstädtischen Theater. Besuch der Budapester Oper.

13. Juni

Wien. Lesung aus ›Joseph in Ägypten‹ im mittleren Konzerthaussaal, anschließend Besuch der Oper. »Nach meiner ... Vorlesung gingen wir noch in den III. Akt ›Tristan‹ unter Walter und gerieten in ein fürchterlich übelriechendes Haus. Die Nazis hatten Stinkbomben geworfen, aber die Aufführung wurde durchgehalten – schließlich nur noch mit dem Orchester, denn die Isolde, die sich während der ganzen Pause übergeben hatte, machte nur noch eine schöne Geste des Unvermögens und erhob sich nicht mehr von Tristans Leiche ... – ein Streich gegen die Sommer-Festspiele.« (An Heinrich Mann, Briefe I).

14. Juni

Besuch bei Sigmund Freud, dem T. M. den Freud-Vortrag »privatim, im kleinen Freundeskreis« vorliest, weil er ihn damals wegen Krankheit nicht hören konnte. »Er hatte Tränen in den Augen zum Schluß ...« (An Ida Herz, unveröffentlichter Brief).

Juli 1936

Arbeit an den Schlußkapiteln von ›Joseph in Ägypten‹, der im Oktober erscheinen soll. »In den letzten Tagen waren Sie meiner Arbeit nah und sie Ihnen. Ich mache nämlich am Schluß des Joseph III eine Zauber-Szene, zu der ich mich ungeniert Ihrer Erläuterungen zu Sophrons Weiber-Mimos bediene ...« (An Karl Kerényi, 15. Juli 1936, Briefe I).

Lektüre von Heinrich Manns Lesebuch ›Es kommt der Tag‹. »Ich habe zwei Tage unausgesetzt darin gelesen und nach Aufnahme des mir noch Neuen auch alles, schon Bekannte repetiert. Es ist ein großer Genuß und eine große Genugtuung.« (An Heinrich Mann, Briefe I).

Ende Juli 1936
»Ein paar Tage« in Sils-Baselgia. »Wir lernen zum ersten Mal das Engadin, das wir immer nur im Winter besucht haben, zur Sommerzeit kennen. Es ist eine herrliche Landschaft, und eine Luft, die mir die Schlußarbeiten an ›Joseph in Ägypten‹ merklich erleichtert.« (An Ida Herz, unveröffentlichter Brief).

August 1936
Der Essay ›Freud und die Zukunft‹ erscheint als Einzelausgabe (Wien: Bermann Fischer 1936, 1.–4. Tsd.).

23. August 1936
›Joseph in Ägypten‹ ist abgeschlossen. »Abends hatten wir ein kleines Fest mit Bowle, einem von Erika gedichteten und von Medi als jüngster Gevatterin gesprochenen Glückwunsch-Carmen und einer Schluß-Vorlesung, die schönen Eindruck machte. Es ist doch ein Abschnitt, – die Arbeit an dem Band hat unter vielen Unterbrechungen diese ganzen 3½ Jahre des ›Exils‹ begleitet. Ach, der Schmöker hat gräßlich pedantische Längen, fürchte ich, aber ich halte ihn doch für fähig, ein bißchen höhere Heiterkeit in die Lande zu tragen, was die Lande schon brauchen können.« (An Bruno Walter, Briefe I).

27. August–23. September 1936
Reise mit dem Wagen nach St. Cyr-sur-Mer zum Besuch René Schickeles und anschließend gemeinsamer Aufenthalt mit seinem Bruder Heinrich und dessen Tochter Leonie (Goschi) in Aiguebelle Le Lavandou an der Côte d'Azur; dort an einer Angina erkrankt. Nach der Rückkehr Erkrankung an einer Gesichtsrose: »Die Sache verläuft glimpflich, ohne hohes Fieber, der Arzt ist zufrieden, aber das Geschwulst wandert noch.« (An Heinrich Mann, Briefe I).
Kuno Fiedler, der Elisabeth Mann getauft hat, in Deutschland gefangengenommen, dem Würzburger Polizeigefängnis entsprungen, findet vorläufiges Unterkommen in Küsnacht. »Dr. Fiedler trat uns bei unserer Ankunft hier aus dem Hause entgegen wie ein Gespenst.« (An Heinrich Mann, Briefe I).

Anfang Oktober 1936
Plan einer neuen Novelle: ›Lotte in Weimar‹. ». . . einer Erzählung, die ich zwischen dem dritten und vierten Band meiner biblischen Romane einlegen will . . . Es ist ein Gegenstand, zu dessen Beherrschung es noch mancher Lektüre bedarf.« (An Frida Uhl-Strindberg, Briefe I).

12. Oktober 1936
T. M. spricht auf einer Wassermann-Gedenkfeier in Zürich.
Mitte Oktober 1936
›Joseph in Ägypten‹ erscheint (Wien: Bermann Fischer 1936, 1.–10. Tsd.).
Ende Oktober 1936
Vorarbeiten zu ›Lotte in Weimar‹. »Die Goethe-Geschichte, ›Lotte in Weimar‹, an die ich mich jetzt vormittags, aber eigentlich Tag und Nacht heranpirsche, ohne mir über die Form schon ganz klar zu sein. Etwas Besonderes wird jedenfalls auch dies, soviel fühle ich schon, und wird ein hübsches Bändchen geben.« (An Gottfried Bermann Fischer, Briefe I).
Mitte November 1936
Beginn der Niederschrift von ›Lotte in Weimar‹. »Ich habe einige Seiten an meiner Weimarer Novelle geschrieben; finde mich aber sonderbar verwöhnt (sprachlich, erzählerisch) durch die mythischen Allotria und Märchen-Pikanterien, denen ich so lange gefrönt.« (Unveröffentlichter Brief an Alfred Neumann, 21. November 1936).
19. November 1936
Die Tschechoslowakei verleiht Thomas Mann die tschechische Staatsangehörigkeit dank der Vermittlung des Kaufmanns Rudolf Fleischmann, in dessen Gemeinde Proseč T. M. als Bürger aufgenommen wurde; Voraussetzung für die Zuerkennung des Bürgerrechts: er legt vor dem tschechischen Konsul in Zürich den Eid für die Einbürgerung ab.
2. Dezember 1936
Thomas Mann wird auf Grund des ›Gesetzes über den Widerruf von Einbürgerungen und die Aberkennung der deutschen Staatsangehörigkeit vom 14. Juli 1933‹ der deutschen Staatsangehörigkeit für verlustig erklärt. Frau Katja Mann und die vier jüngeren Kinder werden in diese Verfügung eingeschlossen. Begründung: »Wiederholt beteiligte er sich an Kundgebungen von internationalen, meist unter jüdischem Einfluß stehenden Verbänden, deren feindselige Einstellung gegenüber Deutschland allgemein bekannt war. Seine Kundgebungen hat er in letzter Zeit wiederholt offen mit staatsfeindlichen Angriffen gegen das Reich verbunden. Anläßlich einer Diskussion in einer bekannten Züricher Zeitung über die Bewertung der Emigranten-Literatur stellte er sich eindeutig auf die Seite des staatsfeindlichen Emigrantentums und richtete öffentlich gegen das Reich die schwersten Beleidigungen, die auch

in der Auslandspresse auf starken Widerspruch stießen. Sein Bruder Heinrich Mann, sein Sohn Klaus und seine Tochter Erika sind bereits vor längerer Zeit wegen unwürdigen Auftretens im Ausland der deutschen Staatsangehörigkeit verlustig erklärt worden.« (Völkischer Beobachter, München, 3. 12. 1936).
Thomas Mann an die ›Deutschen Informationen‹: »Sie wünschen eine Äußerung von mir über meine jetzt von der deutschen Regierung verfügte ›Ausbürgerung‹. Vor allem habe ich zu bemerken, daß dieser Akt, da ich schon seit 14 Tagen tschechoslowakischer Staatsbürger bin und damit automatisch aus dem deutschen Staatsverband ausgeschieden bin, jeder rechtlichen Bedeutung entbehrt. Von seiner geistigen Bedeutungslosigkeit brauche ich nicht zu reden. Ich habe gelegentlich schon im voraus erklärt, daß ich in deutschem Leben und deutscher Überlieferung tiefer wurzele als die flüchtigen, wenn auch penetranten Erscheinungen, die zur Zeit Deutschland regieren.« (Berner Tagwacht, 10. 12. 1936).
An seinen Verleger: »Die Anteilnahme ist groß, es geht fast zu wie nach dem Nobelpreis, und für mein Teil ist die Klärung der Situation mir recht.« (An Gottfried Bermann Fischer, 5. 12. 36).

19. Dezember 1936

Aberkennung der Ehrendoktor-Würde durch die Philosophische Fakultät der Universität in Bonn.

29. Dezember 1936

Eröffnungsvorstellung der ›Pfeffermühle‹ in New York »in einem schmucken, aber nicht sehr stimmungsvollen kleinen Theater, das im obersten Stockwerk eines Wolkenkratzers, dem ›Chanin Building‹, nahe dem ›Grand Central‹-Bahnhof, gelegen war ... es fand in New York doch relativ wenig Anklang ...« (Klaus Mann, ›Der Wendepunkt‹).
Nach der Rückreise von Therese Giehse und dem Musikanten Magnus Henning nach der Schweiz löst sich das Kabarett auf. Erika Mann beginnt ihre Laufbahn als ›lecturer‹. »Ihre Spezialität aber bleibt der direkte Appell und gesprochene Kommentar, der anekdotisch gewürzte Vortrag, die scheinbar improvisierte, in Wahrheit sorgsam vorbereitete Causerie, die teils durch den Charme der Rednerin, teils durch die Solidität der eigenen Substanz fesselt und überzeugt. Erika konnte eine der begehrtesten ›lecturers‹ des Kontinents werden, weil sie Hörenswertes zu sagen hat (›She has a message!‹) und weil sie das Hörenswerte mit liebenswürdiger Intensität zu Gehör bringt, (›She has personality!‹).« (Klaus Mann, ›Der Wendepunkt‹).

31. Dezember 1936
Thomas Mann antwortet dem Dekan der Philosophischen Fakultät der Universität Bonn (Prof. Dr. Karl Justus Obenauer) auf die Aberkennung der Ehrendoktorwürde: »Ich habe es mir nicht träumen lassen, es ist mir nicht an der Wiege gesungen worden, daß ich meine höheren Tage als Emigrant, zu Hause enteignet und verfemt, in tief notwendigem politischem Protest verbringen würde. Seit ich ins geistige Leben eintrat, habe ich mich in glücklichem Einvernehmen mit den seelischen Anlagen meiner Nation, in ihren geistigen Traditionen sicher geborgen gefühlt. Ich bin weit eher zum Repräsentanten geboren als zum Märtyrer, weit eher dazu, ein wenig höhere Heiterkeit in die Welt zu tragen, als den Kampf, den Haß zu nähren. Höchst Falsches mußte geschehen, damit sich mein Leben so falsch, so unnatürlich gestaltete. Ich suchte es aufzuhalten nach meinen schwachen Kräften, dieses grauenhaft Falsche, – und eben dadurch bereitete ich mir das Los, das ich nun lernen muß, mit meiner ihm eigentlich fremden Natur zu vereinigen.« (›Ein Briefwechsel‹, in ›Neue Zürcher Zeitung‹, 24. Januar 1937. Buchausgabe: Verlag Oprecht, Zürich, 1. bis 20. Tsd.).

Januar 1937
In fast allen Kulturländern erscheinen Übersetzungen dieses Briefwechsels.

7.–15. Januar 1937
Vortragsreise nach Prag, Budapest, Wien.

7. Januar 1937
Besuch mit Frau Katja und Golo Mann in Proseč; Eintragung in das Gästebuch der Gemeinde. Lesung in Prag in der Gesellschaft ›Urania‹ aus ›Lotte in Weimar‹ und dem Joseph-Roman; in einer kurzen Begrüßungsansprache stellt T. M. sich als neuer tschechoslowakischer Mitbürger vor.

12. Januar 1937
Ehrenabend in Budapest mit Lesung im Ungarischen Theater.

14. Januar 1937
Lesung in Wien im mittleren Konzerthaussaal.
Besuch bei Sigmund Freud.

22. Januar–20. Februar 1937
In Arosa, zusammen mit Lajos Baron Hatvány und dessen Frau. Arbeit an ›Lotte in Weimar‹.

Februar 1937
Verhandlungen zwecks Gründung der Zeitschrift ›Maß und Wert‹;

Herausgeber: Thomas Mann und Konrad Falke; Redaktion Ferdinand Lion; Verleger: Emil Oprecht. »Eine reiche und literaturfreundliche Dame, die übrigens ganz im Hintergrund zu bleiben wünscht, hat die nötigen Mittel bereitgestellt ...« (An Hermann Hesse, Briefe II).
T. M. befürwortet die Verleihung des Nobelpreises an Sigmund Freud, wird von Romain Rolland unterstützt.

23. Februar 1937
Die Gründung der Zeitschrift ›Maß und Wert‹ ist beschlossen. T. M. wirbt um die Mitarbeit Hermann Hesses.

März 1937
Erika Mann spricht auf einer vom ›American Jewish Congress‹ einberufenen Massenveranstaltung im Madison Garden, New York. T. M. telegraphiert ihr: »Zu Deinem Auftreten vor American Jewish Congress beglückwünsche ich Dich herzlich stop Du sprichst dort als selbständige Persönlichkeit zugleich aber tust Du es gewissermaßen an meiner Statt als meine Tochter und als meines Geistes Kind ...« (Briefe II).

März 1937
Lesung vor der jüdischen Vereinigung ›Kadimah‹, Zürich, mit einleitenden Worten über den Joseph-Roman und das Problem des Antisemitismus. »Der Antisemitismus ist ein Zubehör und Losungswort aller trüben, wirren und mit viel Bestialität vermischten Massenmenschlichkeit und Massenmystik von heute. Er ist kein Gedanke, kein Wort, er hat keine Menschenstimme, er ist ein Gegröle. Und in ein Gegröle stimmt der geistige, der mit sich selber strengere Mensch nicht ein: er wartet, bis es einen Augenblick aussetzt und spricht in die Stille hinein sein Nein.« (Erstdruck: ›Zum Problem des Antisemitismus‹, in ›Allgemeine Wochenzeitung der Juden in Deutschland‹, Düsseldorf, 18. Dezember 1959).

6.–29. April 1937
Dritte Reise in die Vereinigten Staaten, auf Einladung der ›New School for Social Research‹, New York.

7. April
Einschiffung auf der ›Normandie‹ in Le Havre.

12. April
Ankunft in New York zusammen mit Aldous Huxley; Aufenthalt im ›The Bedford Hotel‹, dort Zusammentreffen mit dem Arzt und Schriftsteller Martin Gumpert.

13. April
Vortrag in New York: ›Leiden und Größe Richard Wagners‹.
15. April
Festrede auf dem Bankett der ›New School for Social Research‹ zur Feier des vierten Jahrestages der Gründung der ›Graduate Faculty of Political and Social Sciences‹: ›The Living Spirit‹ (In ›Social Research‹, New York, Band 4, August 1937). »Four years ago, when the disastrous character of the new German government stood revealed, it was Dr. Johnson who took up the idea, which was probably stirring in many minds at the time, but was generally regarded as too visionary for fulfilment. – That idea was to preserve the institution of the German University, in spite of the inevitable dispersal of the German intellectuals all over the world, and to refound it here, beyond the seas.«
Der ›University in Exile‹, für die sich T. M. eingesetzt hat, geht eine Spende von 100000 Dollar zu.
Um den 20. April
Rede auf einem Dinner der ›American Guild for German Cultural Freedom‹ zur Gründung der ›Deutschen Akademie‹ in New York. »Eine umfassende Organisation also soll geschaffen werden, in die sich das gesamte, heute außerhalb des Reiches tätige Geistesleben einfügen kann, nicht allein das literarische und wissenschaftliche, sondern auch das schöpferisch Künstlerische, so daß also Dichtung, Forschung, Musik und bildende Kunst gleichermaßen ihren Platz darin einnehmen sollen ... Aber über das Repräsentative hinaus sollen von der Akademie unmittelbar praktisch fördernde Wirkungen auf das deutsche Geistesleben außerhalb der Grenzen ausgehen.« (›Zur Gründung der ‚American Guild for German Cultural Freedom‘ und der ‚Deutschen Akademie‘‹, in: Gesammelte Werke in zwölf Bänden, Band XI, Frankfurt: S. Fischer 1960).
Erste persönliche Begegnung mit Joseph W. Angell, Lecturer an der Yale University und späterem Militärhistoriker: der Plan eines Thomas-Mann-Archivs in Yale wird besprochen.
T. M. lernt den Verleger der ›Washington Post‹, den Politiker und Philanthropen Eugene Meyer und dessen Frau Agnes E. Meyer kennen, mit denen ihn in den folgenden Jahren eine enge Freundschaft verbindet. Mit Agnes E. Meyer, die selbst schriftstellerisch tätig ist, führt T. M. einen regen Briefwechsel, der ausgezeichnet über die amerikanischen Emigrantenjahre Aufschluß gibt. Ferner macht T. M. die Bekanntschaft der Psychoanalytikerin

Caroline Newton, einer großen Verehrerin und Sammlerin seines Werks, mit der ebenfalls ein interessanter Briefwechsel beginnt.

21. April

Rede im ›Mecca Temple‹, New York, auf einer ›Gedenkfeier für die Opfer des Faschismus‹: ›Bekenntnis zum Kampf für die Freiheit‹ (In ›Das Wort‹, Moskau, Juli 1937). »Die Freiheit muß stark sein, sie muß an sich selbst glauben und an ihr Recht, sich zu verteidigen. Es muß eine Freiheit mit Autorität, eine männliche sein, die sich durch den Geist nicht zum schwächlichen Zweifel an ihrem Erdenrechte verführen läßt und sich zu wehren weiß gegen eine Tücke, welche je wieder die Freiheit mißbrauchen will, um sie zu töten.« (›Bekenntnis zum Kampf für die Freiheit‹).

24. April

Einschiffung auf der ›Ile de France‹ in New York.

30. April

Kurzer Aufenthalt in Paris; Rückkehr nach Küsnacht. »Der Kontakt mit Amerika, wo ich viele Freunde habe, ist enger geschlossen. Wir gehen ernstlich mit dem Gedanken um, dort einen Teil des Jahres zu verbringen. Meiner seelischen Freiheit und Heiterkeit wäre eine solche Distanzierung von Europa unendlich zuträglich.« (An Karl Kerényi, Briefe).

Mai 1937

T. M. schon während der Reise an einer sehr schmerzhaften Ischias erkrankt; eine Kur in Ragaz ist geplant. Vorbereitung der Herausgabe von ›Maß und Wert‹; die Einleitung entsteht (In ›Maß und Wert‹, Zürich, September/Oktober 1937): »Ich habe jetzt eine umfangreichere programmatische Einleitung für das erste Heft geschrieben ...« (An Hermann Hesse, 21. Mai 1937, Briefe II).

6. Juni 1937

Erika Mann kommt zum Geburtstag ihres Vaters aus den Vereinigten Staaten.

10.–Ende Juni 1937

Kuraufenthalt in Ragaz, Hotel Lattmann. »Meiner Ischias, die, verdammt noch mal, kein Vergnügen war, bin ich dank einer Ragazer Bäderkur und einigen nachhelfenden Vitamin-Injektionen fast ledig.« (An Martin Gumpert, 6. September 1937, Briefe II).

August 1937

›Lotte in Weimar‹: Das Riemer-Kapitel abgeschlossen.

September 1937

Das erste Heft von ›Maß und Wert‹ erscheint.

Besuch Karl Kerényis in Küsnacht. Der ehemalige Staatspräsi-

dent der Tschechoslowakei Thomas Masaryk gestorben. Nachruf T. M.s: ›Zu Masaryks Gedächtnis‹ (In ›Das Neue Tagebuch‹, Paris, 25. September 1937).
›Lotte in Weimar‹: Das 4. Kapitel, Gespräch mit Adele Schopenhauer, entsteht.

15. September–7. Oktober 1937

Erholungsaufenthalt in Locarno, ›Hotel Reber‹, mit Hans Reisiger; oft mit Emil Ludwig zusammen. Arbeitet am Kapitel ›Adeles Erzählung‹.

9. Oktober 1937

T. M. schließt das in Locarno begonnene Kapitel ab und bereitet einen neuen Wagner-Vortrag vor (›Richard Wagner und der ‚Ring des Nibelungen'‹, in ›Maß und Wert‹, Zürich, Januar/Februar 1938).

November 1937

»In den letzten acht Tagen habe ich wie ein Pferd gearbeitet; ein Vortrag über Wagners ›Ring des Nibelungen‹ mußte anläßlich einer Gesamtaufführung im Stadttheater plötzlich ausgearbeitet werden. On revient toujours –« (An Stefan Zweig, 14. November 1937, Briefe II).

16. November 1937

Vortrag in der Aula der Universität Zürich: ›Richard Wagner und ‚Der Ring des Nibelungen'‹.

Dezember 1937

T. M. schreibt eine ›Message‹ für Künstler, die Erika Mann in New York auf einer Kundgebung verlesen soll. Vorbereitung des Vortrags für die Frühjahrstournee durch die Vereinigten Staaten: ›Vom kommenden Sieg der Demokratie‹ (Zürich: Europa Verlag Oprecht 1938, 1.–3. Tsd.). Ferner eine Rede für die Yale University und die Einleitung für eine amerikanische Schopenhauer-Auswahl in der Serie ›The Living Thoughts Library‹. »Für meine lecture schreibe ich jetzt soviel über Politik zusammen, daß ich die Hälfte des Wustes nachher werde weglassen müssen, eine furchtbare Verschwendung, aber wenn einmal losgelassen, bin ich nicht zu bändigen.« (An Erika Mann, Briefe II).
Konzert unter Bruno Walter in Zürich (»die für mich geradezu epochale Bruckner-Aufführung«); anschließendes Zusammensein mit dem Dirigenten.

18. Dezember 1937

Verleihung des Herder-Preises der Tschechoslowakei für exilierte Schriftsteller an Thomas Mann.

25. Dezember 1937
Weihnachtsfeier mit den vier jüngsten Kindern (Erika und Klaus sind in Amerika); Michael erkrankt an schwerer Gehirnhaut- und Augenentzündung, die eine besonders sorgfältige Pflege der Eltern erfordert.
Nach den Weihnachtstagen Wiederaufnahme der Arbeit an ›Lotte in Weimar‹: »Die augenblickliche Zwischenzeit benütze ich, um ›Lotten‹ rasch und diebisch noch ein Stückchen vorwärts zu bringen ... Ich bin jetzt bei einer Szene zwischen Lotte und dem jungen August, dem Sohn der Mamsell.« (An Alfred Neumann, 28. Dezember 1937, Briefe II).
(Vorabdruck: ›Lotte in Weimar‹. Drittes Kapitel: ›Lottes Gespräch mit Riemer‹, in ›Maß und Wert‹, Zürich, November/Dezember 1937).
29. Dezember 1937
Besuch bei dem Konzertmeister des Zürcher Tonhallenorchesters Willem de Boer zu einem Hausmusikabend mit eigenen Kompositionen des Gastgebers für sein Lieblingsinstrument, die Viola d'amore: »Ihre Kunst und Virtuosität hat mich ganz für die Viola gewonnen ... Welch ein Register-Reichtum – den Sie zu nutzen wußten, daß sich mir gleich das Wort von der ›Streich-Orgel‹ auf die Lippen drängte.« (An Willem de Boer, Briefe II).
10.–31. Januar 1938
Erholungsaufenthalt in Arosa, ›Neues Waldhotel‹. Arbeit an ›Lotte in Weimar‹ unterbrochen zugunsten des Schopenhauer-Essays: »Übrigens schreibe ich jetzt über Schopenhauer.« (An Fritz Strich, 12. Januar 1938, Briefe II).
10. Februar–Anfang Juli 1938
Vierte Reise in die Vereinigten Staaten. Anlaß: Die von dem literarischen Agenten Harold Peat, New York, organisierte Vortragsreise durch 15 amerikanische Städte: ›The Coming Victory of Democracy‹. »Ich stehe am Anfang einer Vortragsreise durch die Vereinigten Staaten, auf der ich in zahlreichen Städten, in Universitäten und town-halls über Demokratie sprechen will: von ihrer zeitlos-menschlichen Jugendlichkeit will ich sprechen, will diese verteidigen gegen den falschen Jugendlichkeits- und Zukünftigkeits-Anspruch zeitgeborener Gegen-Tendenzen und meinen Glauben bekennen an den zukünftigen Sieg der Demokratie.« (›Zur Gründung einer zukünftigen Dokumentensammlung in Yale University‹).

12. Februar
Überfahrt auf der ›Queen Mary‹.
21. Februar
Ankunft in New York.
24. Februar
Teilnahme am Dinner zugunsten des ›American Committee for Christian German Refugees‹ in New York.
25. Februar
Feierliche Eröffnung der Thomas-Mann-Sammlung in Yale University mit einer Ansprache T. M.s (In ›Maß und Wert‹, Zürich, November/Dezember 1938). »Eine amerikanische Universität, die erste neben der von Harvard, richtet ein Archiv, eine Bibliothek ein, worin die Arbeiten meiner Einsamkeit, wie sie in deutschen Drucken und Übersetzungen, als Manuskripte, Brouillons, Entwürfe, Briefe und Studien vorliegen, auch kritische Auslassungen von Zeitgenossen über meine Versuche, übersichtlich zusammengetragen und angeordnet werden, um Freunden der Literatur Einblick zu geben in eine geistige Werkstatt unserer Zeit und namentlich der studierenden Jugend die Übersicht über ein Leben zu gewähren, dem der Drang eingeboren war, sich in Wort, Bild, Gedanken zu befestigen, der Vergänglichkeit das Beständige, dem Chaos die Form abzugewinnen und die Erscheinung durchsichtig zu machen für das, was nach Goethe ›des Lebens Leben‹ ist, für den Geist.« (›Zur Gründung einer Dokumentensammlung in Yale University‹).
Beginn der Vortragsreise in Begleitung von Frau Katja und Erika Mann.
26. Februar
Middletown, Conn., Wesleyan University.
1. März
Chicago, Northwestern University. »Das Interesse ist groß; Chicago z. B. ist längst ausverkauft ... Dabei nimmt der unverschämte Manager 1000 Dollars für den Abend, wovon ich nur die Hälfte bekomme.« (An Ida Herz, Briefe II).
3. März
Ann Arbor, University of Michigan. Zusammentreffen mit Prof. Walter A. Reichart.
9. März
Brooklyn, New York: ›Institute of Arts and Sciences‹; abends: Washington, Constitution-Hall; Besuch bei Eugene und Agnes E. Meyer.

11. März

Beginn des Einmarsches reichsdeutscher Truppen in Österreich, der am 13. März den Anschluß an das Deutsche Reich zur Folge hat. »Der österreichische Choc, der uns auf unserer lecture tour traf, war heftig und wochenlang haben wir tatsächlich geglaubt, Europa nicht wiederzusehen ...« (An Félix Bertaux, unveröffentlichter Brief, T. M. A., Zürich).

14. März

Philadelphia.

18. März

Tulsa, Oklahoma.

19. März

Salt Lake City, University of Utah.

T. M. beschließt unter dem Eindruck der Österreich-Annexion, seinen Wohnsitz in die Vereinigten Staaten zu verlegen. (An Agnes E. Meyer, Yale Library, unveröffentlichter Brief).

29. März

San Francisco, Hotel ›The Clift‹.

1. April

Vortrag ›Vom kommenden Sieg der Demokratie‹ im Shrine Auditorium von Los Angeles. Dabei erhielt T. M. von der Anti-Nazi Hollywood League 1340 Dollar für den T.-M.-Fonds in Prag zur Unterstützung verfolgter antifaschistischer Künstler in der Tschechoslowakei. Längerer Aufenthalt in Beverly Hills, Calif. Niederschrift der ›Tagebuchblätter‹ (unveröffentlicht; Typoskript in der Yale University), persönliche Betrachtungen über den Verlust der Heimat und einer ironischen Charakteristik Hitlers, die später unter dem Titel ›Bruder Hitler‹ veröffentlicht wird. »Wie oft schon haben die Schauplätze eines ernsten Spiels, des heiteren Kampfes gegen die Vergänglichkeit, gewechselt seit den Schülerstuben, wo erstes Glück und Leid sich in der Ordnung des Wortes zu kühlen suchte? Einige schienen für die Dauer gegründet; man kehrte von interimistisch eingerichteten oftmals zu ihnen zurück, sie hießen ›zu Hause‹. Aber auch sie erwiesen sich als provisorisch, sie entschwanden, blieben zurück, und nur lose und zufällig bleibt die Erinnerung an ihre Örtlichkeit mit bestimmten Wachstumsringen des Werkes verknüpft ... Was ist Heimatlosigkeit? In den Arbeiten, die ich mit mir führte, ist meine Heimat. Vertieft in sie erfahre ich alle Traulichkeit des Zuhauseseins. Sie sind Sprache, deutsche Sprache und Gedankenform, persönlich entwickeltes Überlieferungsgut meines Landes und Volkes. Wo ich bin, ist Deutschland ...« (›Tagebuchblätter‹, mitgeteilt von Herbert Lehnert in ›Thomas Mann in Exile 1933 bis 1938‹, ›The Germanic Review‹, New York, November 1963).

29. April

Urbana, Ill., University of Illinois. Verleihung des ›Cardinal Newman Award‹.

5. Mai

Offizielle Einwanderung T. M.s in die Vereinigten Staaten über Kanada. Die formellen Schritte wurden von Agnes E. Meyer eingeleitet.

5.–Ende Mai

New York, ›The Bedford Hotel‹. Schließt hier den Schopenhauer-Essay ab.

6. Mai

Vortrag in der Carnegie Hall, New York.

7. Mai

T. M. schreibt ein Vorwort für Erika Manns Buch ›Zehn Millionen Kinder. Die Erziehung der Jugend im Dritten Reich‹ (Amsterdam: Querido-Verlag N. V. 1938).

Während des New Yorker Aufenthalts tritt Harold W. Dodds, Präsident der Princeton University, mit dem Vorschlag an T. M. heran, eine Professur als ›Lecturer in the Humanities‹ zu übernehmen. Seine Aufgabe würde sein, zwei ›conferences‹ (Seminarübungen) in einem Kursus ›Modern Languages‹ zu halten über ›Faust‹ und den ›Zauberberg‹ und drei öffentliche ›lectures‹ zu lesen.

T. M. entschließt sich auf Grund der Vorkommnisse in Österreich, in den USA zu bleiben. »Welchen Eindruck auf mich die Untat an Österreich, daß sie möglich war, daß sie geduldet wurde, gemacht hat, mögen Sie daraus ersehen, daß ich beschlossen habe, von dieser Reise nach Amerika ... vorläufig nicht nach Europa zurückzukehren. Ich löse meinen Schweizer Haushalt auf und will meinen Wohnsitz in einer Universitätsstadt des amerikanischen Ostens nehmen.« (An eine unbekannte Adressatin, 21. Mai 1938, Briefe II).

19. Mai

Ansprache bei der Grundsteinlegung des jüdischen Pavillons für die Weltausstellung in New York 1939.

27. Mai

T. M. teilt Präsident Harold W. Dodds in einem Schreiben mit, daß er die Professur in Princeton annehme.

1. Juni
Verleihung des Ehrendoktorats der Columbia University, New York.
Ende Mai–19. Juni
Aufenthalt in einem Landhaus in Jamestown, Rhode Island, das Miss Caroline Newton gehört. Die Arbeit an ›Lotte in Weimar‹ wieder aufgenommen. »Wir sind hier am Meer nach den Wanderungen der letzten 3 Monate zu einer vorläufigen Ruhe gekommen in einem geliehenen Häuschen, und ich nehme die liegengelassenen Fäden von ›Lotte in Weimar‹ wieder auf, wie ich es in Küsnacht getan hätte.« (An Erich von Kahler, Briefe II). Mehrmalige Reisen nach Princeton auf der Suche nach einem geeigneten Haus.
Ansprache auf einer Versammlung des ›American Committee for Christian German Refugees‹ (›Christentum – Demokratie – Barbarei‹, in ›Pariser Tageszeitung‹, 10. Juli 1938).
Erika und Klaus Mann als Presseberichterstatter über den spanischen Bürgerkrieg in Spanien: Madrid, Barcelona, Valencia.
29. Juni
Rückfahrt nach Europa auf der ›Washington‹, United States Lines. »Das Leben auf diesem Boot war so angenehm, wie ich es auf Schiffen anderer Nationalitäten kaum getroffen habe, und auch vom Wetter waren wir während des größeren Teiles der Reise außerordentlich begünstigt. Nur in der Irischen See gab es dann noch einen richtigen Sturm, der uns eine empfindliche Verspätung eintrug.« (An Agnes E. Meyer, Briefe II).
11. Juli
Zurück in Küsnacht.
Juli 1938
»Ich bin an ›Lotte in Weimar‹ recht tätig.« (An Agnes E. Meyer, 18. Juli 1938, Briefe II).
Die ›Faust‹-Vorlesung für Princeton wird vorbereitet; Redaktionsarbeiten für ›Maß und Wert‹ sind zu erledigen.
August 1938
Heinrich Mann beendet seinen Roman ›Die Vollendung des Königs Henri Quatre‹; Einladung an ihn, noch einige Tage nach Küsnacht zu kommen: »Die Wälder und Seeufer, mit dem Auto zu befahren, sind so schön, und Du kämest in ein Land, dessen Haltung gegen l'infâme seit Österreich von der wohltuendsten Entschlossenheit ist.« (An Heinrich Mann, Briefe II).

10.–15. August 1938
Zwei Wochen in Sils Baseglia, Engadin, mit Erika Mann, die aus Spanien zurückgekehrt ist.
September 1938
Vorbereitung des Umzuges.
13. September 1938
Abschiedslesung im Schauspielhaus Zürich aus ›Lotte in Weimar‹.
14. September 1938
Abreise nach Paris.
16. September 1938
Die politischen Ereignisse in Europa gehen einer Krise entgegen: Der britische Premierminister Neville Chamberlain fährt zu Hitler nach Berchtesgaden, um den drohenden Krieg um die Tschechoslowakei zu verhindern.
17. September 1938
Einschiffung auf der ›Nieuw Amsterdam‹ in Boulogne.

1938–1941

DIE PRINCETON-PROFESSUR

25. September 1938
Ankunft in New York.
26. September 1938
T. M. spricht auf einer Massenversammlung des Komitees zur Rettung der Tschechoslowakei im Madison Square Garden. »Gestern kam ich mit einem Dampfer aus Europa an, der mit Amerikanern und Bürgern anderer Länder überfüllt war. Während 48 Stunden waren diese Menschen in einem Zustande tiefster geistiger Niedergeschlagenheit. Sie erklärten, sie könnten weder essen noch schlafen, wenn sie sich die aus Europa erhaltenen Nachrichten überlegten.« (›Ansprache auf einer Versammlung in New York‹).
28. September 1938
In Princeton ›The Mitford House‹, 65 Stockton Street. »Unser Haus, Besitztum eines Engländers, ist sehr komfortabel und ein Fortschritt gegen alle früheren ... Die Landschaft ist parkartig, zum Spazieren wohl geeignet, mit erstaunlich schönen Bäumen, die jetzt, im Indian Summer, in den prachtvollsten Farben glühen.«

(An Erich von Kahler, Briefe II). Der Schreibtisch aus München und Küsnacht ist im Arbeitszimmer aufgestellt, »so bin ich entschlossen, mein Leben und Treiben mit größter Beharrlichkeit genau fortzusetzen wie eh und je, unalteriert von Ereignissen, die mich schädigen, aber nicht beirren und demütigen können.« (An Erich von Kahler, Briefe II).

29. September 1938

Münchener Konferenz mit Hitler, Mussolini, Chamberlain und Daladier: die Abtretung der sudetendeutschen Gebiete an das Deutsche Reich wird beschlossen. Die Nachgiebigkeit gegenüber Hitler rettet vorläufig den Frieden.

1. Oktober 1938

Einmarsch deutscher Truppen in die Tschechoslowakei. In tiefer Verzweiflung über die politische Lage schreibt T. M. den Essay ›Dieser Friede‹ (Stockholm: Bermann Fischer 1938, 1.–9. Tsd. ›Printed in the USA‹): »Sie können sich denken, wie ich gelebt habe: zuerst die Tage erregter Ungewißheit in Paris, dann die Woche der Niedergeschlagenheit bei quälend mangelhafter Benachrichtigung auf dem Schiff, dann die Stunden gespanntester Hoffnung hier nach der Ankunft, gipfelnd in einem Riesen-Meeting in Madison Square Garden, bei dem ich sprach und ungeheure Kundgebungen erlebte; dann ›München‹ und das endgültige Begreifen des schmutzigen Stückes, das all die Zeit gespielt worden und dessen Höhepunkt die Übertragung der Hitlerschen Kriegserpressung durch die ›demokratischen‹ Regierungen auf ihre eigenen Völker war . . . Die Scham, der Ekel, das Zerstieben aller Hoffnung. Tage lang war auch ich regelrecht gemütskrank, und unter diesen Umständen mußte die Installierung hier bewerkstelligt werden.« (An Erich von Kahler, Briefe II).

Der Essay dient unter dem Titel ›Die Höhe des Augenblicks‹ als Vorwort zu der Sammlung politischer Essays ›Achtung, Europa!‹ (›Aufsätze zur Zeit‹. New York: Longmans, Green & Co. Alliance Book Corporation 1938 – Stockholm: Bermann Fischer 1938, 1.–3. Tsd.). Der Beitrag ›Bruder Hitler‹ wurde auf Vorstellungen Gottfried Bermann Fischers aus der Sammlung fortgelassen (›This man is my Brother‹, in ›Esquire‹, Chicago, März 1938; ›Bruder Hitler‹, in ›Das Neue Tagebuch‹, Paris, 25. März 1939). »Daß ›Der Bruder‹ wegfallen mußte, war mir ein Kummer, und ich habe es irgendwie als Niederlage empfunden, weil es das erste Mal war, daß ich ein Werk meines Schmerzes und Hasses und Spottes nicht vor die Welt bringen konnte. Aber ich habe die

Notwendigkeit der Weglassung eingesehen und Sie haben natürlich recht damit, daß die Vorrede das ungleich Wichtigere ist als jener ironische Spaß.« (An Gottfried Bermann Fischer, Briefe II).

Gleichzeitig mit der Sammlung ›Achtung, Europa!‹ erscheint ›Dieser Friede‹ als Einzelausgabe und in englischer Übersetzung. Der Essay ›Schopenhauer‹ erscheint in der Schriftenreihe ›Ausblicke‹ (Stockholm: Bermann Fischer 1938 = Schriftenreihe ›Ausblicke‹, 1.–4. Tsd.), später in englischer Übersetzung als Vorwort der Auswahl ›The Living Thoughts of Schopenhauer‹.

1. Oktober 1938

Als ›Lecturer in the Humanities‹ an der Universität Princeton. Ernennung zum Ehrenmitglied der Thomas Paine-Society in New York.

1. November 1938

Vermählung Monika Manns mit dem ungarischen Kunsthistoriker und bekannten Donatello-Forscher Jenö Lányi in London.

9. November 1938

Ansprache bei dem ›Book and Author Luncheon‹ im Hotel ›Astoria‹, New York.

28. und 29. November 1938

Öffentliche Vorlesung über Goethes ›Faust‹ in der Alexander Hall der Princeton University (an zwei Abenden) (›Aus dem Princetoner Kolleg über Faust‹, in ›Maß und Wert‹, Zürich, Mai/Juni 1939).

Herbst–Winter 1938

Gesellschaftliches Leben in Princeton. »Gäste traten kaum je in Massen auf, sondern erschienen einzeln oder in kleinen Gruppen: Freunde aus New York, wie Martin Gumpert, W. H. Auden, Tom Curtiss; oder Princeton-Nachbarn, darunter Albert Einstein mit schöner Silbermähne, Kuppelstirn und schalkhaft tiefem Blick ... Auch Erich von Kahler war wieder da ... Mit ihm kam Hermann Broch, der Österreicher ...« (Klaus Mann, ›Der Wendepunkt‹).

Das Haus Thomas Mann wird in der folgenden Zeit immer stärker zum Mittelpunkt der Hilfe und Beratung deutscher und österreichischer Emigranten: Thomas Mann und seine Frau Katja schreiben zahllose Briefe an einflußreiche Persönlichkeiten, verschaffen Affidavits, unterstützen die verschiedenen Komitees, helfen mit Geldbeträgen. »Meine Korrespondenz ... ist beängstigend angeschwollen, und nicht weniger als drei Personen müssen

mir helfen: meine Frau, eine hiesige englische Dame (Mrs. Molly Shenstone) und Dr. Meisel, der das Buch von Borgese so glänzend übersetzt hat und jetzt gleichfalls in Princeton wohnt.« (An Gottfried Bermann Fischer, Briefe II).
Vergebliche Bemühungen um die Einwanderungspapiere in die USA für die in der Tschechoslowakei gefährdeten Mitglieder der inzwischen aufgelösten Thomas-Mann-Gesellschaft in Prag; ein Teil von ihnen gelangt später nach England.

Dezember 1938

Wiederaufnahme der Arbeit an ›Lotte in Weimar‹: »Erst jetzt eigentlich habe ich mich in die Arbeit an ›Lotte‹ wieder hineingefunden und betreibe sie jeden Vormittag, soweit die Anforderungen, die dieses Land in seinem naiven Eifer an mich stellt, es erlauben.« (An Gottfried Bermann Fischer, 6. Dezember 1938, Briefe II).

5. Dezember 1938

Ansprache auf dem ›Deutschen Tag‹ in New York (In ›Volks-Echo‹, New York, 10. Dezember 1938), veranstaltet von dem ›Deutsch-amerikanischen Kulturbund‹. »Gestern ... hatte ich Gelegenheit, für das deutsche Buch hier Propaganda zu machen. Ich habe den Deutsch-Amerikanern die Alliance Book Corporation sowohl wie die Forum-Sammlung wärmstens ans Herz gelegt. Und immerhin waren viertausend Hörer zugegen.« (An Gottfried Bermann Fischer, Briefe II).

7. Dezember 1938

Besuch zusammen mit Dorothy Thompson bei Agnes E. Meyer. Besprechung einer Aktion gegen Unrecht und Gewalt. T. M. verfaßt ein ›Manifest‹, das »sozusagen von der ganzen moralischen und geistigen Welt in ihren hervorragendsten Vertretern unterstützt werden sollte, etwas Trost und Stärkung in eine Welt hinauszutragen, die durch die jüngsten Triumphe des Unrechts und der Gewalt in schwere moralische Verwirrung gesetzt ist.« (An Harry Slochower, Briefe II) – Der Text ging auch an den amerikanischen Schriftsteller James T. Farrell, der gegen das noch unveröffentlichte Manifest einen polemischen Artikel in der ›Herald Tribune‹ veröffentlichte. Wegen dieser Indiskretion zog T. M. das Manifest zurück. T. M. schreibt das Vorwort für Erika und Klaus Manns Buch über die deutsche Emigration ›Escape to Life‹ (New York: Houghton Mifflin & Co. 1939).

Mitte Dezember 1938

T. M. liest Erich von Kahler aus dem Siebenten Kapitel von

›Lotte in Weimar‹ vor: »Kahler war von den ersten 25 Seiten, die ich neulich vorlas, so weit beeindruckt, daß er sich zu dem Wort ›großartig‹ verstieg. Es liege am Gegenstand, sagte ich; aber wenn man sich darauf einlasse, gerate man unwillkürlich ins Großartige. Er lachte über das ›geraten‹, und doch ist es das rechte Wort. Ich schreibe sehr langsam an dem Kapitel und genieße die Intimität, um nicht zu sagen: die unio mystica, unbeschreiblich.« (An Ferdinand Lion, Briefe II).

4. Januar 1939

Besuch von Stefan Zweig, der vor kurzem aus England gekommen ist.

17. Januar 1939

Öffentliche Vorlesung in der Alexander Hall der Princeton University über Richard Wagner.

Bemühungen um amerikanische Subventionen für ›Maß und Wert‹: ». . . ich hänge an dem Unternehmen, dieser einzigen freien deutschen Zeitschrift größeren Stiles, die es heute noch gibt und deren Eingehen in jedem Sinn ein trauriges Ereignis wäre.« (An Emil Oprecht, Briefe II).

13. Februar 1939

Öffentliche Vorlesung in der Princeton University über Sigmund Freud. »Für den englischen Vortrag habe ich im Wesentlichen die Rede benutzt, die ich vor 3 Jahren zu Freuds 80. Geburtstag gehalten habe.« (An Albert Einstein, Briefe II).

28. Februar 1939

Vortragsabend des Rezitators Ludwig Hardt im Mannschen Hause vor geladenen Gästen.

Anfang März 1939

Lektüre von Heinrich Manns Roman ›Die Vollendung des Königs Henri Quatre‹. »Ich lese Tag und Nacht darin, tags in jeder freien halben Stunde und abends in der Stille, bevor ich das Licht lösche, was unter diesen Umständen spät geschieht. Das Gefühl festlich erregender Außerordentlichkeit verläßt einen nie bei dieser Lektüre, das Gefühl, es mit dem Besten, Stolzesten, Geistigsten zu thun zu haben, das die Epoche zu bieten hat.« (An Heinrich Mann, Briefe II).

6. März 1939

Vermählung Michael Manns mit Gret Moser, einer Schulfreundin aus der Schweizer Zeit.

7. März–Mitte April 1939

Lecture-Tour mit Frau Katja Mann und Erika Mann mit dem

Vortrag ›The Problem of Freedom‹ (In ›Bulletin of the Association of American Colleges‹, Washington, D. C., 1939).
(Vorabdruck: ›Lotte in Weimar‹, 6. Kapitel, Lottes Gespräch mit August von Goethe, in ›Maß und Wert‹, März/April 1939).
8. März
Boston, Ford Hall Forum.
9. März
New York, McMillan Theater.
11. März
Detroit, Masonic Auditorium.
13. März
Cincinnati.
15. März
Chicago.
18. März
St. Louis.
22. März
Fort Worth, Texas.
25. März
Lincoln, Nebraska, Central High School.
29. März
Seattle, Washington, Meany Hall. Längerer Aufenthalt in Beverly Hills, California, ›Beverly Hills Hotel and Bungalows‹. »Von diesem Landstrich sind wir wieder entzückt. Eine leichte Albernheit wird überwogen durch hundertfältigen Charme der Natur und des Lebens. Ob wir nicht doch einmal hier Hütten bauen?« (An Agnes E. Meyer, Briefe II).
3. April
Ansprache auf einem Meeting des ›American Committee for Christian German Refugees‹ in Beverly Hills: »Es ist kein Zweifel, daß das Caritative, das tätige Mitgefühl, heute einen kämpferischen Sinn bekommen hat. Denn es ist ein wesentlicher Bestandteil des Christentums, dieser aus der Begegnung von Judentum und Griechentum geborenen neuen sittlichen und geistigen Macht, die vor zweitausend Jahren hervortrat und der Welt ihr Gesetz gab.« (›An die gesittete Welt‹, TMA, Zürich, geschrieben in Princeton am 24. 11. 1938, nicht veröffentlicht).
10. April
Wiederholung der Ansprache auf einem ähnlichen Meeting in Chicago.

12. April
Besuch bei Mr. und Mrs. Eugene Meyer in Washington.
15. April
Tribute-Dinner für T. M. im ›Hotel Astor‹, New York, vom ›American Committee for Christian German Refugees‹.
16. April
Vortrag in Baltimore: ›The Problem of Freedom‹.
26. April 1939
Wiederaufnahme der akademischen Tätigkeit: ›Conference‹ über Goethes ›Faust‹ im Rahmen des Kursus ›Modern Languages 310‹.
28. April 1939
Vortrag ›The Problem of Freedom‹ in Rutgers University New Brunswick, N. J.; Verleihung der Ehrendoktorwürde.
8. Mai 1939
Ansprache auf dem Weltkongreß der Schriftsteller in New York: »Ich erkläre immer wieder: Bevor die Dinge in Deutschland sich wieder zum Besseren wenden, werden die Deutschen so viel durchmachen müssen, daß sie nur das Wort Freiheit zu vernehmen brauchen, um in Tränen auszubrechen!« (›Ansprache auf dem Weltkongreß der Schriftsteller‹, Auszug in ›Literaturnaja gazeta‹, Moskau, 10. Juni 1939).
10. Mai 1939
›Conference‹ über den ›Zauberberg‹ mit der für diesen Zweck geschriebenen ›Einführung in den ‚Zauberberg' für Studenten der Universität Princeton‹ (In: ›Der Zauberberg‹. Stockholm: Bermann Fischer Verlag 1939, 142. Auflage).
17. Mai 1939
Ansprache auf dem Dinner der ›American Bookdealers Association‹: ›Mediators between the Spirit and Life‹ (unveröff.).
18. Mai 1939
Verleihung der Ehrendoktorwürde der Princeton University; wegen der geplanten Europa-Reise außerhalb des üblichen Termins, des ›Commencement Day‹ am Ende des Semesters. Dankesworte T. M.s in seiner auf englisch gehaltenen Rede: »Dies ist ein schöner Augenblick, denn es ist ein Augenblick des Dankes, und ich kenne kein schöneres Gefühl, als das der Dankbarkeit. Erfreulicherweise ist Dankbarkeit eine Eigenschaft und Gabe, die man sich zuschreiben und deren man sich rühmen darf, ohne hoffärtig zu erscheinen, und so hindert mich nichts, wiederum nur eben mit Dankbarkeit auszusprechen, daß die gütige Natur mich

wenigstens mit dieser Gabe freigebig ausgestattet hat, und daß vielleicht sie am meisten mit geholfen hat, meines Lebens froh zu werden.« (›Ansprache in Princeton‹. In: Herbert Lehnert, ›Thomas Mann in Princeton‹. ›The German Review‹, New York, Januar 1964).

19. Mai 1939

Albert Einstein und T. M. sprechen in der Chapel der Princeton University »für die Theologen«.

3. Juni 1939

Teilnahme am Kongreß der ›League of American Writers‹. In seiner Rede ›Writers in Exile‹ gedenkt T. M. des Freitodes des emigrierten deutschen Dichters Ernst Toller (In ›Twice a Year‹, New York, 1939). Ernennung zum Ehrenpräsidenten des Verbandes.

4. Juni 1939

Verleihung der Ehrendoktorwürde des Hobart College, Geneva, New York. Angebot des Präsidenten Harold W. Dodds, für die zweite Hälfte des akademischen Jahres 1939/40 wieder eine Gastprofessur in Princeton zu übernehmen: »Ich denke, daß ich wohl annehmen werde ... Vorläufig winken europäische Ferien – hoffentlich mit ausgiebiger Arbeit; zuerst die Schweiz, dann ein schwedisches Seebad ...« (An Agnes E. Meyer, Briefe II).

6. Juni–Mitte September 1939

Erste Europa-Reise zusammen mit Frau Katja und Erika Mann.

6. Juni

Einschiffung auf der ›Ile de France‹. Liest auf der Überfahrt Heines ›Die romantische Schule‹ in der Ausgabe von 1936, ein Geschenk von Molly Shenstone (Briefe II, S. 97f).

13. Juni

Eintreffen in Le Havre.

14. Juni

Heinrich Mann kommt aus Nizza nach Paris. »So sei es noch einmal ausgesprochen, wie bewundernswert nett es sich fügte in Paris und welche Freude uns allen Dreien dies prompte Zusammentreffen gemacht hat.« (An Heinrich Mann, Briefe II).

16. Juni–Anfang August

Sommeraufenthalt in Noordwijk aan Zee, ›Grand Hotel‹ und Kurhaus ›Huis ter Duin‹. »Mit der Wahl dieses Ortes haben wir doch wohl das Richtige getroffen. Das Hotel ist vortrefflich, der Strand prächtig, und die Luft hat etwa den Effekt des Engadin. So erhoffen wir uns Stärkung nach einem Winter, in dem wenigstens ich mir etwas zuviel abzuverlangen hatte.« (An Heinrich Mann, Briefe II).

Einleitung zu einer amerikanischen Ausgabe von Tolstois Roman ›Anna Karenina‹ für Random House, New York (In ›Maß und Wert‹, Zürich, Mai/Juni/Juli 1940), und Vorwort für eine Neuauflage von ›Royal Highness‹ für Alfred A. Knopf.

Juli

Golo Mann übernimmt die Redaktion des dritten (und letzten) Jahrgangs von ›Maß und Wert‹: »In seinen Ernst, seinen Eifer, die noch nicht seine Fähigkeit beweisen, setze ich viel Vertrauen, und er hat hilfsbereite Freunde und Ratgeber.« (An Ferdinand Lion, Briefe II).

Erika Mann fährt in die Schweiz. Klaus Manns Roman über die Emigranten ›Der Vulkan‹ ist erschienen; der Vater an seinen Sohn: »Es wird sich nach und nach mancher an der großen und schmerzlichen Aufgabe [eines Emigrationsromans] versuchen, aber die leichte fromme verderbte Kikjou-Weis', die singt Dir keiner nach, sie ist einmal Dein Reservat, und wer Sinn hat für diese Art, dem Leben Schmerzlichkeit und Phantastik und Grazie und Tiefe zu geben (für mein Teil erkläre ich, daß ich Sinn dafür habe), der wird sich eben an Dein Gemälde und Panorama halten, ein Bild deutscher Entwurzelung und Wanderung, gesehen und gemalt à la Cocteau.« (An Klaus Mann, Briefe II).

Besuche von den Verlegern Gottfried Bermann Fischer (am 8. und 9. Juli), Emil Oprecht, Emanuel Querido und dem holländischen Maler Paul Citroen (21. Juli), der Skizzen von T. M. macht.

Weiterarbeit an ›Lotte in Weimar‹: »Hier hatte ich eine Einleitung zu ›Anna Karenina‹ für Amerika zu machen, die mir ganz wohlgelungen ist. Jetzt schreibe ich jeden Vormittag in meiner Strandhütte an ›Lotte in Weimar‹ und habe die phantastische Hoffnung gefaßt, das Buch, an dem in Stockholm schon gedruckt wird, im Herbst noch herauszubringen.« (An René Schickele, 29. Juli 1939, Briefe II).

Um den 7. August

Abreise nach Zürich, ›Waldhaus Dolder‹. »Ich habe auf dieser ganzen Reise nicht aufgehört, zu arbeiten und gegen das Ende des Romanes hinzudrängen. Ich bin schon tief im 8. Kapitel, das wieder ganz lustspielmäßig-gesellschaftlich ist; und das neunte soll nur noch ein Ausklang sein ...« (An Louise Servicen, 13. August 1939, Briefe II).

Endgültige Auflösung des Küsnachter Haushaltes.

18. August
Flug nach London; Besuch bei der Tochter Monika und ihrem Mann, Jenö Lányi.
21. August
Flug nach Stockholm als deutscher Delegierter zum vorgesehenen PEN-Kongreß mit dem Auftrag, dort das Referat ›Das Problem der Freiheit‹ zu halten. Der Kongreß findet nicht mehr statt. ›Das Problem der Freiheit‹ erscheint in der Schriftenreihe ›Ausblicke‹ (Stockholm: Bermann Fischer Verlag 1939).
Besprechung mit Gottfried Bermann Fischer über die Herausgabe der ›Stockholmer Gesamtausgabe‹, deren erste Veröffentlichung die 142.–143. Auflage des ›Zauberberg‹ in zwei Bänden wird.
Besuch bei dem schwedischen Verleger Karl Otto Bonnier, bei dem auch der Präsident des schwedischen PEN-Clubs, Prinz Wilhelm von Schweden, und Gottfried Bermann Fischer anwesend sind. Rückflug von Malmö über Amsterdam nach London.
1. September 1939
Deutsche Truppen marschieren in Polen ein, Beginn des Zweiten Weltkriegs.
9. September 1939
Von Southampton Rückfahrt auf der ›Washington‹, United States Lines, »in einem Gedränge von 2000 Personen, die die Nächte auf improvisierten Pritschen in den zu Concentration camps umgewandelten Gesellschaftsräumen verbrachten«. (An Heinrich Mann, Briefe II).
September 1939
Entschluß, die Zeitschrift ›Maß und Wert‹ im Kriege weiterzuführen. »Es war nur ein Zögern und kurzes Besinnen. Unser Beschluß ist gefaßt: diese Zeitschrift soll fortbestehen ... Das Ziel dieses Krieges kann nur eines sein: Europa einen Frieden zu erringen, der seinen Namen verdient; ... einen Frieden, der nicht atavistischen Geschichtsgrößen zur Schutzwehr bei ihren Ruhmestaten dient, sondern die festgegründete Gemeinschaft freier, aber einander verantwortlicher Völker unter einem alle bindenden Sittengesetze ist.« (›Vorwort zum dritten Jahrgang‹, in ›Maß und Wert‹, Zürich, November/Dezember 1939).
Mitte Oktober 1939
Vortrag ›The Problem of Freedom‹. »Ich habe neulich auch zum erstenmal wieder öffentlich gesprochen, aber nur vor dem nicht großen Publikum der Town Hall Education-Organisation. Es war

der Problem of Freedom-Vortrag, aber sehr verändert und aktualisiert. Man fand, ich hätte Fortschritte im Sprechen gemacht.« (An Agnes E. Meyer, Briefe II).

Oktober 1939

»Jetzt schreibe ich an den letzten *Seiten* von ›Lotte in Weimar‹. Der Tag ist nahe, wo ich wieder einmal das Wort ›Ende‹ schreiben werde. Und am nächsten Morgen werden, wie ich mich kenne, die ersten Zeilen von Joseph IV auf dem Papier stehen.« (An Agnes E. Meyer, Briefe II).

Ende Oktober 1939

›Lotte in Weimar‹ beendet. T. M. diktiert ein Gutachten für die ›Guggenheim Foundation‹, um Hermann Broch ein Stipendium für seine massenpsychologischen Studien an der Universität Princeton zu verschaffen.

2. November 1939

Vorlesung der ›Einführung in den Zauberberg‹ im Seminar von Prof. John H. H. Lyon an der Columbia University, New York.

3. November 1939

Vorbereitung einer ›lecture‹ für Prof. Harvey W. Hewett-Thayers Schüler an der Princeton University: ›Goethes Werther‹ (In ›Corona‹, Studies in Celebration of the Eightieth Birthday of Samuel Singer, Prof. Em., University of Berne, ed. by Arno Schirokauer and Wolfgang Paulsen. Durham, N. C.: Duke University Press 1941).

Miss Caroline Newton schenkt T. M. einen Pudel. »Seit ein paar Tagen haben wir einen reizenden schwarzen Pudel französischer Zucht, Geschenk der Biographin Caroline. Wir nennen ihn Nico. Er stört mich fürchterlich, aber ich liebte ihn auf den ersten Blick. Er liegt auf meinem Fuß unter dem Schreibtisch.« (An Agnes E. Meyer, Briefe II).

Frau Katjas Eltern, Prof. Pringsheim und Frau, sind in die Schweiz emigriert. »Katja ist beruhigt in dem Bewußtsein, daß ihre uralten Eltern nun wirklich noch in die Schweiz gelangt sind. Mit Hilfe namentlich des Hauses Wahnfried ist es schließlich gelungen, und für die Frist, die ihnen allenfalls noch gegeben ist, haben die alten ehemaligen Millionäre zu leben.« (An Heinrich Mann, 26. November 1939, Briefe II).

November 1939

Heinrich Mann heiratet seine langjährige Lebensgefährtin Nelly Kröger aus Niendorf an der Ostsee. »Das ist eine gute und schöne, beruhigende Handlung. Sie besiegelt ein wohlerprobtes Verhält-

nis, das der dringlichen Segenswünsche nicht mehr so sehr bedarf ...« (An Heinrich Mann, Briefe II).
Vermählung Prof. Giuseppe Antonio Borgeses (1882–1952), Ordinarius für italienische Literatur an der Universität Chicago, mit Elisabeth Mann. »Ja, auch wir haben Hochzeit gehabt, Medi hat ihren antifaschistischen Professor geheiratet, der mit seinen 57 Jahren nicht mehr daran gedacht hätte, soviel Jugend zu gewinnen. Aber das Kind wollte es und hat es durchgesetzt. Er ist ein geistreicher, liebenswürdiger und sehr wohlerhaltener Mann, das ist zuzugeben, und der erbittertste Hasser seines Duce ...« (An Heinrich Mann, Briefe II).

Anfang Dezember 1939

Verzicht auf die Ehrenpräsidentschaft der ›League of American Writers‹ wegen kommunistischer Tendenzen innerhalb des Verbandes. ›Lotte in Weimar‹ erscheint als zweites Werk der ›Stockholmer Gesamtausgabe‹ (Stockholm: Bermann Fischer 1939, 1. bis 10. Tsd.). Niederschrift des Essays ›Dieser Krieg‹ (Stockholm: Bermann Fischer 1940; in Holland gedruckt, beim Einmarsch der deutschen Truppen beschlagnahmt und bis auf wenige Exemplare vernichtet). »Ich habe etwas energisch Pro-Britisches geschrieben, was mir von Herzen und aus Überzeugung gekommen ist. Ich will es nächstens dort veröffentlichen.« (An Stefan Zweig, 4. Januar 1940, Briefe II).

5. Januar 1940

Beginn der Arbeit an den ›Vertauschten Köpfen‹: »Denken Sie, ich schreibe jetzt etwas Indisches, eine Maya-Groteske aus der Sphäre des Kults der Großen Mutter, zu deren Ehren sich die Leute die Köpfe abschneiden – ein Entzweiungs- und Identitätsspiel, nicht sehr ernst, es wird höchstens ein Kuriosum, und ich weiß noch gar nicht, ob ich's zu Ende mache.« (An Agnes E. Meyer, Briefe II).

Mitte–Ende Januar 1940

Vortragstournee nach Kanada mit ›The Problem of Freedom‹ und einer dem Essay ›This War‹ entnommenen Einlage, unter anderem nach Ottawa, zuletzt nach Toledo, Ohio: »Canada war recht interessant, auch die ungeheure Kälte war es: nach unserem Thermometer an 30° unter Null, – das war mir noch nicht vorgekommen ... Der neue Gesandte von USA war aufmerksam genug, in meine lecture zu kommen, und wir waren seine ersten Lunch-Gäste. Meine pro-britische Einlage wurde sehr dankbar aufgenommen.« (An Agnes E. Meyer, Briefe II).

1. Februar 1940
T. M. legt den Vorsitz im europäischen Senat der ›American Guild for German Cultural Freedom‹ nieder. Die ›Guild‹ war wegen fehlender finanzieller Mittel nicht mehr arbeitsfähig.

3. Februar 1940
»Die indische Novelle hat malgré tout gute Fortschritte gemacht. Gestern habe ich die ersten 25 Seiten vorgelesen.« (An Agnes E. Meyer, Briefe II).

4. Februar 1940
Besuch von Bruno Walter und Frau; Erika Mann von einer Vortragsreise zurück.

Februar 1940
Mehrwöchige Vortragsreise durch den mittleren Westen und in den Süden der Vereinigten Staaten mit ›The Problem of Freedom‹. »Was mir jetzt an Reiserei bevorsteht, wird recht anstrengend sein; ich habe einige Furcht davor. Am Ende der Tour liegt der Golf von Mexiko, und es wird vernünftig, vielleicht auch angenehm sein, dort einige Tage auszuruhen.« (An Agnes E. Meyer, Briefe II).

7. Februar
Dover, Del.; Gary Chapel.

9. Februar
Dubuque, Iowa; ›First Rector‹ (Ehrendoktor) der University Dubuque. ›Rectorial Address‹.

12. Februar
Chicago; Besuch bei den Borgeses.

13. Februar
Amos, Iowa; in der Iowa State College of Agricultural and Mechanic Arts.

15. Februar
Minneapolis, Minn.; Northrup Hall, University.

17. Februar
Topeka, Kansas.

19. Februar
Dallas, Texas.

21. Februar
Houston, Texas.

25.–27. Februar
Ruhetage in San Antonio, unterbrochen am 26. Februar durch einen Vortrag in Denton, Texas, Texas State College for Women. San Antonio, Texas: »...einige Tage Rast in St. Antonio, nahe

dem Golf von Mexiko, wo es schon sehr sommerlich war. Die Bevölkerung dort ist stark mexikanisch durchsetzt, ein oft sehr anziehender Typ und eine Erholung nach dem ewigen Yankeetum.« (An Heinrich Mann, Briefe II).

28. Februar

Rückkehr nach Princeton; Arbeit an den ›lectures‹, unter anderem an der ›Kunst des Romans‹ (In ›Altes und Neues‹, Frankfurt am Main: S. Fischer 1953): »Ich habe viel zu tun, muß lectures für die boys vorbereiten, über die art of the novel, wobei die Hauptbemühung darin bestehen muß, es nicht zu gut zu machen.« (An Heinrich Mann, Briefe II).

9. März 1940

Radioansprache für Abba Hillal Silver vom ›United Jewish Appeal‹ zum Dank für die Spende an das ›American Committee for Christian German Refugees‹ (unveröff., Ms. im Züricher T. M.-Archiv).

19. März 1940

Brief an Kuno Fiedler mit einer eingehenden Würdigung seiner theologischen Streitschrift; der Brief erscheint als Besprechung in ›Maß und Wert‹ (Zürich, Mai/Juni/Juli 1940).

März 1940

Öffentliche Vorlesung über ›Goethes Werther‹ in der Princeton University.

10. April 1940

Weitere Vorlesung über ›Die Kunst des Romans‹ in der Princeton University.

Ende April 1940

Besuch bei Eugene und Agnes E. Meyer in Washington; unter den Gästen die skandinavischen Gesandten, der britische Botschafter und der republikanische Senator Robert A. Taft.

2. und 3. Mai 1940

Eine Doppelvorlesung in Prof. Hans Jaegers Seminar über ›Deutsche Literatur des 19. und 20. Jahrhunderts‹: ›On myself‹. (Die erste Vorlesung ist im Manuskript betitelt: ›Von Kinderspielen bis zum Tod in Venedig‹; die zweite, ohne Titel, als Fortsetzung bis zum Jahre 1940. (Nicht veröffentlicht, Manuskript im TMA, Zürich). »... die Doppel-lecture ›on myself‹ ... ist gestern und vorgestern gehalten worden. Der Klassenraum gestern noch voller als den Tag vorher, obgleich home-party-Tag war und das Städtchen von girls wimmelte, was gähnende Leere der Auditorien mit sich zu bringen *pflegt*. Nicht also in unserem

Fall, sodaß man von einem Triumph über das schöne Geschlecht sprechen kann.« (An Agnes E. Meyer, Briefe II).

Nach Beendigung der akademischen Tätigkeit faßt T. M. den Entschluß, sich nur noch der Vollendung seiner künstlerischen Arbeiten zu widmen. »Ich glaube nicht, daß ich mich, auch wenn wir hier bleiben sollten, für diese Späße noch einmal werde gewinnen lassen. Für den IV. Joseph, der doch zu meinem 70. Geburtstag fertig sein soll, (womöglich ein paar Jahre früher) muß ich ganz frei sein.« (An Agnes E. Meyer, 22. März 1940, Briefe II).

Mai 1940

Einmarsch der deutschen Wehrmacht in Holland, Belgien und Frankreich; am 24. Mai wird die französische Nordgruppe nach Einnahme von Tournai eingeschlossen: »Wie mir zu Mute ist, wissen Sie. Dies alles ist ja nur eine Krönung und Erfüllung der Leiden von sieben Jahren, die voller Vorwissen waren und voller Verzweiflung über das Nicht Wissen und Nicht Wissen Wollen der anderen ... Was mag das Schicksal im Sinne haben, indem es dem Niedrigsten und Teuflischsten, das die Welt sah, einen ungeheuerlichen Triumph verleiht? Die Zeit wird es lehren.« (An Agnes E. Meyer, 25. Mai 1940, Briefe II).

Golo Mann meldet sich freiwillig zum militärischen Hilfsdienst als Kraftfahrer des Roten Kreuzes in Frankreich. »Ich bin der Letzte, seinen Entschluß zu tadeln, den ich menschlich begreiflich und anständig finde. Aber die Vorstellung der Nutzlosigkeit seines Opfers würde seinen Verlust noch schmerzlicher machen.« (An Emil Oprecht, Briefe II).

Ungewißheit über das Schicksal Prof. Peter Pringsheims, der seit 1933 eine Professur in Brüssel inne hat.

6. Juni 1940

Zum 65. Geburtstag veranstaltet der Herausgeber Gerhart Seeger in der ›Neuen Volkszeitung‹, New York, ein ›Geburtstags-Symposion‹, mit Beiträgen von Professoren der Princeton University, der ›University in Exile‹, New York, und Freunden, darunter Bruno Walter.

8. Juni 1940

Radioansprache im Rahmen des ›Immigration and Naturalization Service of the United States Department of Justice‹: ›I am an American‹ (In: ›I am an American, by Famous Naturalized Americans‹, ed. by Robert Spiero Benjamin. New York: Alliance Book Corporation 1941).

12. Juni 1940
Im Freundeskreise Lesung des Kapitels aus den ›Vertauschten Köpfen‹, »das bei einem Asketen im indischen Walde spielt«. »Ich kann Ihnen erzählen, ... daß wir alle Tränen dabei gelacht haben – der Vorleser und Verfasser nicht ausgenommen.« (An Agnes E. Meyer, Briefe II).

Ende Juni 1940
Nach dem Waffenstillstand Frankreichs mit dem Dritten Reich Gründung des ›Emergency Rescue Committee‹ unter der Leitung des Präsidenten von Newark University, Dr. Frank Kingdon, und unter Mitwirkung von Thomas und Erika Mann, später auch von Hermann Kesten. Dieses Komitee arbeitet in engem Zusammenhang mit dem ›President's Advisory Committee on Political Refugees‹.

Um den 28. Juni 1940
Besuch bei Eugene und Agnes E. Meyer auf ihrem Landsitz in Mount Kisco, N. Y. »Wir hatten ein paar, objektiv betrachtet, recht angenehme, etwas zu gesellige, aber dadurch auch wieder zerstreuende Tage in Mount Kisco. Das Busch-Quartett war da, nebst Serkin, und ich machte die Bekanntschaft eines sehr großartigen, mehr symphonischen als kammermusikalischen Quintetts von Brahms – ein denkwürdiger Eindruck.« (An Erich von Kahler, Briefe II).

5. Juli–6. Oktober 1940
Sommeraufenthalt in Brentwood bei Los Angeles, 441 North Rockingham. Auf der Hinreise ein Tag Unterbrechung in Chicago bei den Borgeses.
»Hier haben wir ein fast prächtiges, geräumiges Haus in einer Hügel-Landschaft bezogen, die der toscanischen auffallend ähnlich ist. Ich habe, was ich wollte, das Licht, die trockene, immer sich erfrischende Wärme, die gegen Princeton wohltuende Weiträumigkeit, die Steineichen-, Eukalyptus-, Zedern- und Palmen-Vegetation, die Ozean-Promenade, die man mit dem Wagen in wenigen Minuten erreicht, gute Freunde sind auch da, zunächst Walters und Franks, dazu die beiden ältesten Kinder ...« (An Erich von Kahler, Briefe II).

Juli 1940
Weiterhin Ungewißheit über die Schicksale von Heinrich und Golo Mann sowie des Schwagers Prof. Peter Pringsheim nach der Besetzung Frankreichs durch deutsche Truppen.

26. Juli 1940
Besuch eines Bruno Walter-Konzerts in der ›Bowl‹, einer Freiluft-Konzert-Arena in Hollywood.
Arbeit am Schluß der ›Vertauschten Köpfe‹, behindert durch eine Erkrankung an einem Nebenhöhlenkatarrh: »Das Klima hier verdünnt das Blut, so bin ich belehrt, und macht anfangs sehr müde, was mir die unverhältnismäßige Mühe erklärt, die ich mit dem Schluß der ›Vertauschten Köpfe‹ habe. Es ist keine Haupt- und Staatsaktion, sondern ein Divertissement und Intermezzo.« (An Agnes E. Meyer, Briefe II).
28. Juli 1940
Großer Tee für das ›Emergency Rescue Committee‹ im Hause Mann; Ansprachen von Präsident Frank Kingdon und Thomas Mann: »Es ist große Arbeit, ein dringendes, bitter nötiges Werk der Solidarität und Menschlichkeit, die gehetzten und geängsteten Menschen zu retten, die in Frankreich, einst dem Lande des Lichtes und der Freiheit, Zuflucht vor der Barbarei suchten und die starren Blickes der Auslieferung an einen Feind von tierischer Grausamkeit entgegensehen.« (›Vor dem ‚American Rescue Committee'‹).
31. Juli 1940
Geburt des ersten Enkels: Fridolin Mann, Sohn Michael und Gret Manns, die in Carmel, Calif., wohnen.
Anfang August 1940
›Die vertauschten Köpfe‹ sind beendet. »Die indische Geschichte ist noch in Abschrift ...« (An Agnes E. Meyer, 8. August 1940, Briefe II).
Beginn der Arbeit am vierten Band des Joseph-Romans: »Ich schreibe am Joseph, wenn Sie das interessiert. Ein theologisches Kapitel macht den Anfang.« (An Agnes E. Meyer, 12. August 1940, Briefe II).
Um den 22. August 1940
Erika Mann fliegt über Portugal nach England »auf Wunsch und Betreiben des britischen Informations-Ministeriums«. (An Agnes E. Meyer, Briefe II).
Verstärkte Bemühungen um die Ausreise Heinrich und Golo Manns aus Frankreich und weiterer gefährdeter deutscher Emigranten. »Aber diese Monate waren so besetzt, so geschäftsreich – und zeitgemäß traurige Geschäfte waren es meistens, die sie ausfüllten. Da war die *noch* nicht zum Ziel gekommene Arbeit an der Befreiung Golos und meines Bruders aus Frankreich, die

fortwährenden Schritte und Mühen überhaupt für die Gefährdeten dort ... und lange glich unser Haus tatsächlich einem Emergency Rescue Office ...« (An Erich von Kahler, Briefe II).

September 1940

Das Erscheinen der Zeitschrift ›Maß und Wert‹ wird mit dem September-Heft eingestellt.

Heinrich Mann und Frau, Golo Mann und Franz Werfel und Frau überqueren mit Hilfe eines jungen Amerikaners die Pyrenäen auf Schleichpfaden und gelangen am 20. September nach Lissabon.

7. September 1940

Beginn der großen Tag- und Nachtangriffe der deutschen Luftwaffe auf London, wo Erika Mann u. a. für die Deutschlandsendungen der BBC arbeitet. Sie führt dort Vorbesprechungen mit der Rundfunkgesellschaft über die Sendungen ihres Vaters ›Deutsche Hörer!‹.

Um den 23. September 1940

Das britische Evakuierungsschiff, die ›City of Benares‹, die zur Hauptsache Frauen und Kinder nach Kanada bringen sollte, wird von einem deutschen U-Boot versenkt. Monika und ihr Mann Dr. Lányi befinden sich auf dem Schiff. Monika wird gerettet und nach Schottland gebracht, ihr Mann ertrinkt vor ihren Augen.

Ende September 1940

Erwerb eines Grundstücks für den Bau eines Hauses. »Wir kehren für den Winter nach Princeton zurück, haben aber hier ein Grundstück mit 7 Palmen und einer Menge lemon trees gekauft und werden wahrscheinlich bauen ...« (An Ida Herz, unveröffentlichter Brief).

3. Oktober 1940

Vortrag ›War and Democracy‹ vor Freunden der Colleges of Claremont, California, in Los Angeles (Los Angeles: Adcraft Press 1940). »Gestern hielt ich in Los Angeles bei einem Dinner von 400 Personen eine Rede, die nicht pro-britischer hätte sein können, und deren offene Kritik an dem Verhalten Amerikas seit dem September 39 nicht nur geschluckt, sondern mehrfach mit langem Beifall aufgenommen wurde. Das ist nur ein Symptom. Ich glaube, ob Willkie oder Roosevelt, im Frühjahr werden wir dies Land im Krieg haben.« (An Ida Herz, 4. Oktober 1940, unveröffentlichter Brief).

5. Oktober 1940

Abreise von Brentwood; einen Tag Aufenthalt in Chicago bei den Borgeses.

Oktober 1940

Beginn der monatlichen Radiosendungen nach Deutschland über die British Broadcasting Corporation. »Deutsche Hörer! Ein deutscher Schriftsteller spricht zu euch, dessen Werk und Person von euren Machthabern verfemt sind und dessen Bücher, selbst wenn sie vom Deutschesten handeln, von Goethe zum Beispiel, nur noch zu fremden, freien Völkern in ihrer Sprache reden können, während sie euch stumm und unbekannt bleiben müssen ... Im Kriege jetzt gibt es für das geschriebene Wort keine Möglichkeit mehr, den Wall zu durchdringen, den die Tyrannei um euch errichtet hat. Darum ergreife ich gern die Gelegenheit, die die englische Behörde mir bietet, euch von Zeit zu Zeit über das zu berichten, was ich hier sehe, in Amerika, dem großen und freien Land, in dem ich eine Heimstatt gefunden habe.« (›Deutsche Hörer!‹ 25 Radiosendungen nach Deutschland. Stockholm: Bermann Fischer 1942. ›Deutsche Hörer!‹ 55 Radiosendungen nach Deutschland. Zweite, erweiterte Ausgabe. Stockholm: Bermann Fischer 1945, 1.–4. Tsd.). T. M. lehnt ein Honorar für seine Radiosendungen ab und läßt die Beträge an das ›Princeton Committee of the British War Relief Society‹ überweisen.

Die indische Legende ›Die vertauschten Köpfe‹ erscheint als Einzelausgabe (Stockholm: Bermann Fischer 1940, 1.–4. Tsd.).

13. Oktober 1940

Ankunft der aus Frankreich geretteten Emigranten in New York auf dem griechischen Schiff ›Nea Hella‹; unter ihnen Alfred Döblin und Franz Werfel mit ihren Frauen, Fritz von Unruh, Leonhard Frank, Konrad Heiden: »Große Begrüßung am Hafen, zu der auch Zauberer und Mielein sich einfinden. Frank Kingdon, der sich um die Rettungsaktion besonders verdient gemacht hat, darf natürlich nicht fehlen. Ich komme mit Hermann Kesten, der schon seit einiger Zeit in New York ist. Festliche Stimmung, vielfaches Händeschütteln mit Alfred Polgar, Hermann Budzislawski usw. ... Heinrich berichtet beim Lunch im ›Bedford‹ ... von seiner nächtlichen Flucht über die französisch-spanische Grenze. Der steile Bergpfad, den es zu erklimmen galt, war, wie der Erzähler mit sanfter Mißbilligung konstatiert, ›eigentlich für Ziegen gedacht, nicht für einen Schriftsteller reiferen Alters. Und überhaupt, wie kommt man dazu? Man ist schließlich kein Verbrecher!‹« (Klaus Mann, ›Der Wendepunkt‹).

Festveranstaltung des ›Emergency Rescue Committee‹ in New York zur Begrüßung der geretteten Schriftsteller. T. M.s An-

sprache: »Meine Damen und Herren, lassen Sie mich dem Gefühl Ausdruck geben, daß unsere heutige Zusammenkunft eine Siegesfeier ist – die Feier eines jener Siege, von denen Winston Churchill in seiner nüchternen Aufrichtigkeit sagt, daß nicht Kriege damit gewonnen werden, denen aber ein ruhmvolles Gedächtnis gleichwohl sicher ist. Wir feiern einen Rückzug, der so schwierig und erfolgreich war, daß er den Namen eines Sieges verdient, ein civiles Dunkerque ...« (›Ansprache auf der Festveranstaltung des ‚Emergency Rescue Committees'‹, unveröffentlicht, TMA, Zürich).
Erika Mann mit britischem Paß aus England mit dem Flugzeug über Portugal zurückgekehrt. Monika mit ungarischem Paß muß ein Schiff benutzen. »Moni muß abermals ein Schiff besteigen ... und wird natürlich jeden Augenblick der schon gewohnten Explosion gewärtig sein. Es sind Zumutungen.« (An Ida Herz, unveröffentlichter Brief). Teilnahme am Armistic Day an dem Treffen der American Legion in East Orange, N. J.
Anfang November 1940
Ansprache an der Columbia University, New York.
5. November 1940
Franklin D. Roosevelt wird zum drittenmal zum Präsidenten der Vereinigten Staaten gewählt.
15.–27. November 1940
Besuch in Chicago bei den Borgeses, Unterkunft in ›Hotel Windermere‹. Lesungen an der Northwestern University und der University of Chicago; Besuch des Chaplin-Films ›The great Dictator‹, der Aufführung der Oper ›Salome‹ am Thanksgiving Day, der Aufführung der Komödie ›Life with Father‹ von Howard Lindsay und Russel Crouse.
T. M. und Frau Katja warten auf die Geburt des zweiten Enkelkindes, die sich verzögert: »Ein Glück nur, daß ich hier in unserer behaglichen Hotel-Wohnung regelmäßig und wie zu Hause gearbeitet habe. Eine neue Message nach Deutschland für den Londoner Sender ist abgegangen, und ein neues Joseph-Kapitel ist abgeschlossen, ein neuestes angefangen. Ich bin bei den beiden humoristisch-mythologischen Figuren des ›Bäckers‹ und des ›Mundschenks‹ (Brot und Wein).« (An Agnes E. Meyer, 26. November 1940, Briefe II).
30. November 1940
Geburt der Enkelin Angelica Borgese.

Weihnachten 1940

»Wir hatten einen netten Heiligen Abend, mit 4 Kindern und deutschen und britischen Freunden. Es ist doch immer wieder reizend, den Baum brennen und die Geschenke ausgebreitet zu sehen. Nach Tische tönten schöne neue records, und schließlich las ich wie ein rechter Hausvater aus der Bibel vor – aus meiner eigenen, von den zwei Hofnarren, die ins Untersuchungsgefängnis kommen, und man hatte etwas zu lachen.« (An Agnes E. Meyer, Briefe II).

Ende Dezember 1940

Besuch in Chicago bei den Borgeses. »Wir sind hier für ein paar Tage zum Besuch unseres zweiten Enkelkindes, der vierwöchigen Angelica Borgese, die einen sehr vergnügten Eindruck macht – kein Wunder, da sie mit den Second papers [d. h. mit der amerikanischen Staatsangehörigkeit] zur Welt kam.« (An Hendrik van Loon, Briefe II).

28. Dezember 1940–3. Januar 1941

25jähriges Jubiläum des Verlages Alfred A. Knopf. – Auf dem Festessen hält T. M. eine Rede auf Blanche W. Knopf: »I think that our guest of honour is a wonderful example of that American type of woman, who combines all the charm of the fair sex with admirable energy and capacity in the realm of social and cultural activity. Far be it from me to minimize or to underestimate the share of my friend Alfred in building up the famous institute. After all he is the spirit, the spiritus rector of it. But Blanche is its soul. And where spirit and soul are working together, there is creation.« (›Remarks‹, in ›Read at a Luncheon given by F. Hurst, A. O. McCormack, and H. L. Mencken to B. W. Knopf‹, Dec. 18, 1940, Norwood, Mass.: Plimpton Press 1941).

Klaus Mann gründet in New York die Zeitschrift ›Decision‹; T. M. steuert zur 2. Nummer seinen Vortrag ›The War and the Future‹ bei (New York, Februar 1941).

Anfang Januar 1941

Besuch in Washington bei Eugene und Agnes E. Meyer. »Was für reizende Tage haben Sie uns wieder bereitet in Washington und wie dankbar hat Ihre Empfänglichkeit für meine Erzählerspäße mich gemacht.« (An Agnes E. Meyer, Briefe II).

12. Januar 1941

Vortrag in der Town Hall, Washington: ›The War and the Future‹.

14.–15. Januar 1941
Thomas Mann und Frau Katja sind für zwei Tage Gäste des Präsidenten Franklin D. Roosevelt im Weißen Haus: »... wo wir mit erstaunlicher Auszeichnung aufgenommen wurden. Ihr schwindelnder Gipfel war der Cocktail in seinem Arbeitszimmer ... ›Er‹ hat mir wieder starken Eindruck gemacht oder doch mein sympathisches Interesse neu erregt: Diese Mischung von Schlauheit, Sonnigkeit, Verwöhntheit, Gefallustigkeit und ehrlichem Glauben ist schwer zu charakterisieren, aber etwas wie Segen ist auf ihm, und ich bin ihm zugetan als dem, wie mir scheint, geborenen Gegenspieler gegen Das, was fallen muß.« (An Agnes E. Meyer, Briefe II).

15.–21. Januar 1941
Von Washington aus Vortragsreise nach Georgia und North Carolina. Vorträge in Atlanta, Ga., Emory, Ga. und Athens, Ga. (University of Georgia): ›The War and the Future‹. Vortrag über den ›Zauberberg‹ in Durham, N. C., Duke University. Rückkehr nach Princeton, sofortiger Aufbruch nach New York, ›The Bedford Hotel‹.

22. Januar 1941
Ansprache auf dem Federal Union Dinner: ›The Rebirth of Democracy‹ (In ›Vital Speeches‹, New York, März 1941). »The greatest thing that is going on today and of which the beginnings are shaping themselves, is the growing unification of the entire English-speaking world – a development on which all the hopes for a peace of freedom and common sense are pinned.«

23. Januar 1941
Besuch eines Bruno Walter-Konzerts mit der Aufführung von Gustav Mahlers ›Lied von der Erde‹: »... ein *wachsendes* Werk, wie mir scheint, während so manches andere aus jener Zeit im Verblassen und Niedergehen begriffen ist. Heute Mittag fahren wir nach Princeton zurück. Joseph wird gerade von einem atemlosen Boten zu Hof geholt.« (An Agnes E. Meyer, Briefe II).

30. Januar 1941
»Sorgen mit Joseph«: »Vielleicht wäre es klüger gewesen, einen märchenhaft unbestimmten Pharao zu nehmen statt des Echnaton, dessen Figur die Gefahr historisch-biographischer Beschwerung des Buches mit sich bringt. Das Politische und Religiöse ist nicht ganz ins Dialogische, Szenische, Indirekte aufzulösen; wieder werden untersuchende, berichtende, sozusagen belehrende Einschaltungen nötig, und so sehr man sich dabei vor Trockenheit zu hü-

ten sucht, es bleibt dichterisch immer eine fragwürdige, angreifbare Sache. Übrigens ist bei meinen Skrupeln vielleicht einfach Abgespanntheit und ein gewisser Überdruß an dem alten, übertragenen Stoff im Spiel.« (An Agnes E. Meyer, Briefe II).

14.–15. Februar 1941

Zwei Tage in New York.

Die ›Buddenbrooks‹ sind von der ›American Foundation for the Blind‹ auf Schallplatten aufgenommen worden. T. M. spricht ein Vorwort dazu (›Musik des Lebens‹, in ›Neue Literarische Welt‹, Darmstadt, 25. März 1952).

Besuch einer ›Fidelio‹-Aufführung in der Metropolitan Opera unter Bruno Walter. Es war dessen erstes Gastspiel an der ›Metropolitan‹, wobei er bereits beim ersten Erscheinen am Pult mit unvorstellbaren Ovationen begrüßt wurde.

28. Februar–1. März 1941

Besuch von Agnes E. Meyer in Princeton.

15. März 1941

Auflösung des Haushalts in Princeton, Umzug nach Kalifornien.

1941–1953

IN KALIFORNIEN

Mitte März–Mitte April 1941

Vortragsreise in den Westen: ›The War and the Future‹ in neuer Fassung.

Um den 20. März 1941

Besuch bei Borgeses in Chicago: »Chicago, mit Medi, Borgi und dem Baby war noch sehr friedlich-familiär. Erika gesellte sich hinzu. Der Anti-Papist [Borgese] las gewaltig aus seiner mexikanischen Opern-Dichtung vor (englisch), und ich gab das Traum-Deutungs-Kapitel zum Besten, worüber die Kinder Tränen lachten.« (An Erich von Kahler, Briefe II).

23. März 1941

Colorado Springs, Col., Broadmoore Hotel: Vortrag.

24. März 1941

Denver, Col., ebenfalls.

26. März 1941

Los Angeles: nach dem Vortrag Zusammentreffen mit Bruder Heinrich und Bruno Frank im Hotel: »Es wurde spät, um 5 Uhr am nächsten Morgen hatten wir uns zu erheben, um das Flugzeug nach St. Francisco zu erreichen. Der zweistündige Flug mit vorzüglichem Frühstück über den Wolken und das großartige Gebirge hin war ein Haupt-Erlebnis. Ein anderes die Abholung vom Flugplatz unter Polizei-Bedeckung mit Sirenengeheul durch alle Lichter. War mir auch noch nicht passiert.« (An Erich von Kahler, Briefe II).

27. März 1941

In Berkeley Verleihung der Ehrendoktorwürde der University of California und Aufnahme in den ›Phi Beta Kappa-Orden‹; nach dem anschließenden Bankett Vortrag ›Denken und Leben‹. »Die Ceremonie auf dem Campus, wahrscheinlich dem landschaftlich reizvollsten der Welt, war ausnahmsweise vom Wetter begünstigt; die Sonne schien, und so bot das große Amphitheater, von der stage gesehen, wo wir mit Katjas Bruder wieder zusammentrafen, ein reizendes, farbenreiches Bild. Da wurde ich nun also Dr. of law, auch etwas Neues, aber ich merke es weiter nicht. Auch die freimaurerische Aufnahme in das Chapter von Phi Beta Kappa (Philosophia bioy Kybernetes) war höchst dignified; danach kam ein großes Bankett, und dann, als es schon guten Sinn gehabt hätte, zu Bette zu gehen, ging es erst an meine Vorlesung, in zwei überfüllten Sälen, einem, wo ich sprach, und einem, wo man mich bloß hörte. Ich hatte den Text passend abgeändert und sprach über die Verantwortlichkeit des Denkers für das Leben, woran es in Deutschland gefehlt habe, auch über Nietzsche, der, wenn er lebte, heute in Amerika wäre und von amerikanischer Toleranz trotz seiner romantischen Sünden in den Phi Beta Kappa-Orden aufgenommen würde. Das erregte Heiterkeit.« (An Erich von Kahler, Briefe II).

Einige Tage Aufenthalt in Berkeley, Hotel Durant, Vortrag in Stanford University, Aufenthalt in Pebble Beach, Calif., ›Del Monte Lodge‹.

8. April 1941

Niederlassung in Pacific Palisades, Calif., 740 Amalfi Drive. »Ich möchte Ihnen einen Gruß senden aus unserem neuen vorläufigen Heim in Californien, einem netten, ländlich gelegenen und praktischen kleinen Haus, in dem wir zunächst einmal zu bleiben gedenken.« (An Joseph Angell, Briefe II).

Ende April 1941

Fortschritte am Joseph-Roman trotz anderen Verpflichtungen, z. B. einem Aufsatz für die ›Virginia Quarterly Review‹ (›Denken und Leben‹, Charlottesville, Va., 1941; »ein deutsch zu schreibender deutsch zu druckender Artikel«), einer Geburtstagsrede für Bruder Heinrich und einer Radiosendung nach Deutschland. »... die große Szene zwischen Pharao und Joseph, die zu des letzteren investigation führt, macht trotz allem unaufhaltsame Fortschritte, und sie ist recht eigentlich die scène à faire. Das Hermes-Motiv, Mond-, Schelmen- und Mittler-Motiv, tritt nun in aller Ausführlichkeit und Voll-Instrumentation hervor.« (An Agnes E. Meyer, Briefe II).

2. Mai 1941

Feier des 70. Geburtstages von Heinrich Mann im Hause von Frau Salka Viertel in Santa Monica mit einer Ansprache seines Bruders, worin er dem »Unfug des totalen Staates« den »totalen Menschen« gegenüberstellt (›Rede zum 70. Geburtstag von Heinrich Mann‹, für die Zeitschrift ›Decision‹ bestimmt, aber nicht veröffentlicht. Zürich).

Mai 1941

Federal Union Dinner in Los Angeles, ›Beverly Hills Hotel‹, mit einer Ansprache T. M.s (für die Zeitschrift ›Decision‹ bestimmt, aber nicht veröffentlicht).

25. Mai 1941

»Erika ist bei uns und ist ein rechtes Labsal, belebend, unterhaltend, hilfreich, ein liebes, starkes Kind. Nur sehr besorgt ist sie, wie wir, um Klaus, der bedrohliche, ihn erschöpfende Schwierigkeiten mit seiner Zeitschrift hat.« (An Erich von Kahler, Briefe II).

T. M. besucht Pomona College, Claremont, um Golo Manns Bewerbung um eine Dozentur zu unterstützen.

Anfang Juni 1941

Meeting des ›Emergency Rescue Committee‹ in San Francisco. Ansprachen von Frank Kingdon und T. M. (In ›Altes und Neues‹, Frankfurt am Main: S. Fischer 1953): »Meine Rede ist schon fertig und erzählt recht drastisch, was wir Emigranten acht Jahre lang von der Welt an Dummheit, Schlechtigkeit und Nicht-wissen-wollen auszustehen gehabt haben.« (An Erich von Kahler, 25. Mai 1941, Briefe II).

Juni 1941
Unterhaltung mit Prof. John T. Frederick im Rundfunk im Rahmen der Sendung ›Of Men and Books‹ über ›The Transposed Heads‹ (›Die vertauschten Köpfe‹).

17. Juni 1941
Erika Mann fliegt erneut auf Wunsch des britischen Informations-Ministeriums nach England. T. M. schreibt einen Aufsatz für ›Decision‹ (›Germany's Guilt and Mission‹, New York, Juli 1941) und mehrere Vorworte zu amerikanischen Veröffentlichungen (›Preface‹, in Martin Niemöller ›God is my Führer‹, New York 1941; ›Homage‹, in Franz Kafka ›The Castle‹, New York: Alfred A. Knopf 1941; ›Preface‹, in Martin Gumpert ›First Papers‹, New York: Duell, Sloan and Pearce 1941).

Juli 1941
Prof. Alfred Pringsheim stirbt neunzigjährig in Zürich.
Die Arbeiten auf dem Bauplatz für das eigene Haus beginnen: »Auf dem Bauplatz sind etliche Citronenbäumchen gefällt, und in Form von Lattenwerk zeichnet sich am Boden der Grundriß des Häuschens ab. So sah ich bei meinem gestrigen Besuch den Raum meines zukünftigen Studios, wo meine Bücher und mein Münchener Schreibtisch stehen werden, und wo ich voraussichtlich den ›Joseph‹ zu Ende schreiben werde. Sonderbar! Die Kapitel-Serie des großen Gesprächs zwischen J. und Pharao, das zu J.'s Erhöhung führt, hat sich jetzt geklärt und geht dem Abschluß entgegen.« (An Agnes E. Meyer, 16. Juli 1941, Briefe II).

25. Juli 1941
Besuch einer Privat-Aufführung des Dieterle-Films ›Daniel Webster and the Devil‹; Max Reinhardt und der Brahmane Krishnamurti unter den Gästen.

26. Juli 1941
Vorbereitung des ›Vierten Hauptstücks‹ des Joseph-Romans: »Ich bereite augenblicklich vieles Kommende vor, eigentlich die ganze zweite Hälfte des Buches ... Es kann nicht fehlen, daß es zu hochdramatischen, rührenden und ergreifenden Szenen kommen wird, die dabei erheiternd sein werden. Es soll der Sieg verschlagener Güte sein über eine Zeit stupider Menschenschinderei, die mit alberner Selbstgefälligkeit ihre geschichtliche Größe im Spiegel bewundert.« (An Agnes E. Meyer, Briefe II).

Oktober 1941
Bemühungen um deutsche Autoren, mit denen amerikanische Filmgesellschaften Drehbuch-Verträge geschlossen haben, um ih-

nen die Einreise in die USA zu erleichtern. Die Verträge laufen demnächst aus, und Schriftsteller wie Alfred Döblin, Alfred Neumann, Alfred Polgar, Wilhelm Speyer, Walter Mehring, auch Heinrich Mann, sind dann ohne Existenzmittel. »Es dauert einfach zu lange. Was soll aus den deutschen Schriftstellern hier in meiner Nähe werden, wenn ihre Not-Verträge mit den Film-Gesellschaften ablaufen ...?« (An Oskar Maria Graf, Briefe II).

3. Oktober 1941

»... eben habe ich das wunderliche Kapitel von Josephs Hochzeit mit Asnath, der Tochter des Sonnenpriesters, abgeschlossen ...« (An Agnes E. Meyer, Briefe II).

Oktober 1941

Besuch der Familie Michael Mann mit dem Enkel Fridolin in Pacific Palisades: »... das Haus ist etwas overcrowded. Aber ich bin ganz vernarrt in den bildhübschen, immer freundlichen, von Gesundheit strahlenden kleinen Jungen. Gewiß wird er eine gute Erdenfahrt haben.« (An Agnes E. Meyer, Briefe II).

14. Oktober–Ende November 1941

Große Vortragsreise in den Süden, Osten und mittleren Westen der Vereinigten Staaten: ›The War und the Future‹.

16. Oktober

Austin, Texas.

18. Oktober

New Orleans, Louisiana, Hotel ›The Roosevelt‹.

20.–23. Oktober

Birmingham, Alabama, Hotel ›Tutweiler‹.

24. Oktober

Point Clair, Alabama, ›Grand-Hotel‹.

25.–27. Oktober

Mobile, Alabama, ›Admiral Semmes Hotel‹: »Es geht unruhig zu, und die Aufenthalte wechseln fast täglich, sodaß die rechte Gemütsruhe zum Briefschreiben nicht aufkommen kann, auch wenn die eigentliche ›Arbeit‹, das Englisch reden über The War and the Future schon ganz mechanisch geworden ist.« (An R. J. Humm, Briefe II).

28. Oktober

Greenville, South Carolina, ›The Poinsett Hotel‹.

29. Oktober

Greensboro, North Carolina, Hotel ›King Cotton‹.

31. Oktober–1. November

Washington, Hotel ›Mayflower‹; Besuch bei Mr. und Mrs. Eugene

Meyer. Agnes E. Meyer vermittelt die Ernennung Thomas Manns zum ›Consultant in Germanic Literature‹ der ›Library of Congress‹. T. M. dankt ihr: »Ihre ›*vornehme*‹ Erfindungsgabe hat mir ehrliche Bewunderung eingeflößt. Keine schönere Lösung war denkbar, und ich bin Künstler genug, mich an der Form, die Sie ihr zu geben wußten, fast mehr zu freuen als an ihrem ›Gehalt‹.« (An Agnes E. Meyer, Briefe II).

3. November

Chicago, ›Hotel Windermere‹: »Ich habe ein ›Symposium‹ hier heute Abend mit Norman Angell [Verfasser des Buches ›The Great Illusion‹] und Borgese.« (An Agnes E. Meyer, Briefe II).

6. November

Indianapolis, Indiana, Convocation Day an der Indiana University; Vortrag: ›The War and the Future‹.

7. November–ungefähr 16. November

New York ›The Bedford Hotel‹; längerer Aufenthalt, unterbrochen durch eine zweitägige Fahrt (11.–12. November) zum Amherst College, Mas.

17. November

Philadelphia. »Ein Tag in Princeton [Besuch bei Erich von Kahler] wird folgen, dann geht es direkt, über Chicago, nach San Francisco, weil die letzte Vorlesung in Stockton University stattfindet.« (An Agnes E. Meyer, unveröffentlichter Brief).

20. November

New York; von dort Rückreise in den Westen.

22. November

San Francisco; Besuch bei Michael Mann.

Stockton, Calif.: letzte Station der Vortragsreise.

Um den 27. November

Rückkehr nach Pacific Palisades.

1. Dezember 1941

Der Librarian of Congress Archibald McLeish teilt T. M. die Ernennung zum ›Consultant in Germanic Literature‹ der ›Library of Congress‹, Washington, mit; dieses Ehrenamt ist mit einem jährlichen Gehalt von $ 4800 dotiert, das T. M. von 1941–1944 bezieht.

6. Dezember 1941

Komitee-Sitzung des ›German-American Congress for Democracy‹.

7. Dezember 1941

Japanischer See- und Luftangriff auf Pearl Harbor.

8. Dezember 1941

Kriegserklärung der Vereinigten Staaten an Japan.

11. Dezember 1941

Kriegserklärung Deutschlands und Italiens an die Vereinigten Staaten.

»Der Schlag von Pearl Harbor ist mir schrecklich nahe gegangen. Sei es um die Schiffe! Aber so viele kostbare junge Menschenleben! Wie war nur so wenig Wachsamkeit in diesem Augenblick möglich?« (An Agnes E. Meyer, Briefe II).

Der staatsbürgerliche Status der emigrierten Deutschen, die noch keine amerikanische Staatsangehörigkeit besitzen, wird der von ›enemy aliens‹.

Dezember 1941

Arbeit am Thamar-Kapitel: »Es ist jetzt die Geschichte der Thamar dran, eine große Novellen-Einlage. Erinnern Sie sich? Ein merkwürdiges Frauenzimmer, das kein Mittel scheut, sich in die Heilsgeschichte einzuschalten.« (An Erich von Kahler, 31. Dezember 1941, Briefe II).

Weihnachten 1941

»Über das Fest war unser Häuschen gerappelt voll. Außer Golo waren noch Erika, belebend wie immer, und mein Schwager [Prof. Peter Pringsheim] aus Berkeley da. Dazu unser Enkelsöhnchen, das wir zur Entlastung der Mutter für einige Wochen aus San Francisco mitgebracht haben ...« (An Erich von Kahler, Briefe II).

1. Januar 1942

Amtsantritt als ›Consultant in Germanic Literature‹ der ›Library of Congress‹. »Eigentlich sollte ich in Washington wohnen, denn seit dem 1. Januar gehöre ich zum Stab der Library of Congress ... und ich habe sogar den Beamteneid geleistet ...« (An Ida Herz, unveröffentlichter Brief).

Januar 1942

Erika Mann arbeitet im Amt des ›Coordinator of Information‹ in New York.

16.–20. Januar 1942

Vier Tage in San Francisco; Town Hall-lecture: ›How to Win the Peace‹ (In ›Atlantic Monthly‹, New York, Februar 1942): »The human adjustment between freedom and equality, the reconciliation of individual values and the demands of society, is called *democracy*. But this adjustment is never completely and finally attained; it remains a problem that humanity must solve again and again. And we feel today that in the relationship of freedom and equality the centre of gravity has moved towards the side of equality and economic justice, away from the individual and toward the social. *Social democracy* is now the order of the day. If democracy is to hold its own, it must be done through a socially established freedom that rescues individual values by friendly and willing concession to equality.«

»Die lecture selbst war eine Matinée, im Theater, überausverkauft, das ganze Podium besetzt, sodaß ich bei der Introduction nicht anwesend sein konnte, es war einfach kein Platz für mich. Es war eine Town Hall-Veranstaltung; wie üblich hatte ich 80 Minuten zu sprechen, was keine Kleinigkeit ist, und danach gab es die Questions, die ich für ein wirkliches Laster Ihrer großen Nation halte. Ein Lunch im Hotel schloß sich an, und beim Kaffee nahmen die Questions ihren freudigen Fortgang.« (An Agnes E. Meyer, Briefe II).

Ende Januar 1942

Klaus Mann meldet sich freiwillig zum Militärdienst; die Zeitschrift ›Decision‹ ist mit der letzten Januar-Februar-Nummer eingegangen. Er beginnt die Niederschrift seiner Lebenserinnerungen in englischer Sprache: ›The Turning Point‹.

Fortsetzung der Arbeit am Joseph-Roman: »Die Thamar-Geschichte ist, glaube ich, recht wohl gelungen. Es ist eine gute Figur. Nun setzen in Kanaan und Ägypten zugleich die dürren Jahre ein. Aber in Ägypten ist Korn.« (An Agnes E. Meyer, Briefe II).

Anfang Februar 1942

Die Familie Mann bezieht ihr neues Haus: 1550 San Remo Drive.

T. M., Giuseppe Antonio Borgese, Albert Einstein, Bruno Frank, Graf Sforza, Arturo Toscanini und Bruno Walter richten gemeinsam an Präsident Roosevelt ein Telegramm mit der Bitte, den Status des ›Enemy alien‹ für erklärte Gegner des Nationalsozialismus und Faschismus zu mildern: »We, therefore, respectfully apply to you, Mr. President, ... to utter or to sanction a word of authoritative discrimination, to the effect that a clear and practical line should be drawn between the potential enemies of American democracy on the one hand, and the victims and sworn foes of totalitarian evil on the other.« (Telegramm an Franklin D. Roosevelt, Briefe II).

21. Februar 1942

Erste Erwähnung des ›Doktor Faustus‹-Plans: »... mein Arbeitszimmer ist leidlich fertig, und meine Gedanken gehen dort manchmal über den nur noch aufzuarbeitenden Joseph hinaus zu einer Künstler-Novelle, die vielleicht mein gewagtestes und unheimlichstes Werk werden wird.« (An Agnes E. Meyer, Briefe II). Sorgen um die Einrichtung des neuen Hauses: »Es geht sehr langsam vorwärts mit der Komplettierung unseres letzten Nestes, das wir doch wohl anders gemacht hätten, wenn das alles so vorauszusehen gewesen wäre. Denn wozu eigentlich der weite livingroom (der noch eine Wüste ist) und die vielen Kinderzimmer? Die Geselligkeit wird zurückgehen, Kinder kommen nicht, müssen ihr eigenes Leben führen, und wenn Golo einen Job bekommt, was man ihm herzlich wünschen muß, werden wir ganz allein mit dem armen Mönchen in der mühsam hergestellten Pracht vergreisen und verseufzen ... Am fertigsten ist mein Arbeitszimmer, wohl das schönste, das ich je hatte. Die Bibliothek nimmt sich unvergleichlich besser darin aus, als in Princeton, und bei der strahlenden Doppel-Aussicht durch die Venetian blinds, sollte der Joseph mir eigentlich von der Hand gehen, aber man ist halt bedrückt und zerstreut, und was man schreibt, ist ›von ungleichem Wert‹, wie schon Munker sagte. Immerhin durch die Thamar-Novelle ist der Band einigermaßen aufgestutzt. Du solltest die zweite Hälfte hören, sie ist vielleicht das Sonderbarste und Besterzählte, was ich gemacht habe.« (An Erika Mann, Briefe II).

22. Februar 1942

Stefan Zweig begeht in Brasilien Selbstmord. »Und als sich zeigte, daß auch dieses Land in den Krieg gezogen werden würde, ging er aus dem Leben.« (An Friederike Zweig, Briefe II).

7. März 1942

Vorladung – zusammen mit Bruno Frank und Felix Guggenheim – vor das sogenannte Tolan-Committee aus Washington, um zu einer geplanten Evakuierung oder Internierung von Bürgern der Achsenmächte (›enemy aliens‹) Stellung zu nehmen. »Das ›Hearing‹ gestern in Los Angeles vor dem Washingtoner Comité war außerordentlich interessant. Eine richtige öffentliche Gerichtsverhandlung und eine der gewinnendsten amerikanischen Erfahrungen seit meinem Hiersein ... die ausgesuchte Höflichkeit, mit der man uns Deutsche behandelte – es war höchst liebenswürdig und demokratisch.« (An Agnes E. Meyer, Briefe II).

28.–29. März 1942

Das ›Buddenbrook‹-Haus in Lübeck wird das Opfer eines britischen Luftangriffs; auch Thomas Manns Geburtshaus in der Breiten Straße und das spätere Elternhaus in der Beckergrube werden zerstört.

Mai 1942

Heinrich Mann ist 14 Tage bei seinem Bruder zu Besuch.

4. Mai 1942

Geselliger Abend bei Max Reinhardt in seinem »mit wahrer Bühnenkunst ausgestatteten Haus«; Pläne eines Reinhardt-Theaters in New York werden erörtert.

5. Mai 1942

Am Joseph-Roman: »Ich erzähle von Joseph und Benjamin: Joseph fächelt beim Essen mit der Hand des Kleinen, wie er es früher getan, wenn sie Hand in Hand herumstrichen. Dem Benjamin stockt natürlich das Herz ... Da immer ein Scherz bei der Sache sein muß, erkläre ich Benjamins Seelenzustand für ganz unbeschreiblich, beschreibe ihn aber dabei. Mit dergleichen unterhält man sich, während in Rußland alles auf dem Spiele steht.« (An Agnes E. Meyer, Briefe II).

Mitte Mai 1942

Lektüre von Theodor Fontanes ›Effi Briest‹: »Er besitzt einen artistischen Zauber, für den ich mich immer wieder bis zum Entzücken empfänglich erweise ...« und von Verdis Briefen: »Künstler-Briefe hatten immer einen großen Reiz für mich und diese besonders.« (An Agnes E. Meyer, Briefe II).

14. Mai 1942

»Die Arbeit am Joseph macht mir jetzt solchen Spaß, daß ich immer kaum den nächsten Vormittag erwarten kann. Der Band wird gegen das Ende hin immer lockerer, dramatischer, märchenhafter und amüsanter, was gut ist für den Leser. Eben wurde der Becher aus dem Sack gezogen. Die Brüder toben, aber Benjamin schweigt.« (An Agnes E. Meyer, Briefe II).

2. Juni 1942

Vorbereitung der Sammlung der politischen Reden und Aufsätze; Niederschrift des Vorwortes zu diesem Band (›Order of the Day‹, in ›Nation‹, New York, 1942). »Ich habe die Erkennungs-Szene beendet und will jetzt eine Pause machen, um ein Vorwort für die politischen Essays zu schreiben ... Wie fänden Sie denn den Titel ›The Order of the Day‹? Kam mir neulich in den Sinn und gefiel mir nicht schlecht.« (An Agnes E. Meyer, Briefe II).

27. Juni 1942

Arbeit am Kapitel ›Verkündigung‹: »Was ich lese? ... Fontanes ›Stechlin‹ (überaus reizend und still-sublim!), die Psalmen Davids,

Goethes Gedichte – dieses im Zusammenhang mit einer Joseph-Szene, bei der ich gerade halte. Als nämlich die Brüder nach Kanaan zurückkehren, wissen sie nicht recht, wie sie's dem Vater beibringen sollen, daß Joseph lebt und ›ein Herr ist in ganz Ägyptenland‹. Darum stellen sie ein kleines Mädchen, Serach, die Tochter Aschers, an, ein ausnehmend musikalisches Kind, ihm das Wunder zur Laute vorzusingen; eine außer-biblische, altjüdische Überlieferung, die ich aufnehme und schnurrig ausgestalte.« (An Agnes E. Meyer, Briefe II).

Anfang Juli 1942

Einladung von Lotte Lehmann in Santa Barbara. »Nach dem Thee sang sie, von Walter begleitet, Brahms-Lieder. Sie ist darin eine Meisterin, und ich war sehr glücklich. Das deutsche Lied könnte einen zum Patrioten machen. So etwas wie ›Wann der silberne Mond‹ und ›Wie bist du, meine Königin‹ gibt es in der Welt nicht zum zweiten Mal.« (An Agnes E. Meyer, Briefe II).

11. Juli 1942

Das ›Verkündigungs‹-Kapitel ist abgeschlossen: »Gestern Nachmittag, nach dem Brief-Diktat, habe ich das Serach-Kapitel, den Abschnitt, in dem Jaakob erfährt, daß Joseph lebt, zu Ende geschrieben. Ob ich reüssiert habe, ist eine andere Frage, – genug, daß wieder einem Problem seine schlechte und rechte Lösung geworden und das Ganze einen Schritt weiter, dem Ende entgegen, gebracht ist.« (An Agnes E. Meyer, Briefe II).

Abends: Geselligkeit bei Bruno Walter mit Werfels und Korngolds. »... Walter, der gegenwärtig völlig in der Matthäus-Passion, die er nächstens aufführen wird, lebt und webt, demonstrierte prachtvoll am Klavier die erstaunliche Variabilität und die unermüdliche Erfindung an wechselvoll unterhaltenden Ausdrucksmitteln, womit die alte Perücke das Riesenwerk versorgt hat. Nun ja, sagte ich mir, so ungefähr machst du's zu Hause auch. Es wird nicht so gut, aber die Sorge wenigstens hast du!« (An Agnes E. Meyer, Briefe II).

Juli 1942

Franz Werfels Roman ›Das Lied von Bernadette‹ ist ein ungewöhnlicher Bucherfolg geworden; die Filmrechte sind für $ 100 000 verkauft worden. »Unter soviel Emigranten-Elend eine solche Blüte zu sehen, ist Wohltat, – wenn auch eine etwas beschämende.« (An Agnes E. Meyer, Briefe II).

20. Juli 1942
Anthony (Toni), Michael Manns zweiter Sohn, in San Francisco geboren.

18. August 1942
Arbeit am Joseph-Roman unterbrochen; Vorbereitung einer Vorlesung für die ›Library of Congress‹ über den Joseph-Roman. Plan eines Griechenland-Films zusammen mit dem Regisseur Reinhold Schünzel. T. M. hofft, durch einen Filmvertrag den Anstrengungen einer Vortragstournee zu entgehen. Der Plan kommt nicht zur Ausführung. Für ›Reader's Digest‹ schreibt T. M. Erinnerungen an Katja Manns Großmutter, Hedwig Dohm; der Artikel ›Little Grandma‹ wird aber dort nicht angenommen (In ›The Nassau Lit.‹, Princeton, N. J., September 1942).

20. August 1942
Vortrag ›Joseph und seine Brüder‹: »Ich habe mich in den Library-Vortrag gestürzt und schreibe täglich daran. Es gilt, einen großen Dank damit abzustatten, und etwas Schönes und Würdiges will hergestellt sein.« (An Agnes E. Meyer, Briefe II).

September 1942
Klaus Manns Autobiographie ›The Turning Point‹ erscheint: »Es ist ein ungewöhnlich charmantes, gemütvoll-sensitives, gescheites und redlich-persönliches Buch, – persönlich und unmittelbar auch in der adoptierten Sprache, die, sollte ich denken, mit überraschender Leichtigkeit, Bestimmtheit und Natur gehandhabt ist.« (An Klaus Mann, Briefe II).
Besuch der Familie Michael Mann: »Bibi und Gret sind hier mit Anthony, der sehr braun ist, mit dunkelblauen Augen und einem sorgenvollen Ausdruck. Er sieht wohl seinem Vater und mir ähnlich.« (An Klaus Mann, Briefe II).

15. September 1942
Vorwort zur Buchausgabe der ersten 25 Radiosendungen nach Deutschland: »Es lauschen mehr Menschen, als man erwarten sollte, nicht nur in der Schweiz und in Schweden, sondern auch in Holland, im tschechischen ›Protektorat‹ und in Deutschland selbst, wie durch aufs sonderbarste chiffrierte Rückäußerungen aus diesen Ländern belegt ist. Auf Umwegen kommen solche tatsächlich auch aus Deutschland. Offenbar gibt es in diesem besetzten Gebiet Leute, deren Hunger und Durst nach dem freien Wort so groß ist, daß er den Gefahren trotzt, die mit dem Abhören feindlicher Sendungen verbunden sind.« (›Deutsche Hörer!‹).

Oktober 1942
Der Verlag Alfred A. Knopf gibt die nur englisch erschienene Sammlung politischer Essays ›Order of the Day‹ heraus (›Order of the Day, Political Essays and Speeches of Two Decades‹, New York: Alfred A. Knopf 1942).
15. Oktober 1942
Die letzten Kapitel des Joseph-Romans: »Joseph ist durch die Einschaltung [des Vortrags] nur um ein paar Wochen aufgehalten worden. Ich stehe in den letzten Kapiteln, und wenn es nach mir ginge, könnte der Band gut und gern im Frühjahr erscheinen. Aber Mrs. Lowe ist noch weit zurück, und ich mag die alte Frau nicht zu flüchtiger Eile treiben. Lieber möge es Herbst 1943 werden, bis das Buch erscheint.« (An Agnes E. Meyer, Briefe II).
Rundfunkansprache an die Deutsch-Amerikaner in der ›German-American Loyalty Hour‹: ›Warum ich Deutschland verließ‹ (In ›Aufbau‹, New York, 20. November 1942).
Ende Oktober 1942
Außer Monika sind alle Kinder von Hause fort: Erika auf einer Vortragstournee durch 50 Städte, Klaus in New York, wo sein Buch eine gute Presse findet, Golo auf einem Lehrstuhl im College in Olivet, Mich.: »... [er] ist so beschäftigt, daß er um 3 Uhr aufsteht, um sich vorzubereiten.« (An Agnes E. Meyer, Briefe II).
Das Neger-Dienerpaar hat wegen Einberufung des Mannes gekündigt; Frau Katja Mann besorgt den Haushalt allein.
8. November–Mitte Dezember 1942
Reise nach Washington und New York.
8. November
Abreise nach Chicago zu den Borgeses: »Die Tage von Chicago hatten im Zeichen des afrikanischen Krieges gestanden, erregender Nachrichten über den Durchmarsch deutscher Truppen durch den unbesetzten Teil Frankreichs, den Protest Petains, die Verschiffung der Hitler-Corps nach Tunis, die italienische Besetzung von Corsika, die Wiedereinnahme von Tobruk.« (›Die Entstehung des Doktor Faustus‹).
12. November
Feier von Giuseppe Antonio Borgeses 60. Geburtstag.
14. November
Washington. »Washington im Kriegszustand zu sehen war mir neu und merkwürdig. Zu Gaste, wieder einmal bei Eugene Meyer und seiner schönen Frau in ihrem Palais am Crescent Place, betrachtete ich verwundert die schwer militarisierte Gegend um das

Lincoln-Memorial mit ihren Baracken, Bureauhäusern und Brükken, den unaufhörlich einrollenden, mit Kriegsmaterial beladenen Zügen.« (›Die Entstehung des Doktor Faustus‹).
Dinner bei Meyers, anwesend unter anderem der brasilianische und der tschechische Gesandte mit ihren Frauen. »Man hörte nach Tische die Radio-Rede Willkies, der eben von seiner One-World-Tour zurück war. Meldungen über den bedeutenden Seesieg bei den Salomons hoben die Stimmung.« (›Die Entstehung des Doktor Faustus‹).
17. November
Vortrag im Coolidge-Auditorium der ›Library of Congress‹ über ›The Theme of the Joseph-Novels‹ (In ›Atlantic Monthly‹, New York, Februar 1943), eingeführt vom Vice-Präsidenten der USA, Henry A. Wallace: »›Faust‹ ist ein Menschheitssymbol, und zu etwas dergleichen wollte mir unter den Händen die Josephsgeschichte werden. Ich erzählte von Anfängen, wo alles zum ersten Male da war. Das war ja der Neuigkeitsreiz, das in einem nicht gewöhnlichen Sinn Amüsante an dieser Art zu fabulieren, daß alles zum ersten Mal da war, daß lauter Gründungen geschahen, die Gründung der Liebe, des Neides, des Hasses, des Mordes und vieles anderen. Aber diese beherrschende Erstmaligkeit ist zugleich eine Wiederholung, Spiegelung, Abbild; das Erzeugnis der Sphärendrehung, die das Obere, Sternenhafte ins Untere bringt, das Irdische ins Göttliche trägt, so daß Götter zu Menschen, Menschen auch wieder zu Göttern werden, das Irdische sich im Sternenhaften vorgebildet findet und der individuelle Charakter seine Würde darin sucht, daß er sich aus einem zeitlosen, mythischen Schema ableitet, welches er gegenwärtigmacht.« (›Joseph und seine Brüder. Ein Vortrag‹).
»Ich hielt eine Vorlesung in der Library of Congress – worüber? Ganz friedlich über meinen eigenen Joseph-Roman. Man hatte es so gewollt, und 1000 Menschen in zwei Sälen (einem mit Lautsprecher) hörten gern, was ich über die ›ernsten Scherze‹, wie Goethe vom Faust sagte, vorzubringen hatte. Es war ein festlicher Abend. Der Vice-President der U. S., Henry A. Wallace, selbst führte mich ein, eine große Ehre, und nachher war ich noch wiederholt mit diesem ausgezeichneten, liebenswerten Menschen zusammen.« (An Ida Herz, unveröffentlichter Brief).
Nach der Lesung Empfang im Hause Eugene Meyer, unter den Gästen der Attorney General Francis Biddle: »Biddle, mit dem ich über die den ›enemy aliens‹, besonders den deutschen Emi-

granten, auferlegten Beschränkungen korrespondiert hatte, gab mir seine Absicht kund, diese Beengungen baldigst aufzuheben ...« (›Die Entstehung des Doktor Faustus‹).
Eugene Meyer und seine Frau vermitteln weitere persönliche Begegnungen T. M.s mit dem Schweizer Gesandten Dr. Bruggmann und seiner Frau, der Schwester des Vizepräsidenten Henry A. Wallace, sowie mit dem Sowjet-Botschafter Maxim Litwinow, »den unsere Wirte uns mit seiner charmanten englischen Frau zum Lunch einluden ... In gesellschaftlich freien Stunden suchte ich das laufende Kapitel von ›Joseph, der Ernährer‹, eines der letzten schon, das Kapitel der Segnung der Söhne, vorwärtszutreiben.« (›Die Entstehung des Doktor Faustus‹).
Auf der Reise Lektüre der Memoiren Igor Strawinskys und biographischer Werke über Nietzsche. »Musik also und Nietzsche. Ich wüßte keine Erklärung für solche Gedanken- und Interessenrichtung zu diesem Zeitpunkt zu geben.« (›Die Entstehung des Doktor Faustus‹).
Ende November
New York, ›The Bedford Hotel‹; Verhandlungen mit dem Agenten Armin Robinson über ein Vorwort zu einem geplanten Buch ›The Ten Commandments‹, zu dem zehn international bekannte Schriftsteller Beiträge leisten sollen.
»Das erschütternde Kriegsereignis der Versenkung der französischen Flotte vor Toulon durch ihre Befehlshaber und Mannschaften fiel in unsere von Konzert- und Theaterbesuchen, Einladungen, Freundeszusammenkünften belebten Tage ... Die sonst recht stillen Blätter des noch aus der Schweiz stammenden Schreibheftes führen nun viele Namen an – Walters und Werfels, Max Reinhardt, der Schauspieler Karlweis, Martin Gumpert, der Verleger Landshoff, Fritz von Unruh und seine Frau figurieren da, die liebenswerte alte Annette Kolb, Erich von Kahler, unsere britische Freundin aus Princeton, Molly Shenstone, und amerikanische Kollegen der jüngeren Generation wie Glenway Wescott, Charles Neider, Christopher Lazare, dazu unsere Kinder.« (›Die Entstehung des Doktor Faustus‹).
Thanksgiving Day: Im Landhaus seines Verlegers Alfred A. Knopf in White Plains, N. Y., zusammen mit südamerikanischen Gästen.
Anfang Dezember
»... ein Wiedersehn mit Princeton und den vertrauten Gestalten jener Lebensperiode: mit Frank Aydelott, Einstein, Christian Gauß, Helen Lowe-Porter, Hans Rastede von Lawrenceville

School nebst seinem Kreise, Erich von Kahler, Hermann Broch und anderen.« (›Die Entstehung des Doktor Faustus‹).

10. Dezember

Nobel Anniversary Dinner; anwesend unter anderen Pearl S. Buck, Sigrid Undset, Sir Norman Angell. T. M.s Ansprache: ›The ‚Peace of Washington'‹ (In ›The World we Fight for and American Unity‹, ed. by the Common Council for American Unity, New York 1942).

Um den 12. Dezember

Rückkehr nach Pacific Palisades über San Francisco mit Besuch bei Michael Mann und den Seinen.

15. Dezember

»Heute morgen habe ich ›Joseph‹ wieder aufgenommen, noch etwas fremd und zögernd. Bis Neujahr muß er fertig sein, damit ich den Januar für die 1000 Dollar-Novelle frei habe.« (An Agnes E. Meyer, Briefe II).

In Sorge um Michael, der mit einem Darmverschluß im Hospital liegt. – Die zuerst vorgesehene Operation erweist sich als unnötig. Am 19. Dezember: »Der Zustand hat sich gebessert, und die Ärzte geben gute Hoffnung, daß man um den – immer prekären – operativen Eingriff herumkommen wird.« (An Agnes E. Meyer, Briefe II).

19. Dezember 1942

Das letzte Kapitel des Romans ist begonnen: »Adieu, ich beginne das letzte Joseph-Kapitel. Es ist nicht leicht – tout est dit, und ich suche, eigentlich ohne Substanz, nach einer Schluß-Kadenz.« (An Agnes E. Meyer, Briefe II).

Weihnachten 1942

Die Familie Borgese ungefähr drei Monate in Pacific Palisades zu Besuch.

28. Dezember 1942

Klaus Mann tritt seinen Dienst in der amerikanischen Armee an.

4. Januar 1943

›Joseph, der Ernährer‹ abgeschlossen. »Gestern Mittag habe ich die letzten Zeilen geschrieben: es sind freundlich-menschliche Worte des Helden zu seinen Brüdern, die nach dem Tode des Vaters fürchten, er möchte sich doch noch an ihnen rächen. Auch dieses Motiv der Bibel habe ich noch mit aufgenommen. Es erlaubte mir, das Ganze mit Josephs heiterer Stimme ausklingen – ihn noch einmal *sprechen* zu lassen. – So ist es also getan und möge dastehen als ein Monument der Beharrlichkeit und des Durchhaltens, denn dergleichen sehe ich viel eher darin, als etwa ein Monument der Kunst und des Gedankens.« (An Agnes E. Meyer, Briefe II).

Der Abschluß wird mit den Borgeses im Familienkreise gefeiert. »Man trank Champagner. Bruno Frank, vom Ereignis des Tages unterrichtet, rief an zur Gratulation mit freundschaftlich bewegter Stimme.« (›Die Entstehung des Doktor Faustus‹).

5. Januar 1943

Vorbereitung der neuen Arbeit mit der Lektüre des Pentateuch, eines Aufsatzes von Goethe über ›Israel in der Wüste‹, Freuds Moses-Aufsatz und anderem. Statt eines Vorworts für das Buch ›The Ten Commandments‹ plant T. M. jetzt eine Novelle: »Längst hatte ich mich gefragt, warum ich zu jenem Buch der Zelebritäten nur mit einem essayistischen Vorwort, – warum nicht lieber mit einem ›Vorspiel auf der Orgel‹, wie Werfel sich später ausdrückte, beitragen sollte: mit einer Erzählung von der *Erlassung* der Gebote, einer Sinai-Novelle, wie sie mir als Nachklang des Joseph-Epos, von dem ich noch warm war, sehr nahe lag: Notizen und Vorbereitungen dazu nahmen nur ein paar Tage in Anspruch.« (›Die Entstehung des Doktor Faustus‹).

21. Januar 1943

Akademischer Vortrag ›in cap, gown and hood‹: ›The Theme of the Joseph Novels‹ in der University of California, vor 15000 Hörern: »Die Studenten und Professoren waren entzückt, und der Beifall hatte Ovations-Charakter.« (An Agnes E. Meyer, 13. Januar 1943, unveröffentlicht).

24. Januar 1943

Radio-Sendung nach Deutschland zum zehnjährigen Bestehen der Nazi-Herrschaft. »Den Nazis ist an Deutschland nicht das geringste gelegen, um ihre Haut ist es ihnen zu tun. Wollt ihr sie bis zum Letzten gewähren, es für euch, für Deutschland, zum Äußersten kommen lassen und den Unsinnigen *nicht in den Arm fallen*, bevor sie in letzter Stunde noch all ihre Schandtaten überbieten, so daß es dem Faß den Boden ausschlägt und einen glimpflichen, vom Geist der Versöhnung bestimmten Frieden endgültig unmöglich macht? Goebbels warnt. Die Warnung gilt dir, deutsches Volk!« (›Deutsche Hörer!‹).

25. Januar 1943

T. M. beginnt die Novelle ›Das Gesetz‹.

28. Januar 1943

Besuch eines Vortrags, »die eine routinierte, aber einfältige stage-

Hyäne« über ›Order of the Day‹ und ›Listen, Germany‹ in einem kleinen Theater in Hollywood hält. Anschließend signiert T. M. Bücher. »Was tut man nicht, um seine Popularität zu fördern!« (An Agnes E. Meyer, Briefe II).

11. Februar 1943

». . . der Tag, [der] sich zum zehnten Male jährte, an dem wir, – es war unser Hochzeitstag – München mit leichtem Gepäck verließen, ohne zu ahnen, daß wir nicht wiederkehren würden.« (›Die Entstehung des Doktor Faustus‹).

›Das Gesetz‹ ist bis zum XI. Kapitel gediehen.

17. Februar 1943

»Bei dem Samum, den wir fast eine Woche lang zu ertragen hatten, habe ich mich abends nach des Tages Bruthitze erkältet und war zeitweise recht elend, huste auch gegenwärtig noch, doch geht es besser, und die Arbeit habe ich überhaupt nicht unterbrechen müssen, so daß der ›Moses‹ stetige Fortschritte gemacht hat. Ich bin auf der 52. Seite, habe das Völkchen in der Oase Kadesch, nahe dem vulkanischen Horeb und komme nun zum Eigentlichen, der Gesetzgebung, die ich als eine Art von michelangeleskem Skulpturwerk an einem Rohmaterial von Volkskörper behandle.« (An Agnes E. Meyer, Briefe II).

18. März 1943

Die Widerstandsgruppe der Geschwister Scholl und Prof. Hubers in München – die ›Weiße Rose‹ – wird nach einer Flugblattaktion in der Universität verhaftet und zwei Tage später zum Tode verurteilt. T. M. erfährt erst im Juni davon: »Jetzt ist die Welt aufs tiefste bewegt von den Vorgängen an der Münchner Universität, wovon die Nachricht durch Schweizer und schwedische Blätter, erst ungenau, dann mit immer ergreifenderen Einzelheiten, zu uns gedrungen ist. Wir wissen nun von Hans Scholl, dem Überlebenden von Stalingrad, und seiner Schwester, von Christoph Probst, dem Professor Huber und all den anderen; von dem österlichen Aufstande der Studenten gegen die obszöne Ansprache eines Nazi-Bonzen im Auditorium maximum, von ihrem Märtyrertod unterm Beil, von der Flugschrift, die sie verteilt hatten und worin Worte stehen, die vieles gutmachen, was in gewissen unseligen Jahren an deutschen Universitäten gegen den Geist deutscher Freiheit gesündigt worden ist.« (›Deutsche Hörer‹, Sendung vom 27. Juni 1943).

Anfang März 1943

Klaus Manns Buch ›André Gide and the Crisis of Modern Thought‹

ist erschienen. Der Vater schreibt seinem Sohn, der sich im Basic Training der Armee befindet: »Erstens weiß ich ja, wie wichtig es bei euch ist, Post zu bekommen, und zweitens steht ja auch noch mein Dank für das Gide-Buch aus, bei dessen Lektüre ich mir immer gern vorgestellt habe, daß es im Wesentlichen, vielleicht ganz, hier in unserer Mitte geschrieben wurde. Es hat mich sehr gefesselt, sehr unterhalten und auch vielfach belehrt, denn Du bist ja wirklich ein genauer und intimer, weil liebender Kenner dieser Seele und dieser Kunst ...« (An Klaus Mann, Briefe II).

13. März 1943

Die Moses-Novelle beendet. »In nicht ganz zwei Monaten, einer für meine Arbeitsart kurzen Frist, schrieb ich, fast ohne Verbesserungen, die Geschichte nieder ... Während der Arbeit, oder vorher schon, hatte ich ihr den Titel ›Das Gesetz‹ gegeben, womit nicht sowohl der Dekalog, als das Sittengesetz überhaupt, die menschliche Zivilisation selbst bezeichnet sein sollte.« (›Die Entstehung des Doktor Faustus‹).

14. März 1943

Das »gesamte mythologisch-orientalistische Material zum ›Joseph‹, Bilder, Exzerpte, Entwürfe« wird weggeräumt und verpackt.

1943–1947

DIE ›DOKTOR FAUSTUS‹-JAHRE

15. März 1943

Beginn der Arbeit am ›Doktor Faustus‹: »... nur einen Tag später, den 15. März, um genau zu sein, taucht in meinen abendlichen Tagesrapporten das Sigel ›Doktor Faust‹, fast ohne Zusammenhang, zum erstenmal auf. ›Durchsicht alter Papiere nach Material für ‚Doktor Faust'‹.« (›Die Entstehung des Doktor Faustus‹).

17. März (nicht 27. März!) 1943

Ein alter Plan wird wieder aufgegriffen: »›Vormittags in alten Notizbüchern‹, heißt es unterm 27ten. ›Mache den Drei-Zeilen-Plan des Dr. Faust vom Jahre 1901 ausfindig. Berührung mit der Tonio Kröger-Zeit, den Münchener Tagen, den nie verwirklichten Romanplänen ‚Die Geliebten' und ‚Maja' ...‹ [in Wirklichkeit ein Neun-Zeilen-Plan, der wohl erst 1905 in das ›1901‹ datierte Notizbuch, zur Zeit der Konzeption des ›Maja‹-Romans, eingetragen wurde] ... Zweiundvierzig Jahre waren vergangen, seit ich mir etwas vom Teufelspakt eines Künstlers als mögliches Arbeitsvorhaben notiert und mit dem Wiederaufsuchen, Wiederauffinden geht eine Gemütsbewegung, um nicht zu sagen: Aufgewühltheit einher, die mir sehr deutlich macht, wie um den dürftigen und vagen thematischen Kern von Anfang an eine Aura von Lebensgefühl, eine Lufthülle biographischer Stimmung lag, die die Novelle, meiner Einsicht recht weit voran, zum Roman vorherbestimmte.« (›Die Entstehung des Doktor Faustus‹).

18. März 1943

Besuch eines Konzertes unter William Steinberg in Los Angeles: Mozarts Ouvertüre zum ›Don Giovanni‹, Brahms' B-Dur-Klavierkonzert, gespielt von Wladimir Horowitz, Tschaikowskys ›Symphonie Pathétique‹. In den nächsten Wochen Schwanken zwischen der Bearbeitung des ›Faust‹-Stoffes oder der Wiederaufnahme des ›Krull‹-Fragments.

21. März 1943

Neben der Lektüre zum ›Faust‹-Roman »Erwähnung des Hochstaplers« in den Notizen zur ›Entstehung des Doktor Faustus‹. (TMA, Zürich).

27. März 1943

Das ›Volksbuch vom Doktor Faust‹ von Prof. Arlt entliehen; Lektüre der Hugo Wolf-Briefe, von der ›Library of Congress‹ zugesandt.

29. März 1943

Faust-Studien, Lektüre der ›Gesta Romanorum‹, von Stevensons ›Dr. Jekyll and Mr. Hyde‹, Paul Bekkers Musikgeschichte, Exzerpte.

Ende März 1943

Die Borgeses wieder abgereist; »Borgeses, die drei Monate hier waren (wir hatten eine gute Zeit mit ihnen), sind längst wieder in Chicago. Die kleine Angelica, ein originelles Kind, das englisch, deutsch und italienisch durcheinander schwätzt, hat sich in unserem Klima prächtig entwickelt und selbst Medi sah schließlich weniger einem Kohlweißling ähnlich.« (An Caroline Newton, Briefe II).

April 1943

Erika Mann reist als Kriegskorrespondentin nach Ägypten, Palästina und in den Iran.

5. April 1943

Bei Bruno Walter vertrauliche Äußerung über den ›Faust‹-Plan:

»Wie, ich konnte mich alten Freunden schon darüber anvertrauen, bei gänzlicher Fraglichkeit von Form, Handlung, Vortragsart, ja Zeit und Ort?« (›Die Entstehung des Doktor Faustus‹).

10. April 1943

»Ein Tag brachte trotz allem die Auflösung der Materialpakete zum ›Hochstapler‹, die Wiederlesung der Vorarbeiten – mit wunderlichem Ergebnis. Es war ›Einsicht in die innere Verwandtschaft des Faust-Stoffes damit (beruhend auf dem *Einsamkeitsmotiv*, hier tragisch-mystisch, dort humoristisch-kriminell); doch scheint dieser, wenn gestaltungsfähig, der mir angemessenere, zeitnähere, dringendere ...‹ Die Waage hatte ausgeschlagen. Dem *Joseph*-Theater sollte nicht ›erst noch‹ der Schelmenroman folgen.« (›Die Entstehung des Doktor Faustus‹).

11. April 1943

»Über deutsches Städtewesen aus der Luthergegend.«

12. April 1943

Brief an Prof. Tillich vom ›Union Theological Seminary‹, New York, mit Erkundigungen über den Ablauf eines deutschen Theologie-Studiums.

Mitte April 1943

Weitere Vorstudien: Luther-Briefe, Dürer-Bilder, Ernest Newmans ›Hugo Wolf‹, ›Der Hexenhammer‹.

28. April 1943

Brief an Alexey Tolstoi »als Beitrag zu einem russisch-amerikanischen Austausch« (›Letter to Alexey Tolstoy‹, in ›New Republic‹, New York, 1943). (›Die Entstehung des Doktor Faustus‹).

Mai 1943

»Unter solchen Umblicken und Studien ging es in den Mai 43, das zarteste, zärtlichste Eindrücke und Empfindungen in ein Mühen, Probieren, Erfinden mischte, das bereits existenzbeherrschend geworden war und alles Vorkommende in sich einbezog.« (›Die Entstehung des Doktor Faustus‹).

Anfang Mai 1943

Besuch der Kinder aus San Francisco: »mit den beiden Buben, die gut und kräftig aussehen. Bewegt, wie immer, von Fridos (des älteren) schönen Augen ... Viel Scherz mit dem etwas sprechenden Bürschchen.« (›Die Entstehung des Doktor Faustus‹).

3. Mai 1943

Vorlesung von ›Das Gesetz‹ in Beverly Hills bei Alma Mahler-Werfel und Franz Werfel.

6. Mai 1943
Ausführlicher Brief über den ältesten Enkel an Bruno Walter, der daraufhin vorschlägt, den Frido als ein ›Allegretto moderato‹ in den Musiker-Roman hineinzunehmen.
Viel Geselligkeit mit den Nachbarn: Werfels, Bruno Franks, Alfred Neumanns und dem Komponisten Arnold Schönberg; häufigstes Unterhaltungsthema die Musik, das Komponistendasein und Friedrich Nietzsche.
Mitte Mai 1943
»Ein starkes Konvolut von Notizen, die Komplexität des Vorhabens bezeugend, hatte sich angesammelt: an die zweihundert Halb-Quartblätter, auf denen, ungeordnet und von durchlaufenden Strichen eingefaßt, ein buntes Zubehör aus vielen Gebieten, dem sprachlichen, geographischen, politisch-gesellschaftlichen, theologischen, medizinischen, biologischen, historischen, musikalischen, sich drängte.« (›Die Entstehung des Doktor Faustus‹).
23. Mai 1943 (Sonntagmorgen)
Beginn der Niederschrift des ›Doktor Faustus‹.
2. Juni 1943
»Ich *schreibe* wieder – an dem Roman, zu dem auch der Krieg in Europa mir wohl leider noch Zeit lassen wird. Die Sache ist schwer, düster, traurig wie das Leben, ja noch mehr so, als das Leben, da immer Idee und Kunst das Leben übertreffen und übertreiben. Um genießbar zu sein, bedarf die Geschichte der Durchheiterung, und dazu bedarf es der Heiterkeit. Aber die ist mir bisher ja auch in noch schlimmeren Zeiten nicht ausgegangen.« (An Agnes E. Meyer, Briefe II).
18. Juni 1943
Massen-Kundgebung in San Francisco als Protest gegen die Untaten der Nationalsozialisten gegen die Juden. T. M.s Ansprache ›The Fall of the European Jews‹ (In ›Aufbau‹, New York, 9. Juli 1943).
Besuch des Films ›Mission to Moscow‹ nach den Erinnerungen des damaligen amerikanischen Botschafters in Moskau, Joseph E. Davies.
21. Juni 1943
Erste Fassung des Titels des neuen Romans: »Der Titel lautet: ›Doktor Faust. Das seltsame Leben Adrian Leverkühns erzählt von einem Freunde‹. Die schlimme, deutsch-mittelalterlich angehauchte Geschichte geht nämlich durch das Medium eines durch-

aus rational-humanistisch gesinnten Referenten und gewinnt dadurch die Durchheiterung, die sie braucht, – und die ich brauche.« (An Agnes E. Meyer, Briefe II).

28. Juni 1943
Die ersten vier Kapitel sind vollendet. Erste Lesung im Familienkreise: »Franks zum Abendessen. Später im Arbeitszimmer Vorlesung aus ›Doktor Faust‹, die ersten drei Kapitel. War tief bewegt, und die Hörer zeigten sich zugänglich dem Aufregenden, das von allem ausgeht.« (›Die Entstehung des Doktor Faustus‹).

Juli 1943
Abendgesellschaft bei Lion Feuchtwanger. Franz Werfel teilt T. M. seinen Plan der utopischen Phantasie ›Stern der Ungeborenen‹ mit: »brüderliche Empfindungen erfüllten mich. Da war ein Kamerad, – auch einer, der sich auf Verrücktes, wahrscheinlich nicht Mögliches eingelassen hatte ...« (›Die Entstehung des Doktor Faustus‹).

T. M. macht den Philosophen und Musikwissenschaftler Dr. Theodor Wiesengrund Adorno, dessen Buch ›Zur Philosophie der modernen Musik‹ großen Eindruck auf ihn gemacht hat, in musikalischen Fragen zu seinem »Helfer, Ratgeber und teilnehmenden Instruktor«. »Das Manuskript, das er mir damals brachte, und dessen ›Einschlägigkeit‹, dessen frappantes Passen in die Sphäre meines Romans sogleich meine Aufmerksamkeit spannte, hatte im wesentlichen Schoenberg, dessen Schule und die Zwölf-Ton-Technik zum Gegenstande ... Die Darstellung der Reihen-Musik und ihre in Dialog aufgelöste Kritik, wie das XXII. Faustus-Kapitel sie bietet, gründet sich ganz und gar auf Adornosche Analysen.« (›Die Entstehung des Doktor Faustus‹).

24. Juli 1943
Frau Katja Mann begeht ihren 60. Geburtstag: »... viel nachdenkliche Erinnerung an die erste Zeit unseres Exils, an Sanary sur Mer, wo wir ihren Fünfzigsten gefeiert, an den seither abgeschiedenen Freund, der damals mit uns war, René Schickele, und alles seither Durchlebte stieg dabei empor.« (›Die Entstehung des Doktor Faustus‹).

Ende Juli 1943
Unterbrechung der Arbeit am Roman: »Das Kretzschmar-Kapitel war im Gange, aber die Aufzeichnungen jener Tage sprechen von Müdigkeit und Depression, von dem Beschluß, den Roman, dessen Fortschritte ich forciert, jetzt zurückzustellen und mich vorerst der Herstellung eines für den Herbst in Washington zu-

gesagten Vortrags zu widmen ...« (›Die Entstehung des Doktor Faustus‹).

14. August 1943

Handgeschriebener Glückwunsch zu Alfred Döblins 65. Geburtstag (In ›Altes und Neues‹, Frankfurt am Main: S. Fischer 1953); Teilnahme an der Feier im Play House, Montana Avenue, auf der Heinrich Mann die Ansprache hält. »Die Dankesworte des Jubilars waren bemerkenswert. Der Relativismus sei der Ruin, sagte er. Heute gelte es, ›das Absolute‹ anzuerkennen. Nachher, im Gespräch mit mir, ging er weiter und erklärte: ›Die Gêne, von Gott zu sprechen, die wird einem ausgetrieben!‹ – So steht es. Ich habe mich noch mit meiner protestantisch-humanistischen Tradition zu drücken gesucht und gesagt, Katholiken und Juden hätten es leichter. Aber so steht es.« (An Wilhelm Herzog, Briefe II).

19. August 1943

Niederschrift des Vortrags ›The War and the Future‹ (Washington: U. S. Government Printing Office 1944). »Einige Tage lang habe ich mir Notizen gemacht und diktiere nun meiner Frau ins Stenogramm. Vielfach äußere ich erschreckend ›linkse‹ Dinge, hoffe es aber durch das Darüberstreuen von ziemlich viel konservativem und tradionalischem Puderzucker vor skandalöser Wirkung zu schützen.« (An Konrad Kellen – T. M.s Sekretär von 1941 bis 1943, jetzt zum Heer eingezogen – Briefe II).

Golo Mann wird zum Basic Training einberufen.

27. August 1943

Der Vortrag ist beendet: »Nun ist das Ding zur Abschrift bereit und muß dann übersetzt werden. Zu lang ist es unbedingt für eine Stunde, aber ich habe es absichtlich so gemacht, damit mehrere angekündigte Titel darauf passen und ich es sozusagen à deux mains gebrauchen, einmal die eine, das andere Mal die andere Passage benutzen kann. Ein Vortrag ist es kaum zu nennen, mehr eine höhere Plauderei stellt es vor, über Deutschland, Wagner, Europa, den kommenden Humanismus, über die Ähnlichkeit unseres Schreckens vor sozialen Veränderungen mit dem immer wiederkehrenden Sichsträuben des Ohres gegen den musikalischen Fortschritt – und anderes mehr.« (An Agnes E. Meyer, Briefe II).

Abendgesellschaft bei Arnold Schönberg in Brentwood, Gespräche mit dem Komponisten über romantische Musik und Wagner.

28. August 1943
Bei Werfels mit Igor Strawinsky zusammen: »Wie ich meinen Adrian eigentlich musikalisch unterbringen soll, weiß ich komischer Weise immer noch nicht recht.« (An Agnes E. Meyer, Briefe II).

13. September 1943
Vortrag vor der jüdischen Frauen-Organisation ›Hadassah‹ im Wilshire Ebell-Theater, Los Angeles: ›The Problem of Humanity in our Time‹ (nicht veröffentlicht). Buffet-Dinner bei Arnold Schönberg zu dessen 69. Geburtstag mit vielen Gästen, unter ihnen Prof. Gustave Arlt, University of California, Los Angeles, Otto Klemperer, Frau Else Heims-Reinhardt.

September 1943
»Es war auch damals, daß Verkehr und Austausch mit Arthur Rubinstein und seinem Haus sich anbahnten ... Ein umjubeltes und umworbenes Talent, das mit Schwierigkeiten nur spielt, eine blühende Häuslichkeit, unerschütterliche Gesundheit, Geld nach Belieben ... alles kommt zusammen, ihn zu einem der glücklichsten Menschen zu machen, denen ich begegnet bin.« (›Die Entstehung des Doktor Faustus‹).

Um den 20. September 1943
Das VIII. Kapitel, die Kretzschmar-Vorträge, wird vorläufig abgeschlossen, ohne daß T. M. endgültig mit seiner Fassung zufrieden ist; das IX. Kapitel begonnen.

Ende September 1943
Besuch Adornos bei T. M.: bespricht das VIII. Kapitel mit ihm.

Anfang Oktober 1943
T. M. bei Adorno: »Dann spielte mir Adorno, während ich zuschauend bei ihm am Flügel stand, die Sonate opus 111 vollständig und auf höchst instruktive Art. Ich war nie aufmerksamer gewesen, stand am nächsten Morgen früh auf und widmete drei Tage einer eingreifenden Um- und Ausarbeitung des Sonatenvortrags ...« (›Die Entstehung des Doktor Faustus‹).

3. Oktober 1943
Ansprache auf der Veranstaltung ›Writers in Exile‹ im Education Building der Westwood University, weitere Ansprachen von Lion Feuchtwanger, Prof. Gustave Arlt und anderen.

9. Oktober–8. Dezember 1943
Vortragsreise in den Osten der Vereinigten Staaten und nach Kanada.

9. Oktober

Aufbruch von Los Angeles. »Ich trennte mich nicht von dem noch schmalen Manuskript [des ›Doktor Faustus‹], es begleitete mich in einer auch das Vortragsmaterial bergenden und nie einem ›Porter‹ überlassenen Mappe.« (›Die Entstehung des Doktor Faustus‹).

12. Oktober

Washington. »In Washington wohnten wir, wie immer, bei unseren ältesten amerikanischen Freunden und Gönnern, Eugene und Agnes Meyer ... Die Nachricht vom Übertritt Italiens auf die Seite der Alliierten, seiner Kriegserklärung an Deutschland erreichte uns dort.«

13. Oktober

Vortrag im Coolidge-Auditorium der ›Library of Congress‹, eingeführt von Librarian Archibald McLeish: ›The War and the Future‹.

15.–16. Oktober

New York; derselbe Vortrag im Hunter College unter dem Titel ›On New Humanism‹. »Das Gedränge war groß. Viele Hunderte hatten zurückgewiesen werden müssen, und die lautlose Aufmerksamkeit derer, die meiner fünfviertelstündigen Lesung zuhörten, hatte, wie so oft, etwas Überwältigendes für mich.« (›Die Entstehung des Doktor Faustus‹).

17. Oktober (Sonntag)

Boston; Mittagessen mit John Eastman Jr., einem Sammler von T. Manniana; derselbe Vortrag unter dem Titel ›The Order of the Day‹, eingeführt von Prof. Gaetano Salvemini, Harvard University.

18. Oktober

Manchester, N. H. ›The New Humanism‹. »... zur Aushilfe verkaufen die Agenten einen an Orte, wo man mit dem Seinen nichts zu suchen hat und die befremdlichste Figur macht. So war es in Manchester, einer kleinen Industriestadt, wo eine Art provinzieller Volksversammlung mit dem guten Zweck einer Geldsammlung zur Nothilfe in kriegsleidenden Ländern abgehalten wurde. Das Ganze spielte sich bei offenen Türen, im Kommen und Gehen der Menge, unter viel Blechmusik, anfeuernden Reden und populären Späßen ab, und mein Vortrag, gründlich fehl am Ort wie er war, bildete den Schluß des bunten Programms. In aller Eile strich ich ihn auf eine halbe Stunde, im Reden auf zwanzig Minuten zusammen ... Am Schluß versicherte mir der Chairman, es sei sehr amüsant gewesen, und das fand ich auch.« (›Die Entstehung des Doktor Faustus‹).

22. Oktober

New Bedford. ›The New Humanism‹. Unterkunft in Boston, Hotel ›The Copley Plaza‹.

22.–27. Oktober

Weiterreise nach Kanada.

25. Oktober

Montreal; zweimal Vorträge über ›The New Humanism‹, einen vor dem ›Canadian Women's Club‹. »In Montreal mußte Polizei aufgeboten werden, weil die nicht mehr aufzunehmende Menge nicht weichen wollte und die Türen einzudrücken drohte ... Ich frage mich jedesmal: Was erwarten diese Menschen. Ich bin doch nicht Caruso! Werden sie nicht völlig enttäuscht sein? Aber sie sind es nicht. Sie versichern, das sei das Großartigste, was sie je gehört hätten ... Also muß wohl alles so sein.« (An Agnes E. Meyer, Briefe II).

30. Oktober

New York, ›The Bedford Hotel‹. Radiosendung nach Deutschland im BBC-Office, New York.

Tod Max Reinhardts. »Ich konnte wegen heftiger Erkältung an der New Yorker Trauerfeier nicht teilnehmen ...« (›Die Entstehung des Doktor Faustus‹).

T. M. lehnt Mitwirkung und Teilnahme an der ›Free Germany‹-Bewegung in Amerika ab, die unter anderem von dem Theologen Reinhold Niebuhr und von Bert Brecht gefördert wird. Er fährt in deren Auftrag nach Washington, um in einem Gespräch mit Unterstaatssekretär Berle festzustellen, daß die Regierung der Vereinigten Staaten eine solche Bewegung nicht unterstützen bzw. eine deutsche Regierung im Exil nicht anerkennen würde. »Mit gemischten Gefühlen – denn bei allem Respekt vor den Bestrebungen meiner Landsleute war dies Ergebnis mir eine persönliche Erleichterung – berichtete ich bei erneuter Zusammenkunft den Herren von dem Mißerfolg meiner Reise.« (›Die Entstehung des Doktor Faustus‹).

Theater- und Konzertbesuche: ›Othello‹ von Verdi mit Paul Robeson; Matinee des Busch-Quartetts in der Town Hall mit Beethovens Streichquartett, Op. 132, »diesem höchsten Werk, das ich, wie durch Fügung, in den Jahren des ›Faustus‹ ein übers andere Mal, gewiß fünfmal, zu hören bekommen habe.« (›Die Entstehung des Doktor Faustus‹).

7. November
Vortrag in Chicago, Hotel Drake, vor dem National Council of Jewish Women ›On New Humanism‹.
9. November
Boston.
11. November
Lewiston, Maine.
16. November
New York; Vortrag in der Columbia University: ›The War and the Future‹. »Tausend Menschen haben mir zugehört, aber, grundsonderbar und wohl auch echt deutsch, nicht ein einziger der Herren, mit denen ich damals versuchsweise über die Einigung der deutschen Hitlergegner im Exil zu beraten hatte, war darunter. Man hätte meinen sollen, daß wenigstens der Eine oder der Andere von ihnen sich für die öffentlich vorgetragenen politischen Gedanken eines Mannes interessieren würde, den sie für berufen halten, sogar für allein berufen halten, jene Einigung zustande zu bringen.« (An Bert Brecht, Briefe II).
Vorbereitung einer Rede zum 70. Geburtstag Alvin Johnsons, des Präsidenten der ›New School for Social Research‹.
Vorführung der ›osmotischen Gewächse‹, zu denen ihm Schwager Peter Pringsheim in Chicago Wasserglas-Lösung und Kristalle geschenkt hatte. »... als ich dann eines Abends in unserem New Yorker Hotel, nach einem Souper bei Voisin, vor einer Gruppe von Intimen, zu der die liebe Annette Kolb, Martin Gumpert, Fritz Landshoff und unsere Erika gehörten, die ersten Kapitel von ›Doktor Faustus‹ vorgelesen hatte, wagten wir mit humoristischem Schaudern das pseudo-biologische Experiment und sahen wirklich durch die schleimige Flut die farbigen Sprießereien aufsteigen, deren Melancholie von Jonathan Leverkühn so sinnig empfunden worden war ...« (›Die Entstehung des Doktor Faustus‹).
27. November
Daylesford bei Philadelphia; Vortrag zum 70. Geburtstag Alvin Johnsons und gleichzeitig zu dem 25jährigen Bestehen der ›New School for Social Research‹: ›Alvin Johnson – World Citizen‹ (In ›Alvin Johnson‹, ed. by New School for Social Research, New York 1943). »Die Veranstaltung, von Anfang bis Ende, hätte nicht besser gelingen, nicht harmonischer verlaufen können, und das ist in erster Linie Ihrer vorzüglichen Regie und Ihrer umsichtigen Gewandtheit als Gastgeberin zu danken.« (An Caroline Newton, Briefe II).

30. November
Cincinnati, Ohio; Vortrag in der Universität ›The War and the Future‹.
St. Louis, Missouri.
4.–5. Dezember
Kansas City, ›Hotel Muehlebach‹; im Hause des Universitäts-Präsidenten Clarence R. Decker Zusammentreffen mit Klaus Mann, der im Begriff ist, »nach den europäischen Kriegsschauplätzen zu gehen«, und mit Erika, die von einer Vortragsreise aus Dallas, Texas, kommt, »auch sie zur Rückkehr nach Europa entschlossen, um ihre Tätigkeit als Kriegskorrespondentin wieder aufzunehmen«. »Wir begingen ein letztes Zusammensein mit diesen lieben Kindern vor einem Abschied für mutmaßlich lange Zeit.« (›Die Entstehung des Doktor Faustus‹).
5. Dezember
Rückreise im ›Pony-Expreß‹ – zwei Tage und drei Nächte – nach Los Angeles.
8. Dezember
Ankunft in Pacific Palisades.
Dezember 1943
›Joseph, der Ernährer‹ erscheint (Stockholm: Bermann Fischer 1943, 1.–5. Tsd.).
15. Dezember 1943
Max-Reinhardt-Gedenkfeier im Wilshire Ebell Theater, Los Angeles, mit Gedenkrede T. M.s: ». . . ich kannte ihn früh; die in sich geschlossene ruhige Männlichkeit seines Wesens, die besonnene und plastische Sprechweise, seine klug lauschende Art, kurzum seine Persönlichkeit imponierte mir, wie sie jedem imponierte, der in den Bereich ihres eigentümlichen Magnetismus kam; und ihn am Werke zu sehen, auf Proben etwa in Berlin, zu denen er mich, ich weiß nicht warum, zuließ, auch wenn sie besonders streng gegen Neugierige gesperrt waren, gehörte zu den interessantesten Erfahrungen meines Lebens.« (›Gedenkrede auf Max Reinhardt‹, in ›Altes und Neues‹, Frankfurt am Main: S. Fischer 1953).
Weihnachten 1943
»Wir hatten uns schon an den Gedanken gewöhnt, den gestrigen Abend unter vier Augen zu verbringen, denn ohne Kinder und Kindeskinder wollten wir auch mehr oder weniger gute Freunde nicht bei uns sehen. Aber Golo hatte Urlaub bekommen und traf schon mittags ein. Vier Tage war er, in der Coach, gereist, um

vier Tage bei uns zu sein. Vielleicht ist er das Aller-anhänglichste der Kinder, obgleich sie alle starke ›rückwärtige Bindungen‹ haben.« (An Agnes E. Meyer, Briefe II).

Ende Dezember 1943

Neue Umgestaltung am VIII. Kapitel, am IX. weitergeschrieben: »An dem Roman hatte ich manches umzuformen und schreibe langsam weiter, – viel langsamer, als die ersten hundert Seiten im Neuigkeitsrausch vonstatten gingen.« (An Agnes E. Meyer, Briefe II).

5. Januar 1944

T. M. und Frau Katja legen die Einbürgerungsprüfung zur Erlangung der amerikanischen Staatsangehörigkeit in Los Angeles ab; Zeugen sind Prof. Max Horkheimer und Frau. »Aber mit unserer Examination war es doch auch kein Spaß, besonders mit meiner nicht, da ich, im Gegensatz zu Katja, nichts gelernt hatte. Mit der Staatsform, der Constitution und den Regierungs-Ressorts wußte ich so ziemlich Bescheid, als aber die prüfende Dame auf die Verwaltung und Gesetzgebung der Einzelstaaten und Städte zu sprechen kam, hatte ich keine Ahnung mehr und konnte nur großes Erstaunen über die Eigenmächtigkeit dieser Kommunen an den Tag legen – da ich doch irgend etwas an den Tag legen mußte.« (An Agnes E. Meyer, Briefe II).

Klaus Mann in Italien, Erika von ihrer Reise durch den Vorderen Orient zurück; auf Vortragstournee durch die USA als des Agenten Colston Leighs ›big horse‹.

Januar 1944

›Doktor Faustus‹: »Meine Sorgen gelten Adrian Leverkühn und dem Problem, wie man die musikalischen Exaktheiten, die sich aufdrängen, *readable* macht. Es handelt sich um solche Dinge wie die Polyphonie in der modernen, wesentlich homophonen harmonischen Instrumental-Musik, wie z. B. bei Brahms und schon bei Bach ... Mit solchen Problemen gibt Adrian sich schon in Prima ab.« (An Agnes E. Meyer, Briefe II).

16. Februar 1944

»Der junge Adept hat jetzt vorläufig mit der Musik gebrochen und studiert in Halle Theologie – ein weites, sonderbares Feld.« (An Agnes E. Meyer, Briefe II).

Glückwunsch zu Bruno Walters fünfzigjährigem Dirigentenjubiläum (›Mission of Music, Tribute to Bruno Walter‹, in ›New York Times Magazine‹, 19. März 1944).

Anfang März 1944
Das XIII. Kapitel mit dem Schleppfuß-Kolleg und der Hexen-Novelle ist abgeschlossen.
6. März 1944
Domenica Borgese geboren, das vierte Enkelkind.
Hermann Hesses Roman ›Das Glasperlenspiel‹ trifft ein, von dem T. M. bereits die Einleitung kennt: »Des Ganzen nun ansichtig, war ich fast erschrocken über seine Verwandtschaft mit dem, was mich so dringlich beschäftigte. Dieselbe Idee der fingierten Biographie – mit den Einschlägen von Parodie, die diese Form mit sich bringt. Dieselbe Verbindung mit der Musik. Kultur- und Epochenkritik ebenfalls, wenn auch mehr träumerische Kultur-Utopie und -Philosophie als kritischer Leidensausbruch und Feststellung unserer Tragödie.« (›Die Entstehung des Doktor Faustus‹).
Um den 22. März–5. April 1944
Besuch bei den Borgeses in Chicago. »Der Besuch galt Medi und dem neuen Enkelkind Domenica ... Wir hatten Schneesturm, Hagel, Wintergewitter, mörderische Winde dort, und ich bin froh, mit heiler Haut, bis auf den obligaten Schnupfen, den die Sonne hier bald kurieren wird, wieder zu Hause zu sein. Von jüngeren Genossen macht einer nach dem anderen schlapp, – Werfel, Lubitsch, Speyer, Schoenberg: alles schwere Herzgeschichten; und jetzt in unserer Abwesenheit wäre Bruno Frank beinahe an einer Coronar-Thrombose gestorben ...« (An A. Kolb, Briefe II).
April 1944
Handgeschriebener Glückwunsch zu Lion Feuchtwangers 60. Geburtstag am 7. Juli, der von der Redaktion des ›Aufbau‹, New York, überreicht werden soll: »Lassen Sie michs kurz und herzlich machen! ... Es wird Ihrer Beobachtung kaum entgangen sein, daß ich Sie gern habe und mit Vorliebe Ihr Gespräch suche, wenn wir in Gesellschaft zusammen sind. Das erklärt sich leicht. Sie sind ein lieber, heiter mitteilsamer, ein – verzeihen Sie das Wort – treuherziger Mann, dessen gut münchnerische Rede Behagen schafft; Sie sind zudem ein kenntnisreicher, erfahrener Mann, von dem man etwas lernen kann; und hinter Ihrer menschlichen Persönlichkeit steht ein vielfältiges, energisches, historisch wohlunterrichtetes und in der Kritik unserer eigenen Epoche klar- und scharfsichtiges Werk, ein glückhaftes Werk, das seit seinen Anfängen schon die verbreitetste Anteilnahme ... gewann.« (An Lion Feuchtwanger, Briefe II).

Mitte April 1944

Das XIV. Kapitel abgeschlossen und das XV. in zehn Tagen niedergeschrieben: »Es bringt den Briefwechsel zwischen Adrian und Kretzschmar und, in Adrians Schreiben, die undeklarierte Nachbildung des dritten Meistersinger-Vorspiels, an der ich Freude hatte.« (›Die Entstehung des Doktor Faustus‹).

Mai/Juni 1944

»Die Arbeit am Roman hatte jetzt, ungeachtet mancher schweren Stunde, mancher Niedergeschlagenheit durch das ›Bewußtsein falschen Schreibens‹, etwas von dem Impetus des ersten Anlaufs zurückgewonnen. Lag es daran, daß ›meine Jahreszeit‹, der Mai und Juni, die Zeit meiner Geburt, da war, wo meine Lebenskräfte zu wachsen pflegen? Das XVI. Kapitel mit Adrians Brief aus Leipzig, der Nietzsches Kölner Bordell-Abenteuer ›montiert‹, und das XVII., die Analyse dieses Briefes durch den sorgenden Empfänger, folgten rasch aufeinander. Ich hatte mich dem hemmenden Motiv-Geschling der expositionellen Teile des Buches entwunden und sah offene Handlung vor mir ...« (›Die Entstehung des Doktor Faustus‹).

Ende Mai 1944

T. M. lehnt es ab, das Manifest des ›Council for Democratic Germany‹ zu unterzeichnen und öffentlich Stellung dazu zu nehmen; statt dessen veröffentlicht er die Radiosendung nach Deutschland vom 1. Mai 1944 (›Plain Words to the German People‹, in ›Rotarian‹, Chicago, Oktober 1944; ›What is German?‹, in ›Atlantic Monthly‹, New York, Mai 1944): »... will ich mein jüngst über BBC gesandtes Broadcast nach Deutschland im Original veröffentlichen, das insofern mit dem Manifest des Council zu tun hat, als es sich gegen das Schlagwort von der bevorstehenden Versklavung des deutschen Volkes richtet, das ganz danach angetan ist, die neue Parole für die nationalistische Revanche zu werden und die Rolle zu spielen, die nach 1918 die Wörter ›Dolchstoß‹ und ›Schandfrieden‹ gespielt haben.« (An Clifton Fadiman, Briefe II).

6. Juni 1944

D-Day: Die Landung der Briten und Amerikaner in der Normandie. »Am 6. Juni, meinem neunundsechzigsten Geburtstag, rief morgens, bevor ich noch einen Blick in die Blätter getan, aus Washington Agnes Meyer mich an, um mit ihrem Glückwunsch die Nachricht zu verbinden, daß die *Invasion Frankreichs* in der Normandie begonnen habe. Sie war im Besitz direkter und befriedigender Nachrichten aus dem Kriegsministerium. Die Bewegung war groß, und zurückblickend auf die Abenteuer dieser elf Jahre ließ ich es mir nicht nehmen, eine sinnvolle Fügung, eine der ›Stimmigkeiten‹ meines Lebens darin zu sehen, daß das ersehnte, kaum für möglich gehaltene Ereignis auf diesen Tag, meinen Tag, fiel. Natürlich stand der Gedanke daran, die Sorge um einen glücklichen Fortgang der Aktion im Hintergrund aller festlichen Freundlichkeiten, die der Tag mir brachte.« (›Die Entstehung des Doktor Faustus‹). »Wir waren ohne Kinder und Enkel an dem Tag und hatten nur einige gute Freunde [Werfels und Franks] zum Abendessen.« (An Caroline Newton, Briefe II).

Juni 1944

Erkrankt an einer »Magen- und Darm-flu, die jetzt hier umgeht.« – Trotzdem Weiterarbeit am ›Doktor Faustus‹: »Ich habe *während meiner Krankheit* etwas Gutes geschrieben: Das Verhältnis Adrians zu der Prostituierten, bei der er sich, obgleich gewarnt von ihr, die Krankheit holt, worauf zwei Ärzte, an die er sich wendet, vom Teufel beseitigt werden. Es ist sehr packend und geheimnisvoll. Br. Frank fand das großartig. Das Anfangsmotiv der tropischen Schmetterlinge (›Hetaera Esmeralda‹) tritt dabei wieder auf.« (An Agnes E. Meyer, Briefe II).

23. Juni 1944

Verleihung der amerikanischen Staatsbürgerschaft nach der Eidesleistung in Los Angeles. »So waren wir amerikanische ›citizens‹, und ich denke gern . . ., daß ich es noch unter Roosevelt, in *seinem* Amerika geworden bin.« (›Die Entstehung des Doktor Faustus‹).

1. Juli 1944

›Joseph, the Provider‹ wird zum Monatsband des ›Book of the Month-Club‹ gewählt, was ihm eine große Verbreitung sichert. T. M.s Goldenes Schriftsteller-Jubiläum: »Die Chicago Sun, unheimlich informiert, wußte sogar zu melden, daß ich zugleich mit dem Erscheinen des Provider mein Golden Anniversary als Autor begehe, denn es seien gerade 50 Jahre, daß in der Leipziger ›Gesellschaft‹ meine erste Novelle erschien. Das wäre mir wirklich entgangen, aber es stimmt.« (An Agnes E. Meyer, Briefe II).

Juli 1944

Am XX. Kapitel: »Im Roman war das Porträt Rüdiger Schildknapps an der Tagesordnung, ein künstlerisch gelungenes Stück, dessen menschliche Gewagtheit – denn um ein Porträt handelte es sich allerdings, und zwar um ein stilisiertes, dessen Lebendigkeit von der des Modells recht verschieden ist – damals überhaupt mein Bewußtsein nicht berührte. Dazu war Europa, war Deutsch-

land und was dort lebte – oder nicht mehr lebte – zu tief und weit abgetrennt, versunken, zu sehr Vergangenheit und Traum geworden ...« (›Die Entstehung des Doktor Faustus‹).
Polemik mit Prof. Henri Peyre von der Yale University, der T. M. vorwirft, in dem Essay ›What is German?‹ für einen »weichen Frieden« mit Deutschland plädiert zu haben: »Professor Peyre sees in it [the essay] a plea for the granting of a ›soft peace‹ to Germany. That, to be sure, is a misunderstanding. The sole purpose of my article was to identify, objectively and psychologically, certain traits of German character with which I am only too familiar and which have become disastrous for Germany and the world.« (›In My Defense‹, in ›Atlantic Monthly‹, New York, Oktober 1944).

20. Juli 1944

Das Attentat auf Hitler schlägt fehl. »Entsetzliche Nachrichten über das Anwachsen der Juden-Massaker in Europa drangen durch; Meldungen sodann über das Generalsattentat auf Hitler, den Fehlschlag der Aufstandsbewegung, die Massentötung von Armee-Offizieren, die vollständige Nazifizierung des Heeres und eine Art von Mobilisierung des Volkes, Goebbels' ›totalen Krieg‹.« (›Die Entstehung des Doktor Faustus‹).

29. Juli 1944

Brief an Präsident Beneš, in dem T. M. um Verständnis für den Verzicht auf die tschechische Staatsangehörigkeit wegen der Annahme der amerikanischen bittet. »Ich erhielt liebenswürdigste Antwort.« (›Die Entstehung des Doktor Faustus‹).
Besuch von Ernst Křenek und Frau: »Die Sommerwochen ... brachten uns einen mir wichtigen Besuch: Ernst Křenek war bei uns mit seiner Frau, und ich konnte ihm danken für ›Music Here and Now‹, konnte auch, auf einem Spaziergang zu zweien unter den ägyptischen Palmensäulen der Ocean Avenue, und nachher bei uns, viel Lehrreiches über die Schicksale der Musik in den letzten vierzig Jahren, ihren gegenwärtigen Stand, das Verhältnis des Publikums und der unterschiedlichen Solisten- und Dirigententypen zu ihren neuen Formen von ihm erfahren.« (›Die Entstehung des Doktor Faustus‹).

August 1944

T. M. wird von William Earl Singer porträtiert.
Besuch der Familie Michael Mann aus San Francisco und des Bruders von Frau Katja, Prof. Peter Pringsheim, aus Chicago. »Michael hat uns viel Musik ins Haus gebracht, was mir persön-

lich sehr zu Paß kam. Wiederholt hatten wir Streichquartett mit Gästen dazu und einem von Katja sozusagen aus dem Boden gestampften Buffetdinner, mit ausgezeichneten Spielern. Ich nenne Temianka und van den Burg, und Bibi konnte es auch auf der Viola recht gut. Wunderbare Dinge gab es zu hören; mir ist vor allem ein Quartett von Mozart haften geblieben, eines von den sechsen, die Haydn gewidmet sind und mit denen er sich, wie es scheint, besondere Mühe gegeben hat; so mußte es denn was Rechtes werden. Zum zweiten und dritten Mal schon bekam ich Opus 132 von Beethoven zu hören, ein ungeheures Werk, ungeheuer besonders in dem lyrischen Satz und dem unbeschreiblichen letzten.« (An Bruno Walter, Briefe II).

Ende August 1944

Nach Abschluß des XXII. Kapitels über die Zwölf-Ton-Musik Arbeitspause am Roman; kleinere Arbeiten: Vorwort für Bruno Franks ›Cervantes‹ (nicht veröffentlicht), ein weiteres für eine schwedische Ausgabe von Grimmelshausens ›Simplicius Simplicissimus‹ (›Företal‹, in Hans Jakob Chr. Grimmelshausen ›Den äventyrlige Simplicissimus‹, Stockholm 1944). Plan eines Vortrags für die ›Library of Congress‹ über Deutschland und die Deutschen.

Oktober 1944

Die Erzählung ›Das Gesetz‹ erscheint (Los Angeles: Pazifische Presse, 1944, 500 numerierte Exemplare).

Besuche bei Prof. Dr. Gerhard Albersheim, »einem konservativ gestimmten Musiker und Musikgelehrten«, bei dem »aufstrebende Instrumentalisten und Sänger, ›stars in the making‹, sich verschiedentlich hören ließen«, und bei dem Geiger Temianka in Los Angeles, Down-town; Begegnung mit dem Schauspieler Charles Laughton, »dem unheimlich amüsanten und hintergründigen Schauspieler«. (›Die Entstehung des Doktor Faustus‹).

Wiederaufnahme der Arbeit am Roman: Kapitel XXIII.: »Der Faustus ist augenblicklich in eine Phase des Gesellschaftsromans getreten. Er spielt jetzt in München, und ich krame in meinen gesellschaftlichen Erinnerungen an das München von 1910. Adrian paßt natürlich wenig in die Atmosphäre dieses einfältigen Capua, das dann zur ›Wiege der Bewegung‹ werden sollte.« (An Agnes E. Meyer, 11. Oktober 1944, Briefe II).

Golo Mann in London bei der American Broadcasting Section; Klaus malariakrank in einem Lazarett in Italien; Erika in Paris, Brüssel, Antwerpen, Aachen und London.

15. Oktober 1944
Glückwunsch zu Max Osborns 75. Geburtstag in Form einer Einleitung zu seinen Lebenserinnerungen ›Der bunte Spiegel‹ (Vorabdruck: ›Ein reiches Leben‹, in ›Aufbau‹, New York, 9. Februar 1945).

20. Oktober 1944
Der Titel des ›Faust‹-Romans steht nun endgültig fest: »›Doctor Faustus. Das Leben des deutschen Tonsetzers Adrian Leverkühn, erzählt von einem Freunde.‹ Das ist der Titel, wie er jetzt feststeht, und ich denke doch, er läßt nicht auf paralytischen Größenwahn schließen. Das Wort ›deutsch‹ hat sich nolens-volens eingeschlichen, als Symbol aller Traurigkeit und alles Einsamkeitselends, wovon das Buch handelt, und was es selber symbolisch macht.« (An Erich von Kahler, Briefe II).

29. Oktober 1944
T. M. hält eine Wahlrede für Franklin D. Roosevelt. »Das ›gathering‹ fand am 29. des Monats nachmittags in einem Privatgarten der ›Bel-Air‹-Villenkolonie statt. Es war von nur etwa 200 Personen besucht, die, trotz allmählich einfallender nebliger Abendkühle, auf ihren über den Rasen hin aufgeschlagenen Sesseln stundenlang aushielten, denn man hatte ›a good time‹.« (›Die Entstehung des Doktor Faustus‹).

1. November 1944
Abendgesellschaft bei Eddy Knopf mit Ernst Lubitsch, dem Grafen Ostheim und seiner amerikanischen Frau, sowie Salka Viertel: erste Anzeichen einer Grippe-Erkrankung, die ihn mehrere Tage ans Bett fesselt.

7. November 1944
Franklin D. Roosevelt wird zum vierten Mal zum Präsidenten gewählt. »Rechtzeitig zum Wahltage, dem 7. November, war ich außer Bett. Aber die Infektion, wie gewöhnlich bei mir, war schwer zu vertreiben, schwelte fort im Organismus und produzierte üble Nachspiele: eine lästige Halsentzündung, zunächst, dann heftige, vom ›Drillingsnerven‹ ausgehende Gesichts- und Schein-Zahnschmerzen, die mir böse Tage und bösere Nächte bereiteten.« (›Die Entstehung des Doktor Faustus‹).

November 1944
Zögernde Vorbereitungen des Vortrags für Washington: »Etwas über Deutschland, über Charakter und Schicksal dieses Volkes also; und unter allerlei Lektüre über deutsche Geschichte, Reformation und Dreißigjährigen Krieg, auch von Croces ›Geschichte

Europas‹, begann ich mit Notizen und Vormerkungen zu diesem Thema, ohne rechten Willen und Entschluß übrigens, damit fortzufahren.« (›Die Entstehung des Doktor Faustus‹).
Ernsthafte Erkrankung an einer Darm-Grippe mit hohem Fieber, eine Woche Bettruhe.

16. November 1944

Absage der Vortragsreise an Archibald McLeish und den Agenten Colston Leigh.

Um den 26. November 1944

Wiederaufnahme der Arbeit. »Sogar habe ich in den ersten Vormittagsstunden wieder ein wenig zu schreiben begonnen: Adrian ist nun in Italien, in Palestrina in den Sabiner Bergen, mir sehr genau bekannt; und dort, in dem steinernen Saal, den er bewohnt, soll er sein Zwiegespräch mit dem ›Engel des Giftes‹ (das ist die Bedeutung von Sammael, Samiel) haben.« (An Agnes E. Meyer, Briefe II).

Mitte Dezember 1944

Das XXV. Kapitel, das Teufelsgespräch, begonnen. »›Geschrieben am Teufelsgespräch‹ bleibt nun mehr als zwei Monate lang, über Weihnachten und ein gutes Stück ins neue Jahr hinein, der stehende Tätigkeitsbericht ...« (›Die Entstehung des Doktor Faustus‹).

Um den 18. Dezember 1944

Heinrich Manns Frau Nelly, geb. Kröger, begeht Selbstmord. »Der wiederholte Versuch der unglücklichen Frau, sich mit einer Überdosis von Schlaftabletten des Lebens zu entledigen, war diesmal gelungen. Wir begruben sie am 20. Dezember auf dem Friedhof von Santa Monica, und eine zahlreiche Trauergesellschaft bot dem Vereinsamten ihre ehrerbietige Sympathie.« (›Die Entstehung des Doktor Faustus‹).
Heinrich Mann arbeitet an dem »genialisch-phantastischen, überall und nirgends spielenden Roman« ›Empfang bei der Welt‹; seine Lebenserinnerungen ›Ein Zeitalter wird besichtigt‹ sind gerade vollendet und erscheinen in Teilen in der russischen Zeitschrift ›Internationale Literatur‹.

22. Dezember 1944

Taufe von Tonio Mann und Domenica Borgese in der Unitarian Church, Los Angeles.

24. Dezember 1944

»Wir hatten ein rechtes Kinder-Weihnachten wie es im Buche steht, denn zu den italienischen Enkeln waren noch die Schwyzerischen hinzugekommen, und so gab es 4 Paar von Lichterschein und Geschenken geblendete Augen, und der Living room ist eine Spielsachenwüste, man wird gründlich reinmachen müssen.« (An Ida Herz, Briefe II).

Ende Dezember 1944

»Das Jahr ging unter sehr gegenständlichen politischen Sorgen zu Ende. Die Rundstedt-Offensive, ein letzter keck-verzweifelter und wohlvorbereiteter Versuch der Nazimacht, das Schicksal zu wenden, war in vollem Gange und zeitigte Schreckenserfolge ... Nun, das Abenteuer versandete.« (›Die Entstehung des Doktor Faustus‹). Erika Mann aus Europa zurück.

1. Januar 1945

Wiederaufnahme der im Mai unterbrochenen Radiosendungen nach Deutschland.

6. Januar 1945

Heinrich Mann einige Wochen zu Besuch. Lesung aus der Erzählung ›Das Gesetz‹ vor einer Emigranten-Vereinigung, deren Mitglieder als Eintrittsgeld war-bonds gekauft hatten: »Das Publikum stand auf wie ein Mann bei meinem Eintritt, es hörte zu wie Kinder und stand am Ende wieder und applaudierte Minuten lang.« (An Agnes E. Meyer, Briefe II).

Mitte Januar 1945

Fortsetzung der Arbeit am Teufelsgespräch des XXV. Kapitels: »Ich hatte während jener beklommenen Tage am Laufenden fortgeschrieben und gab bei einer häuslichen Vorlesung nach Mitte Januar fast alles von dem zentralen Gespräch Geschriebene, wohl dreißig Seiten, in einem Zuge zu hören. Erika war zugegen und wußte sogleich erleichternde Kürzungen vorzuschlagen.« (›Die Entstehung des Doktor Faustus‹).

Februar 1945

Niederschrift des Aufsatzes ›The End‹ auf Wunsch der Zeitschrift ›Free World‹ (New York, März 1945). »... eine Art Nekrolog auf den National-Sozialismus, der mir, glaube ich, recht gut gelungen ist. Ich habe dazu Tagebuch-Aufzeichnungen aus dem Beginn der Emigration benutzt, die zeigen, wie die persönliche Verstörung und Beängstigung überherrscht war von dem Gefühl des Mitleids mit dem unglückseligen deutschen Volk ...« (An Agnes E. Meyer, Briefe II).

Klaus Mann arbeitet in der Redaktion der amerikanischen Soldatenzeitung ›Stars and Stripes‹.

20. Februar 1945

Das Teufels-Kapitel beendet, Unterbrechung der Arbeit am Roman: »Es war, wie notiert, am 20. Februar, daß ich, erleichtert auf jeden Fall, mit dem Gespräch zu Ende kam. Es umfaßte zweiundfünfzig Manuskriptblätter. Erst jetzt war wirklich die Hälfte des Buches, auf die Seitenzahl genau, geschrieben, der rechte Augenblick für eine Unterbrechung gekommen ...« (›Die Entstehung des Doktor Faustus‹).

21. Februar 1945

T. M. beginnt mit der Ausarbeitung des Vortrages ›Deutschland und die Deutschen‹ (In ›Die Neue Rundschau‹, Stockholm, Oktober 1945), »die die nächsten vier Wochen in Anspruch nahm«. (›Die Entstehung des Doktor Faustus‹).

7. März 1945

Plan, nach dem Erfolg des Aufsatzes ›The End‹, der auch von ›Reader's Digest‹ übernommen wird, weitere Tagebuch-Notizen aus den Jahren 1933/34 zu veröffentlichen. Vorgesehener Titel: ›Leiden an Deutschland‹.

Zwischen dem 20. und 30. März 1945

Vorbereitungen zur Fortsetzung des ›Faustus‹-Romans, »eine Zeittafel und Überschau der Ereignisse und geistigen Vorgänge von 1913 bis zum Ende bereitgestellt, Tagebuch-Aufzeichnungen vom Ausgang des ersten Weltkrieges revidiert.« (›Die Entstehung des Doktor Faustus‹).

Ende März 1945

Die deutsche Katastrophe geht ihrem Ende entgegen: »Die seit dem Rheinübergang und der Forcierung der Oder sich überstürzenden Ereignisse in Deutschland wirkten schwer zerstreuend, ohne zu erheben. ›Sieghafte Hoffnungslosigkeit‹ ist ein Ausdruck des Tagebuches, den ich als Unglauben in die Fähigkeit der Sieger deute, nach dem Kriege den Frieden zu gewinnen.« (›Die Entstehung des Doktor Faustus‹).

2. April 1945

Glückwunsch an Berthold Viertel, den österreichischen Regisseur, Lyriker und Übersetzer, zu seinem 60. Geburtstag (In ›Aufbau‹, New York, 27. April 1945).

12. April 1945

Tod von Franklin D. Roosevelt. »Wir standen verstört, in dem Gefühl, daß rings um uns her eine Welt den Atem anhielt ... Wir redigierten ein Telegramm an die Witwe des Dahingegangenen und hörten den ganzen Abend dem Lautsprecher zu, ergriffen von den Huldigungen und Trauerkundgebungen aus aller Welt.« (›Die Entstehung des Doktor Faustus‹). T. M.s Gedenkrede auf der Trauerfeier im Municipal Building von Santa Monica: ›Macht und Güte‹ (In ›Aufbau‹, New York, 20. April 1945).

22. April 1945

Tischrede auf der Gründungsfeier der von dem Philosophen Will Durant ins Leben gerufenen Interdependence-Bewegung im ›Hotel Roosevelt‹, Hollywood, in Anwesenheit Theodore Dreisers (nicht veröffentlicht).

25. April 1945

Zusammentritt der San Francisco-Konferenz und Begründung der Vereinten Nationen (UNO).

Der Artikel ›Die Lager‹ auf Wunsch des ›Office of War Information‹ nach Aufdeckung der Greuel in den deutschen Konzentrationslagern durch die amerikanischen Truppen (›Thomas Mann über die deutsche Schuld‹, später ›Die Lager‹, in ›Bayerische Landeszeitung. Nachrichtenblatt der Alliierten 6. Heeresgruppe für die deutsche Zivilbevölkerung‹, München, 18. Mai 1945).

Ende April 1945

Der Roman wird fortgesetzt: »Bei alldem, unter einem Sturz wilder Ereignisse, dem täglichen Hagel abenteuerlicher Meldungen ... hatte ich, um den Ausdruck des Tagebuchs zu gebrauchen, den Roman ›wieder geschultert‹ und schrieb – sogar ›fließend‹ – am XXVI. Kapitel, der Installierung Adrians in Pfeiffering ...« (›Die Entstehung des Doktor Faustus‹).

7. und 8. Mai 1945

Kapitulation Deutschlands.

Mai 1945

Klaus Mann als Sonderberichterstatter von ›Stars and Stripes‹ in München. Die Mannsche Villa in der Poschingerstraße, »wiederholt von Bomben getroffen, in den Umrissen erhalten, war im Inneren, das schon vorher manche Veränderung erfahren, gründlich zerstört«. (›Die Entstehung des Doktor Faustus‹).

Am XXVII. Kapitel. Adrians Komposition Keats'scher und Klopstock'scher Hymnen, »nicht ohne Zutun Adornos, dessen Interesse an dem Buch wuchs, je mehr er davon erfuhr, und der anfing, seine musikalische Einbildungskraft dafür zu mobilisieren«. (›Die Entstehung des Doktor Faustus‹). Die Anzeichen einer herannahenden ernsteren Erkrankung häufen sich: Gewichtsverlust, Erschöpfungszustände.

24. Mai–4. Juli 1945

Reise in den Osten der Vereinigten Staaten. »Ich trat sie am 24. des Monats mit der treuen Gefährtin an, deren nie wankendem Liebesbeistand mein Leben über alle Worte zu Dank verbunden ist, – nahm es auf damit im Vertrauen auf die Kraftreserven, die denn doch bei solchen Gelegenheiten frei werden, auf die Vorteile des Luftwechsels und einer ganz nach außen gerichteten Daseinsform ...« (›Die Entstehung des Doktor Faustus‹).

Besuch im Hause Borgese in Chicago. »... ich probierte bei ihnen den Deutschland-Vortrag aus, der sich noch als zu lang erwies.« Überarbeitung mit Hilfe Erika Manns im Zuge nach Washington. »... als Gäste wiederum des Hauses am Crescent Place, genossen wir schöne Ferientage.« (›Die Entstehung des Doktor Faustus‹).

29. Mai

Vortrag im Coolidge-Auditorium der ›Library of Congress‹, eingeführt von Archibald McLeish: ›Germany and the Germans‹. Anschließend Empfang im Meyerschen Haus; unter den Gästen Attorney General Francis Biddle und Frau, Antonio Borgese, Gottfried Bermann Fischer, Walter Lippman, »dem meine Ablehnung der Legende vom ›guten‹ und ›bösen‹ Deutschland, meine Erklärung, daß das böse zugleich auch das gute sei, das gute auf Irrwegen und im Untergang, sehr zugesagt hatte«. (›Die Entstehung des Doktor Faustus‹).

30. Mai

Besichtigung der ›Library of Congress‹ unter Führung des jetzigen Staatsbibliothekars Dr. Luther Evans. Dinner bei dem Kolumnisten Pearson mit Sumner Welles, der mit T. M. Pläne für die künftige Gestaltung Deutschlands erörtert. Besuch der ›National Gallery‹, geführt von dem Direktor Mr. Findley; Frühstück mit dem Schriftsteller Elmer Davis im Social Security Building.

3.–12. Juni 1945

New York, ›Hotel St. Regis‹.

6. Juni

T. M.s 70. Geburtstag wird von der gesamten freien Welt feierlich begangen. »Als meine Freundin wird es Sie freuen zu hören, daß mein Geburtstag sozusagen über die ganze Erde hin, bis nach Süd-Afrika, freundlich und ehrenvoll begangen worden ist. Überall Artikel und Veranstaltungen und von überall her Glückwünsche.« (An Agnes E. Meyer, Briefe II).

Der Bermann Fischer Verlag, Stockholm, widmet das 1. Heft der neugegründeten ›Neuen Rundschau‹ als Sonderausgabe T. M.

zum 70. Geburtstag. Über Heinrich Manns Beitrag ›Mein Bruder‹ ist T. M. besonders erfreut: »Dein Beitrag ist selbstverständlich das größte Stück in Bermanns Heft, reizend im Persönlichen, ergreifend besonders durch die Erinnerungen an Papa, an den auch ich so oft im Leben habe denken müssen, und ein wundervolles Dokument, wo es unser brüderlich-variierendes Verhältnis zum Deutschtum darstellt.« (An Heinrich Mann, Briefe II).
Karl Kerényi gibt zu diesem Anlaß seinen Briefwechsel mit T. M. heraus: ›Romandichtung und Mythologie‹.
Den Abend des Geburtstags verbringen Manns bei Bruno Walter. »Hubermann war da, nach dem Essen fanden noch einige Freunde sich ein, und die beiden Meister spielten Mozart zusammen, – ein Geburtstagsgeschenk, wie es nicht jedem geboten wird.« (›Die Entstehung des Doktor Faustus‹). Von T. M.s Kindern sind die drei Töchter anwesend: »Eri, belebend, warmherzig, hilfreich ...; poor Mönchen, welkend-lieblich, sobald geredet wurde in Tränen schwimmend; Medi-Eisenstirnchen, die es fertig gebracht hatte, ihre Kinder irgendwo unterzubringen (sie ist ohne help) und zum Tage nach New York zu kommen, überall anmutig genießend und Sympathie erregend dabei. Einmal fuhren die drei Schwestern allein in einer Droschke durch die Stadt, was noch nie vorgekommen war.« (An Klaus Mann, Briefe II).

8. Juni

Vortrag im Hunter College: ›Germany and the Germans‹.

9. Juni

Die ›Tribüne für freie deutsche Literatur und Kunst‹ feiert T. M.s Geburtstag; unter den Gästen Dean Christian Gauß aus Princeton; nach der Feier mit Paul Tillich und Heinrich Eduard Jacob beim Wein.

13.–24. Juni

Zehn Tage am Lake Mohawk, Ulster County, ›Mountain House‹, mit Frau Katja und Tochter Monika.

21. Juni

Nachricht vom Tode Bruno Franks. »Liesl [Frank] telegraphierte, im Schlafe, gegen Morgen sei er dahingegangen. Uns ist natürlich sehr weh. Fünfunddreißig Jahre gute Freundschaft, Nachbarschaft, Gemeinsamkeit! Er war ein lieber, heiterer, grundanhänglicher, von ganzem Herzen bejahender Lebensgenosse.« (An Klaus Mann, Briefe II).

24. Juni

»Ein Gedenk-Artikel für den New Yorker ›Aufbau‹ war unabweisbar gefordert.« (›Die Entstehung des Doktor Faustus‹). (›In memoriam Bruno Frank‹, in ›Aufbau‹, New York, 29. Juni 1945).

25. Juni

Testimonial-Dinner der ›Nation Associates‹ zu Ehren T. M.s im ›Waldorf-Astoria Hotel‹; Toastmaster: Robert Sherwood, Ansprachen der Herausgeberin der ›Nation‹ Freda Kirchwey, des Richters am Obersten Gerichtshof Felix Frankfurter, des ehemaligen spanischen Premierministers Juan Negrin, des Journalisten William L. Shirer, des Secretary of the Interior Harold Ickes; T. M.s Dankesworte (›Address‹, in ›Addresses in Honor of Dr. Thomas Mann ...‹, New York: The Nation Associates 1945). »Nie hätte ich dem Plan dieser Veranstaltung zugestimmt, wenn ich ihr nicht von Anfang an einen völlig überpersönlichen Sinn und Zweck hätte beilegen dürfen: den Sinn einer Kundgebung zu Ehren und zugunsten des liberalen Gedankens in Amerika, dessen klarster und vornehmster Ausdruck die Zeitschrift ist, der wir diesen Abend verdanken: Die ›Nation‹ unter der klugen, begeisterten Leitung einer typisch amerikanischen und dabei doch seltenen, außerordentlichen Frau, Freda Kirchwey.« (›Address‹).

26. Juni

T. M. liest vor einem Kreis von Freunden im ›Hotel St. Regis‹ – unter ihnen Frau Hedwig Fischer, Gottfried Bermann Fischer und Frau, Fritz Landshoff, Martin Gumpert, Kadidja Wedekind und Joachim Maaß – mehrere Kapitel aus dem ›Doktor Faustus‹ vor.

29. Juni

Chicago: »... eine wohlbestellte Feier, die der Universität und persönlich einem gütigen Freunde, James Frank, dem großen Physiker, zu danken war.« (›Die Entstehung des Doktor Faustus‹).

4. Juli

Zurück in Pacific Palisades.

14. Juli 1945

Vortrag ›Germany and the Germans‹ im Education Building der University of California in Los Angeles.

Juli 1945

Niederschrift des Dostojewski-Aufsatzes für die ›Dial-Press‹ als Einleitung zu einer amerikanischen Ausgabe seiner Erzählungen (›Dostojewski – mit Maßen‹, in ›Die Neue Rundschau‹, Stockholm, September 1946).

Um den 20. Juli 1945
Am ›Doktor Faustus‹: das XXVII. Kapitel.
6. August 1945
Die erste Atombombe auf Nagasaki: »Gerade hatte ich Kapitel XXVII mit Adrians Fahrt in die Meerestiefen und ins ›Gestirn‹ ... abgeschlossen, als sich ›der erste Angriff auf Japan mit Bomben, in denen die Kräfte des gesprengten Uran-Atoms wirksam‹, ereignete ...« (›Die Entstehung des Doktor Faustus‹).
8. August 1945
Offener Brief Walter von Molos an T. M., mit der Aufforderung, nach Deutschland zurückzukehren, veröffentlicht in mehreren deutschen Zeitungen (der ›Allgemeinen Zeitung‹, Berlin, der ›Hessischen Post‹ u. a.); T. M. wird der Brief durch das ›Office of War Information‹ mitgeteilt.
13. August 1945
Trauerfeier für Bruno Frank auf Wunsch der Witwe im Haus T. M.s. »So luden wir denn etwa zwanzig Personen, Feuchtwangers darunter und Bruno Walter, in unseren ›living-room‹ zusammen, denen ich von meinem Lesetischchen aus sagte, daß dies keine Stunde der Kopfhängerei, sondern der Freude an der glänzenden Lebensspur des abgeschiedenen Freundes sei.« (›Die Entstehung des Doktor Faustus‹). T. M. liest Bruno Franks Novelle ›Die Monduhr‹, Gedichte von ihm und Fontane'sche Altersverse vor.
August 1945
»Ich machte Kapitel XXVIII (die Verwirrungen des Barons von Riedesel) in bloßen zehn Tagen fertig und begann das folgende, die Ehe der Ines mit Helmut Institoris, zu erzählen ...« (›Die Entstehung des Doktor Faustus‹).
Musikalische Geselligkeit: bei Adorno mit Hanns Eisler, bei der »gastfreien Mrs. Wells« in Beverly Hills mit dem Pianisten Gimpel. Besuch der Kinder aus San Francisco: »Frido ist nicht mehr so idealistisch, sondern jungenhafter, aber sehr drollig, und spricht englisch mit furchtbar schweizerischem Akzent.« (An Agnes E. Meyer, Briefe II).
26. August 1945
Kammermusikalischer Abend bei T. M. »Vandenburg spielte mit amerikanischen Freunden Trios von Schubert, Mozart und Beethoven.« (›Die Entstehung des Doktor Faustus‹).
Nachricht vom Tode Franz Werfels.

29. August 1945
Teilnahme an den Bestattungsfeierlichkeiten in Beverly Hills.
7. September 1945
Nach langem Zögern Antwort an Walter von Molo: »Ich vergesse nicht, daß Sie später viel Schlimmeres durchgemacht haben, dem ich entging; aber das haben Sie nicht gekannt: das Herzasthma des Exils, die Entwurzelung, die nervösen Schrecken der Heimatlosigkeit.« (›Warum ich nicht nach Deutschland zurückgehe‹, in ›Aufbau‹, New York, 28. September 1945). »Beschämenderweise brauchte ich nicht weniger als acht Tage zur Fertigstellung der Replik ... Dann war es denn doch getan, – in humanem Geist, wie mir schien, einem Geist der Versöhnlichkeit und tröstlicher Haupterhebung zum Schluß ..., obgleich ich mir hätte vorhersagen können, daß man drüben ›von allem nur das Nein‹ vernehmen werde ...« (›Die Entstehung des Doktor Faustus‹).
Schriftsteller der sogenannten ›Inneren Emigration‹, an ihrer Spitze Frank Thieß, beginnen in Deutschland eine feindselige Kampagne gegen T. M. »Nun war über den Ofenhockern der Ofen zusammengebrochen, und sie rechneten es sich zu großem Verdienste an, ergingen sich in Beleidigungen gegen die, welche sich den Wind der Fremde hatten um die Nase wehen lassen und deren Teil so vielfach Elend und Untergang gewesen war.« (›Die Entstehung des Doktor Faustus‹).
Erika Mann als Korrespondentin in Deutschland.
September 1945
»Am XXX. dringlich fortgeschrieben ... Nachts unwohl, Frost, Erregung, Erkältung, gestörter Schlaf, Gefühl annahender Krankheit ...« (›Die Entstehung des Doktor Faustus‹).
29. September 1945
Öffentliche Bruno Frank-Gedenkfeier im Play House, Hollywood. »Der große Saal war gefüllt, ganz ›Deutschland-Kalifornien‹ versammelt ... Ich sprach zuletzt, vor dem pianistischen Abschluß, – angestrengt, erschöpft und von Herzen.« (›Die Entstehung des Doktor Faustus‹).
Oktober 1945
Verleihung des Ehrendoktorats des Hebrew Union College, Cincinnati, Ohio; die Urkunde datiert vom 8. Dezember 1945. Dank an Präsident Dr. Julian Morgenstern (›Indefatigable Vigilance‹, in ›Aufbau‹, New York, 11. Januar 1946).
Im Rahmen der ›Stockholmer Gesamtausgabe‹ erscheinen ›Buddenbrooks‹ (1166.–1170. Tausend), der Essayband ›Adel des Gei-

stes‹ und ›Ausgewählte Erzählungen‹ (›Adel des Geistes. Sechzehn Versuche zum Problem der Humanität‹, Stockholm: Bermann Fischer 1945, 1.–5. Tsd.; ›Ausgewählte Erzählungen‹, Stockholm: Bermann Fischer 1945, 1.–5. Tsd.).
Glückwunsch zu Erich von Kahlers 60. Geburtstag: »Die eigentliche Tat seines Lebens, eine durch den Bruch seiner Existenz bis dato unvollendet gebliebene Tat, ist sein grandioses, von ungeheuerem, geistig verarbeitetem historischen Wissen gespeistes Werk ›Der deutsche Charakter in der Geschichte‹, das, längst in Deutschland angelegt, ein Torso bleiben mußte, von dem aber der erste Band, ein Monument auch dieser schon, in der Schweiz erschien.« (›Erich von Kahler‹, in ›Deutsche Blätter‹, Santiago de Chile, November/Dezember 1945).

25. Oktober 1945

Der ›Faustus‹-Roman im XXXI. Kapitel: »Gut, also mit dem Roman komme ich zur Zeit wieder erfreulich vorwärts. Vom Kriegsausbruch 1914 habe ich durch das Medium des Biographen eine erinnerungsvolle Schilderung gegeben. Jetzt halte ich bei einer grotesken Opernsuite für das Marionetten-Theater, die Leverkühn komponiert, und deren Stoffe er dem alten Fabel- und Legendenbuch ›Gesta Romanorum‹ entnimmt. Es sind da Geschichten, wenigstens eine, die ich ihm am liebsten wegnähme, um selbst eine merkwürdige Novelle daraus zu machen.« (An Agnes E. Meyer, Briefe II).
Erste Erwähnung des Plans vom ›Erwählten‹.

9. November 1945

T. M. beginnt das XXXII. Kapitel: Gespräch zwischen Ines und Zeitblom; in zwanzig Tagen niedergeschrieben.

25. November 1945

Geselliger Abend bei dem Komponisten Hanns Eisler mit Charles Chaplin: »Ich habe drei Stunden lang Tränen gelacht über seine Imitationen, Szenen und Clownerien und wischte mir noch die Augen, als wir wieder in den Wagen stiegen.« (An Fritz Strich, Briefe II).

Ende November 1945

Verschlechterung des Gesundheitszustandes: Luftröhren- und Bronchialkatarrh, zu niedriger Blutdruck, Gewichtsabnahme, Konsultation eines Arztes.

Anfang Dezember 1945

»Zurück zum Roman also, ausgerüstet mit dicken roten Vitamin-Kapseln, die dreimal täglich zu schlucken mir höchst beschwerlich

war.« (›Die Entstehung des Doktor Faustus‹). Das XXXIII. Kapitel wird am 27. Dezember abgeschlossen.
Vielfache gesellschaftliche und rednerische Verpflichtungen während dieser Zeit: Vortrag über Dostojewski und Nietzsche in der Royce Hall der Universität of California, Westwood, in Gegenwart von Delegierten des russischen Konsulats; Vorwort zur Weihnachtsnummer einer Lagerzeitung für deutsche Kriegsgefangene (›Weltzivilisation‹, Lagerzeitung des deutschen Kriegsgefangenenlagers Papagos-Park, Arizona, Dezember 1945); Tischrede bei einem Dinner des ›Independent Citizens Committee‹, »einer sehr braven und nur allzu notwendigen antifaschistischen Corporation, deren Mitglied ich vor Schrecken über die Lage der Demokratie in diesem Land geworden bin«. (An Agnes E. Meyer, Briefe II).
Gelegentlicher geselliger Verkehr mit dem benachbarten Grafen Ostheim und seiner Frau. »Er war ein ›roter Prinz‹, der den Kaiser, Preußen, das Militär verabscheute und früh der Erbfolge entkleidet wurde ... Aber man merkt ihm von früher her immer noch etwas an, und er kokettiert mindestens so sehr mit seinem Hohenzollernblut wie mit seinem Liberalismus.« (An Agnes E. Meyer, Briefe II).
Weihnachten 1945
»Am Lichterabend und ein paar Tage länger werden wir wohl die Leutchen aus San Francisco bei uns haben, besonders den zauberhaften kleinen Frido, auf den ich mich freue. Sonst läßt das junge Geschlecht uns im Stich, und man kann's ihm nicht übelnehmen.« (An Agnes E. Meyer, Briefe II).
Vom Militär entlassen, bleiben Klaus Mann in Rom, »wo auch Film-Interessen ihn festhalten«, und Golo in Bad Nauheim beim amerikanischen Intelligence Service; Erika Mann Berichterstatterin beim Nürnberger Prozeß.
30. Dezember 1945
T. M. erbittet für die Darstellung des Leverkühnschen Hauptwerks ›Apocalipsis cum figuris‹ die Hilfe Adornos: »Hier will ein Werk (das ich mir als ein sehr *deutsches* Produkt, als Oratorium, mit Orchester, Chören, Soli, einem Erzähler denke) mit einiger Suggestiv-Kraft imaginiert, realisiert, gekennzeichnet sein ... Was ich brauche, sind ein paar charakterisierende, realisierende *Exaktheiten* (man kommt mit wenigen aus), die dem Leser ein plausibles, ja überzeugendes Bild geben ... Mir schwebt etwas Satanisch-Religiöses, Dämonisch-Frommes, zugleich streng-Gebundenes und verbrecherisch Wirkendes, oft die Kunst Verhöhnendes vor, auch

etwas aufs Primitiv-Elementare Zurückgreifendes (die Kretzschmar-Beissl-Erinnerung), die Takteinteilung, ja die Tonordnung Aufgebendes (Posaunenglissandi); ferner etwas praktisch kaum Exekutierbares: alte Kirchentonarten, A-capella-Chöre, die in untemperierter Stimmung gesungen werden müssen, sodaß kaum ein Ton oder Intervall auf dem Klavier überhaupt vorkommt etc.« (An Theodor W. Adorno, Briefe II). »Adorno ... versicherte aber, daß die Sache ihn angelegentlich beschäftige, daß er schon allerlei Ideen bei sich bewege und sie mir nächstens an die Hand geben werde.« (›Die Entstehung des Doktor Faustus‹).

Januar 1946

In der ersten Hälfte des Monats wiederholte Besuche bei Theodor W. Adorno »mit Notizbuch und Stift«: »Vollkommen vertraut mit den Absichten des Ganzen und denen dieses besonderen Stückes, zielte er mit seinen Anregungen und Vorschlägen genau auf das Wesentliche, nämlich: das Werk dem Vorwurf des blutigen Barbarismus sowohl wie dem des blutlosen Intellektualismus bloßzustellen.« (›Die Entstehung des Doktor Faustus‹).

Mitte Januar 1946

Niederschrift des Oratoriums in sechs Wochen, unterbrochen von anderen Arbeits-Verpflichtungen: einer Rede für ein Meeting ›In Defence of Academic Freedom‹ und einer Radio-Ansprache zu Roosevelts Geburtstag (›Über akademische Freiheit‹, in ›Gesammelte Werke in zwölf Bänden‹, Frankfurt am Main: S. Fischer 1960, Band XI; ›Radio-Ansprache zu Roosevelts 64. Geburtstag‹, nicht veröffentlicht).

2. Februar 1946

Konzert von Bronislav Hubermann in der Philharmonie, Los Angeles. »Wir scheuten nicht die lange Fahrt und hörten von dem häßlichen kleinen Hexenmeister, der soviel von der Faszinationskraft des dämonischen Fiedlers besaß, Beethoven, Bach (eine Chaconne, bei der er eigentümliche Orgelwirkungen seiner Geige abgewann), eine liebenswerte Sonate von César Franck und zigeunerhafte Zugaben. Wir waren bei ihm im Gedränge des Künstlerzimmers nachher. Er jubelte, als er uns sah.« (›Die Entstehung des Doktor Faustus‹).

5. Februar 1946

Bronislav Hubermann bei Manns zum Essen; Besprechung des Plans einer Europa-Tournee, mit dem der Brüsseler Agent Dr. Hohenberg an T. M. herangetreten ist.

6. Februar 1946

›Bericht über meinen Bruder‹ zu Heinrich Manns 75. Geburtstag (In ›Freies Deutschland‹, Mexico City, März 1946). »Er hängt aber an seiner bequemen kleinen Parterre-Wohnung, South Swall Street, von wo er zu Fuß seine Einkäufe machen kann und durch die noch der Atem der Verstorbenen weht ... Am Morgen, wenn er seinen starken Kaffee gehabt, früh sieben Uhr wohl bis Mittag, schreibt er, produziert unbeirrbar in alter Kühnheit und Selbstgewißheit, getragen von jenem Glauben an die Sendung der Literatur, den er so oft in Worten von stolzer Schönheit bekannt hat, – fördert das aktuelle Werk, indem er, immer noch mit eingetauchter Stahlfeder, Blatt auf Blatt mit seiner überaus klaren und deutlich ausgeformten Lateinschrift bedeckt, – gewiß nicht mühelos, denn das Gute ist schwer, aber doch mit der trainierten Fazilität des großen Arbeiters.« (›Bericht über meinen Bruder‹).

Februar 1946

Besuch des Photographen Karsh, der eine Serie Aufnahmen macht, »von denen einige an glücklich abgefangener ›Ähnlichkeit‹ und plastischer Lichtwirkung wirklich das Vollendetste darstellen, was ich nicht nur von eigenen Bildern, sondern überhaupt je gesehen habe«. (›Die Entstehung des Doktor Faustus‹).

Anfang März 1946

Besuch eines Rezitationsabends von Ernst Deutsch im Warner Studio, Los Angeles.

T. M. erkrankt an einer Grippe; schon vorher haben Röntgen-Aufnahmen Schatten auf der Lunge gezeigt; Beginn der schweren Lungenerkrankung. »Längst hatte ich, nur halb eingestandenermaßen, nachmittags und abends ein bißchen erhöhte Temperatur und hatte auch welche, als ich am Abend des Tages, an dem ich das Oratorium abgeschlossen, zusammen mit meinem Bruder einen Rezitationsabend besuchte, den Ernst Deutsch im Warner-Studio veranstaltete ... Ich genoß den Abend sehr, in dem etwas verfremdeten, zugleich matten und gehobenen Zustand, in den ein mäßiges Fieber versetzt. Spät kam ich zu Bette – und verließ es einige Tage nicht, da eine grippige Erkrankung, nachmittags immer 39° Fieber erzeugend, mich darin festhielt ... Ich schlief viel, auch am Tage, und las nicht wenig, hauptsächlich Nietzsche, denn der Vortrag über ihn schien nächstes Arbeitsprogramm.« (›Die Entstehung des Doktor Faustus‹).

21. März 1946
Heinrich Manns 75. Geburtstag wird in einer kleinen Abendgesellschaft gefeiert.
Dr. Frederick Rosenthal übernimmt von jetzt ab die Behandlung. Nach Hinzuziehung eines Spezialisten und nach einer Bronchoskopie wird eine Operation für notwendig gehalten; die geplante Vortragsreise wird zunächst abgesagt.
April 1946
»Der energische Fortgang der Dinge, wie sie sich nun, und zwar glücklich, entwickelten, ist allein meiner Frau zu danken, die von uns allen als einzige wußte, was sie wollte, und das Notwendige einleitete ... Sie hatte sich mit unserer Tochter Borgese in Chicago, diese sich mit der Universitätsklinik, ›Billings Hospital‹, in Verbindung gesetzt, an der einer der ersten Chirurgen Amerikas, Dr. Adams, wirkt, als Pneumotom von besonderem Ansehen ... und ehe ich mich's versah, fand ich mich vorm Hause, unter den bekümmerten Blicken unseres japanischen ›couples‹, Vattaru und Koto, auf der Bahre ausgestreckt, die in den weich und schnell gehenden Krankenwagen geschoben wurde.« (›Die Entstehung des Doktor Faustus‹).
Mitte April–28. Mai 1946
Die Lungenoperation in Chicago. Nach der Ankunft im ›Billings Hospital‹ »die fast sofort erfolgende Begrüßungsvisite der behandelnden Ärzte in corpore, an der Spitze der Operateur Dr. Adams selbst, ein Mann von schlichter Liebenswürdigkeit und Herzensgüte ...; sodann sein ›Medical Advisor‹, der Internist und Universitätsordinarius, Professor Bloch, hochgewachsen, brünett, aus Fürth bei Nürnberg gebürtig ... – und weitere weißbekittelte Entourage.« (›Die Entstehung des Doktor Faustus‹).
Erika Mann kommt mit dem Flugzeug aus Europa.
Während der Vorbereitungszeit liest T. M. Golo Manns ›Friedrich von Gentz, Geschichte eines europäischen Staatsmannes‹: »Der Gentz hat mich eine ganze Woche lang, die im Übrigen der Vorbereitung zu meiner Operation gewidmet war, beschäftigt und unterhalten. Ich muß sagen, es ist selbst in der Übersetzung ... ein vortreffliches, wohltuend gescheites, geistig originelles, faszinierendes Buch, das seinem Verfasser alle Ehre macht und ihm gewiß auch praktisch Ehre machen und Förderung bringen wird.« (An Golo Mann, Briefe II).

24. April
»Es war ein schöner Morgen, alle hatten so trefflich geschlafen, alle waren in frischer Lust und Laune tätig, voran Dr. Adams, der mit gewohnter, im Tempo genau bemessener, nie sich übereilender, aber durch die Exaktheit des Einzelgriffes dennoch zeitsparender Meisterschaft arbeitete. Zu Hilfe kam ihm eine geduldige Natur mit immer noch solidem Hintergrund ... und vereinigte sich mit entwickeltstem ärztlichen Können zu einem fast sensationellen klinischen Erfolg. Tagelang nachher soll in medizinischen Kreisen New Yorks und Chicagos von der ›most elegant operation‹ die Rede gewesen sein.« (›Die Entstehung des Doktor Faustus‹).
»Es handelte sich um einem Absceß in der Lunge, der durch Bronchoskopie festgestellt wurde und im Begriffe war, heillos auszuarten. Jetzt bin ich davon gereinigt.« (An Agnes E. Meyer, Briefe II).
Die Rekonvaleszenz verläuft ohne Komplikationen; Lektüre von Nietzsches Schriften, Gottfried Kellers ›Der grüne Heinrich‹, »der mir sonderbarer-, ja skandalöserweise bis zur Stunde so gut wie unbekannt geblieben war.« (›Die Entstehung des Doktor Faustus‹)
Auswärtiger Besuch von Gottfried Bermann Fischer, Martin Gumpert, Bruno Walter, Caroline Newton. »Und an Blumen fehlte es nie. Drohten sie einmal auszugehen, so trat Erika mit frischen Rosen herein.« (›Die Entstehung des Doktor Faustus‹).
14. Mai
»Heute war ich, bei sonnigem Wetter, zum ersten Mal wieder im Freien, noch unter Benutzung des Rollstuhls, aber ich *gehe* zwischendurch sehr ungehindert und muß mich nur hüten, durch zu rasche Bewegungen außer Atem zu geraten.« (An Frederick Rosenthal, Briefe II).
20. Mai
T. M. verläßt das Krankenhaus und zieht für einige Tage in das ›Hotel Windermere‹. Zum Abschied vom Hospital gibt er im Gesellschaftsraum eine Presse-Konferenz, auf der ihm »das Lob der Anstalt, der Ärzte und der glorreichen Taten zu singen« nicht erlaubt wird, da das Krankenhaus keine ›publicity‹ zuläßt.
25. Mai
Rückfahrt mit dem ›City of Los Angeles‹ nach Los Angeles: »Unter bequemsten Umständen, in einem ›drawing-room‹, mit privaten Mahlzeiten, vollzog sich die Rückreise.« (›Die Entstehung des Doktor Faustus‹).

28. Mai

Ankunft in Pacific Palisades. »Es war schönste Jahreszeit. Jeder Gang in den von Vattaru wohl unterhaltenen Garten, seine strahlende Blumenpracht, der Blick hinaus über Tal und Hügel auf die klar konturierte Kette der Sierra und andererseits über Palmenwipfel auf Catalina und den Ozean, all diese paradiesischen Bilder und Farben entzückten mich. Ich war glücklich, mich im Natürlichen bewährt, eine rigorose Prüfung cum laude bestanden zu haben ...« (›Die Entstehung des Doktor Faustus‹).

30. Mai 1946

Wiederaufnahme der Arbeit am ›Faustus‹-Roman: »... ich bessere, in ein Kissen gelehnt, an früheren Teilen des Romans.« (An Agnes E. Meyer, Briefe II).

6. Juni 1946

T. M.s 71. Geburtstag; Gerhart Hauptmann ist gestorben. »Meine Gedanken beschäftigen sich viel mit dem nun Verewigten, mit unseren zahlreichen Begegnungen, die gelegentlich, in Bozen und auf Hiddensee, zu einem Zusammenleben unter demselben Dache wurden, – mit dem grundeigentümlichen, skurrilen teils und teils auch immer ergreifenden, tief gewinnenden, zu Liebe und Ehrfurcht anhaltenden Erlebnis seiner Persönlichkeit.« (›Die Entstehung des Doktor Faustus‹).

Juni 1946

»Mitte Juni war noch nicht heran, als ich XXXV, das Schicksal der armen Clarissa, frei nach dem Leben, einer geschwisterlichen Wirklichkeit, zu schreiben anfing, und zwölf Tage später war es geschlossen ...« (›Die Entstehung des Doktor Faustus‹).

Besuch des Schriftstellers Richard Schweizer aus Zürich: Gespräch über die verschiedenen Fassungen des ›Grünen Heinrich‹; Schweizer schickt nachträglich aus Zürich die achtbändige, von Jonas Fränkel besorgte Ausgabe des Romans mit beiden Fassungen.

(Vorabdruck: ›Zwei Romanfragmente‹, ›Der Vater‹/›Opus 111‹, in ›Die Neue Rundschau‹, Stockholm, Juni 1946).

In Weimar wird unter »russischer Protektion« eine Reihe von Vorträgen über ›Lotte in Weimar‹ im Goethe-Haus gehalten.

Ende Juni–Mitte Juli 1946

XXXVI. Kapitel, »das die deutsche Atmosphäre der zwanziger Jahre erinnert, die sich unsichtbar haltende Freundin, ein Beispiel tiefster Diskretion, einführt und sich an der Beschreibung ihres Ringgeschenkes vergnügt.« (›Die Entstehung des Doktor Faustus‹).

Mitte Juli 1946

Vorbereitung und Niederschrift des XXXVII. Kapitels: »Die Figur des internationalen Agenten, die symbolische Szene der Versuchung der Einsamkeit durch die ›Welt‹ waren von langer Hand her vorgesehn, und die Idee, den amüsanten Versucher ganz allein reden zu lassen, unter bloßer Andeutung der Reaktionen seiner Unterredner, bildet sich beim Zusammentragen des Gesprächsmaterials gleich heraus.« (›Die Entstehung des Doktor Faustus‹).

Unterbrechung durch Niederschrift des Glückwunsches zu Bruno Walters 70. Geburtstag am 15. September (›An Bruno Walter‹, in ›Aufbau‹, New York, 13. September 1946).

Mitte August 1946

Das Fitelberg-Kapitel abgeschlossen. »... eine erfrischende Episode jedenfalls in all der Düsternis, und sehr dankbar vorzulesen, da sie etwas von der munteren Zweideutigkeit und Theaterwirksamkeit einer Riccaut-de-la-Marlinière-Szene hat.« (›Die Entstehung des Doktor Faustus‹).

Während der Arbeit am XXXVIII. Kapitel, dem »Kapitel der Violin-Sonate und der Konversation bei Bullinger über sinnliche Schönheit«, hält T. M. »Ratssitzungen« mit Erika ab, die darauf bedacht ist, den Roman von »schleppenden Längen« und »lastenden Pedanterien« zu befreien. »Schließlich, nach mancher Wiederkehr der klugen Mahnerin, waren es einige vierzig Blätter, um die sich das Manuskript erleichtert fand – und genau die rechten.« (›Die Entstehung des Doktor Faustus‹).

Besuch von Elisabeth Borgese aus Chicago mit ihren beiden Töchtern: »die Ältere ein zierliches Mittelmeer-Prinzeßchen von unterhaltender Intelligenz, die Kleinere, Domenica, dem Vater noch ähnlicher, schwarzäugig, mit dem Gesicht eines sizilianischen Bauernkindes, putzig, dabei aber von einem eigentümlichen, bei Kindern selten zu findenden Würdegefühl.« (›Die Entstehung des Doktor Faustus‹).

Besuch von Prof. Bloch und Frau aus Chicago: »er kontrollierte die Narbe, die Verwachsungen und fand mich in der befriedigendsten Verfassung.« (›Die Entstehung des Doktor Faustus‹).

Anfang September 1946

Erkrankung an einem Hautleiden – wie damals in Zürich – »ein außerordentlich quälendes, die Nächte gründlich verderbendes, juckend-entzündliches Hautleiden, das ... bis tief in den Oktober hinzog.« (›Die Entstehung des Doktor Faustus‹).

8. September 1946
Glückwunsch zu Hedwig Fischers 75. Geburtstag: »Sie gehören zum ›Bilde‹, das an Figuren und Farben ohnedies schon so viel eingebüßt hat. Viel denke ich in diesen Tagen zurück an die Zeit – rund ein halbes Jahrhundert muß es wohl her sein – als ich zuerst Ihre und Ihres Mannes Bekanntschaft machte, und als der scheue, junge Debütant von Ihnen und Ihrem glänzenden Berliner Kreis so freundlich aufgenommen wurde.« (An Hedwig Fischer, Briefe II).
13. September 1946
Das XXXVIII. Kapitel abgeschlossen. ». . . und übernächsten Tag nach dem Abschluß begann ich das folgende, das, anfangs in Zürich spielend, Marie Godeau in den nun immer romanhafter, das heißt dramatischer werdenden Roman einführt.« (›Die Entstehung des Doktor Faustus‹).
Abends zur Feier von Bruno Walters Geburtstag bei Alma Mahler-Werfel mit Prof. Gustave Arlt und Frau, Fritzi Massary und Oskar Karlweis; T. M. liest die deutsche Fassung seines Glückwunsches den Gästen vor und überreicht Bruno Walter die Handschrift in einer Kassette: »Lieber Freund, es ist sehr ärgerlich. Soeben sind wir, nach einer strengen Prüfungszeit von vierunddreißig Jahren, übereingekommen, fortan Du zueinander zu sagen, und nun muß ich Dir einen Geburtstagsbrief schreiben, in dem die schöne Neuerung gar nicht zur Geltung kommt, da man ja in diesem verdammt übercivilisierten Englisch sogar seinen Hund mit ›you‹ anredet.« (An Bruno Walter, Briefe II).
Ende September 1946
»Mit meinem Hautleiden, von dem ich noch absurde Qualen auszustehen hatte, bin ich schließlich bei einer russisch-jüdischen Ärztin namens Segetz gelandet, – es war wirklich eine Landung nach dem Sturm, die weise Frau hat mich im Lauf von 5 Besuchen völlig kuriert . . .« (An Frederick Rosenthal, Briefe II).
Ende September–26. Oktober 1946
Weiterarbeit am Roman: ». . . selbst zu ihrer schlimmsten Zeit vermochte die Plage dem Fortschreiten des Romans nichts anzuhaben . . . [ich] erzählte von Adrians Kundgebung seiner Heiratswünsche, von dem winterlichen Gesellschaftsausflug ins bayerische Gebirge, schrieb den Dialog zwischen Adrian und Schwerdtfeger in Pfeiffering (Kap. XLI), . . . fügte die der Verlobung vorausgehenden Szenen zwischen Rudi und Marie an und führte nach Mitte Oktober mit Leichtigkeit (wie leicht ist das Katastrophale!)

Kapitel XLII, den Mord in der Trambahn, zu Ende.« (›Die Entstehung des Doktor Faustus‹).

22. September 1946

Ein »Brief-Vorwort« für ›God's Village‹, den Roman von Bohuš Beneš (A Novel. London: Allen & Unwin 1947), wird in die Arbeit am Roman eingeschoben.

Gespräch mit einem Studenten einer »Vereinigung zur Propagierung des World Government Gedankens« über die »Errichtung einer Welt-Autorität zum Schutze des Friedens«. T. M. schreibt eine Botschaft über den »Frieden als höchstes Gebot«. (›Die Entstehung des Doktor Faustus‹).

Abends mit Arnold Schönberg und Frau, »bei dem er mir von seinem neuen, eben vollendeten Trio und den Lebenserfahrungen erzählte, die er in die Komposition hineingeheimnist habe«. (›Die Entstehung des Doktor Faustus‹).

Oktober 1946

Erscheinen der ersten innerdeutschen Ausgabe seit 1935 in Lizenz: ›Lotte in Weimar‹ (Berlin: Suhrkamp 1946, 1.–6. Tsd.).

›Leiden an Deutschland‹ (›Tagebuchblätter aus den Jahren 1933 bis 1934‹. Los Angeles: Pazifische Presse 1946) erscheint als Privatdruck in 500 Exemplaren in den USA.

Anfang Oktober–25. Oktober 1946

Besuch der Kinder aus San Francisco; vielfache Beschäftigung mit dem Enkel Frido: »Mehrfach beschreibt nun das Tagebuch das anmutige Kind schon in einer transfigurierenden, entrückenden und verklärenden Art, nämlich mit dem Wort ›elfenhaft‹... Seine Stunde näherte sich ...« (›Die Entstehung des Doktor Faustus‹).

26. Oktober 1946

Das XLII. Kapitel ist abgeschlossen: »... gerade hat die unselige Ines den armen Rudi in der Trambahn totgeschossen, womit der vorletzte Teil unseres schlank gekürzten Büchleins abgeschlossen ist.« (An Erika Mann, Briefe II).

28. Oktober 1946

T. M. erkundigt sich bei Dr. Frederick Rosenthal nach dem Krankheitsverlauf der Meningitis.

31. Oktober 1946

Das Kapitel der Kammermusik (XLIII) begonnen.

Anfang November 1946

Beim ersten Echo-Kapitel (XLIV): »Ich schilderte den zarten Kömmling im Elfenreiz, steigerte eine Zärtlichkeit meines eigenen

Herzens ins nicht mehr ganz Rationale, zu einer Lieblichkeit, welche die Leute heimlich an Göttliches, an ein von hoch- und weither zu Besuch Kommendes, eine Epiphanie glauben läßt ... Für Echos Abendgebete, von denen niemand weiß, woher er sie hat, benutzte ich Sprüche aus ›Freidanks Bescheidenheit‹ (13. Jahrhundert), die ich meist durch Umdichtung ihrer dritten und vierten Verse als Gebete adaptierte.« (›Die Entstehung des Doktor Faustus‹).

November 1946

Schon während der Niederschrift des Echo-Kapitels Vorbereitung des Oratoriums ›Dr. Fausti Weheklag‹, Besprechungen mit Theodor W. Adorno: »Wir gingen zu der Kantate über, für die der ›Wirkliche Geheime Rat‹, wie ich ihn in der Zuneigung des ausgedruckten Buches nannte, sich mancherlei Zuträgliches ausgedacht hatte.« (›Die Entstehung des Doktor Faustus‹).

Ende November 1946

Klaus Pringsheim, Katja Manns Zwillingsbruder, jahrelang Dirigent der Kaiserlichen Kapelle in Tokio, kommt mit seinem Sohn zu Besuch; Golo, der eine Professur für Geschichte im Pomona College übernehmen wird, und Monika aus Europa zurück.

Anfang Dezember 1946

Am zweiten Echo-Kapitel gearbeitet: »›An Echos Todeskrankheit, mit Leide‹ ... Das ›göttliche Kind‹ sollte dem, der nicht lieben durfte, dem Mann der ›Kälte‹, genommen werden, das war längst verhängt und beschlossen.« (›Die Entstehung des Doktor Faustus‹).

10. Dezember 1946

Hermann Hesse wird der Nobelpreis verliehen »... die Herren in Stockholm sind wirklich zu loben, daß sie meinen 10 Jahre alten Vorschlag endlich angenommen haben.« (An Anna Jacobson, Briefe II).

11. Dezember 1946

Die Echo-Kapitel abgeschlossen. »Gern würde ich Dir freilich auch die eben beendeten Abschnitte über Nepomuk Schneidewein und wie er ›genommen‹ wird, mitschicken. Aber bis das abgeschrieben und korrigiert ist, vergeht wohl zu viel Zeit.« (An Erika Mann, Briefe II).

13. Dezember 1946

Lesung dieser Kapitel im Familienkreise: »Gestern Abend habe ich Mielein, dem Schwägerle, seinem Söhnchen und Golo zwei Kapitel vorgelesen, wie der reizende Nepomuk Schneidewein, eine Art Ariel, nach Pfeiffering kommt und dort an der Meningitis stirbt, weil ja Adrian nichts erlaubt ist. Der Kleine, ein elfenhaft idealisierter Frido, ist gewiß das Schönste im ganzen Buch, und dann holt ihn der Teufel. Wir waren alle gar nicht weit von Tränen.« (An Elisabeth Mann-Borgese, Briefe II).

15. Dezember 1946

Anschließend Beginn der Arbeit am XLVI., dem Kantaten-Kapitel: »Ich kämpfe den Endkampf um meinen Roman. Länger als 30–40 Tage ins nächste Jahr hinein kann es nicht mehr dauern.« (An Anna Jacobson, Briefe II).

Weihnachten 1946

»Der Weihnachtsabend entbehrte der Enkelkinder diesmal; wir telephonierten mit Erika und Klaus in New York, mit den Kindern in Mill Valley, mit Frido. Die ›Neunte Symphonie‹ erklang, sehr passend zu meiner Beschäftigung, beim Abendkonzert.« (›Die Entstehung des Doktor Faustus‹).

Ende Dezember 1946

Besuch von Hermann Rauschning und Frau, politisches Gespräch über Deutschland: »Nach seiner Meinung waren die Deutschen als Volk nicht mehr möglich; was bleibe, sei der Deutsche als Individuum.« (›Die Entstehung des Doktor Faustus‹).

30. Dezember 1946

»Eben imaginiere und komponiere ich für meinen Musiker die ›Symphonische Kantate‹, mit der er vom geistigen Leben Abschied nimmt, ›Dr. Fausti Weheklag‹ (nach dem Volksbuch), ein Lied an die Trauer, da die ›Freude‹ der Neunten Symphonie offenbar nicht sein soll und ihre Verkündigung zurückgenommen werden muß.« (An Emil Preetorius, Briefe II).

31. Dezember 1946

»Golo führte uns abends den jungen Eysoldt zu, Sohn jener Gertrud Eysoldt, die in meiner Jugend als Wedekinds Lulu bei Reinhardt so unauslöschlichen Eindruck auf mich gemacht. Die jungen Leute erbaten eine Vorlesung, und ich las von Adrians Ärzten und aus seinem Gespräch mit dem Teufel.« (›Die Entstehung des Doktor Faustus‹).

1. Januar 1947

Das Kantaten-Kapitel, »noch unrichtig«, abgeschlossen. Geselliger Abend im Hause des Philosophen Dr. Weil mit Chaplins, Dieterles, Feuchtwangers, Hanns Eisler, – »mit Eisler einen jener aus Enthusiasmus und Bosheit gemischten Diskurse über Wagner, die mich so sehr amüsierten«. (›Die Entstehung des Doktor Faustus‹).

2. Januar 1947
»XLVII, das Kapitel der Versammlung und des Bekenntnisses« begonnen. »Ich brauchte siebzehn Tage für das vorletzte Kapitel – das letzte eigentlich, denn der Schluß sollte als Nachschrift gefaßt sein. Adrians Ansprache ging mir so nahe zu Herzen, wie sie mir tief vom Herzen kam, und nur die alte Gewohnheit, das Politische neben dem Dichterisch-Menschlichen hergehen zu lassen und zwischen den Sphären hin und her zu wechseln, macht mir begreiflich, daß ich dabei von Tagesereignissen Notiz nahm ...« (›Die Entstehung des Doktor Faustus‹).

Um den 25. Januar 1947
Erneuerung des Ehrendoktor-Diploms durch die Philosophische Fakultät der Universität Bonn; T. M. dankt Prof. Dr. Oertel in einem Brief vom 28. Januar: »Wenn etwas meine Freude und Genugtuung dämpfen kann, so ist es der Gedanke an den entsetzlichen Preis, der gezahlt werden mußte, ehe Ihre berühmte Hochschule in die Lage kam, den erzwungenen Schritt von damals zu widerrufen. Das arme Deutschland! Ein so wildes Auf und Ab seiner Geschichte ist wohl keinem anderen Land und Volk beschieden gewesen.« (An den Dekan der Philosophischen Fakultät der Universität Bonn, Briefe II).

29. Januar 1947
»Am 29. Januar vormittags schrieb ich die letzten Zeilen des ›Doktor Faustus‹, wie ich sie längst im Sinn getragen: Zeitbloms stilles Stoßgebet für Freund und Vaterland – und blickte über die drei Jahre und acht Monate, in denen ich unter der Spannung dieses Werkes gestanden, zurück zu dem Maimorgen mitten im Kriege, an dem ich die Feder dazu angesetzt. ›Ich bin fertig‹, sagte ich meiner Frau, als sie mich von dem gewohnten Spaziergang gegen den Ozean hinab mit dem Wagen abholte; und sie, die schon manches Fertigwerden in Treuen abgewartet und mit mir begangen hatte, – wie herzlich beglückwünschte sie mich!« (›Die Entstehung des Doktor Faustus‹). Noch eine Woche »sinnende und bessernde Beschäftigung mit dem Manuskript«.

Um den 7. Februar 1947
Die Beendigung des Romans wird im Hause Alfred Neumann gefeiert.

9. Februar 1947
Vorbereitung des Nietzsche-Essays (›Nietzsches Philosophie im Lichte unserer Erfahrung‹, in ›Die Neue Rundschau‹, Stockholm, September 1947).

17. Februar–17. März 1947
Niederschrift. »Das essayistische Nachspiel des ›Faustus‹ nahm ungefähr vier Wochen in Anspruch und war, mit seinen vierzig Manuskriptblättern, für den mündlichen Vortrag, den englischen wie den deutschen, um zwanzig Seiten zu lang. Erika leistete ein Meisterstück literarischer Regie, indem sie den Aufsatz, eben fürs Mündliche, durch hundert Aussparungen im einzelnen und unter Bewahrung des Wesentlichen, genau um die Hälfte kürzte.« (›Die Entstehung des Doktor Faustus‹).
April 1947
Glückwunsch zu Hermann Hesses 70. Geburtstag (›Für Hermann Hesse‹, in ›Neue Zürcher Zeitung‹, 2. Juni 1947).
22. April–14. September 1947
Europa-Reise in Begleitung seiner Frau und seiner Tochter Erika.
22. April
Aufbruch aus Pacific Palisades; Chicago: Besuch der Borgeses.
28.–29. April
Washington: Gast bei Eugene und Agnes E. Meyer.
29. April
Vortrag im Coolidge Auditorium der ›Library of Congress‹: ›Nietzsche's Philosophy in the Light of Contemporary Events‹.
30. April–11. Mai
New York. Nietzsche-Vortrag im Hunter College.
11. Mai
Einschiffung nach Europa auf der ›Queen Elizabeth‹.
16. Mai
Ankunft in Southampton. »Die Überfahrt auf dem Riesenschiff gestört durch seinen zu hohen Bau, der ein Rollen verursacht, das einen nicht zur Ruhe kommen läßt. Die Ankunft in Southampton mit 2000 Menschen und ihren Massen von Gepäck konfus bis zum Katastrophalen.« (An Heinrich Mann, Briefe II).
An Bord der ›Queen Elizabeth‹ gibt T. M. einem Reuter-Korrespondenten ein die deutsche Presse alarmierendes Interview: »To look at Germany today is to look at Europe as a whole. Germany has suffered during the war, but sufferings are equally endured by France, Italy, Poland, Greece and other European countries. Germans appear full of self-pity, unable to see the chaos in the neighbouring countries. Only when Europe recovers as a whole, will Germany recover ...« (Text des Reuter-Büros).
»Meine ›Interviews‹ sind z. T. verstümmelt und um ihr Gleich-

gewicht gebracht wiedergegeben worden.« (An Arnold Bauer, Briefe II).

16.–24. Mai

London, ›Savoy-Hotel‹. »Ich hatte hier die ersten Tage mit einer Magen- und Darmaffektion zu kämpfen, der zum Trotz ich alles durchführte: Interviews, Press Conferences, Receptions, Broadcasts und, unter großem Zudrang, die lecture in der London University. Der Nietzsche-Vortrag, simpel wie er ist, hat sich hier wie in Washington und New York gut bewährt.« (An Heinrich Mann, Briefe II).

20. Mai

Nietzsche-Vortrag im King's College der London University.

21. Mai

Interview im Rundfunkgebäude des BBC.

23. Mai

T. M. verfaßt eine Botschaft an das deutsche Volk, die seine Absicht begründet, Deutschland nicht zu besuchen: »Ich bin mir voll bewußt der außerordentlich schwierigen und leidensvollen Lage, in der Deutschland sich heute befindet, und nehme als Deutscher von Herzen Anteil daran. Man muß aber sagen, daß es nicht zu erwarten war, daß bloß zwei Jahre nach einer so furchtbaren Katastrophe, wie sie Deutschland erlitten hat, Deutschland schon wieder genesen sein würde. Aber ich hoffe und glaube, daß nach zwei, drei oder fünf Jahren der Horizont wieder heller sein wird und daß, dank der eingeborenen Tüchtigkeit und Lebenskraft, Deutschland an seiner Zukunft nicht zu verzweifeln braucht.« (›Botschaft an das deutsche Volk‹, in ›Frankfurter Neue Presse‹, 24. Mai 1947).

24. Mai

Flug von London nach Zürich.

28. Mai

T. M.s ›Botschaft‹ wird Anlaß einer heftigen, zum großen Teil feindseligen Presse-Kampagne in Deutschland. Manfred Hausmann zum Beispiel verdächtigt in einem Artikel in der ›Weser-Zeitung‹: ›Thomas Mann sollte schweigen‹ den Dichter, er habe sich 1933 in einem Brief um seine Rückkehr nach Deutschland bemüht.

24. Mai–21. Juni

Aufenthalt in Zürich, Hotel ›Baur au Lac‹. Zusammentreffen mit Viktor Mann und Frau an der Schweizer Grenze, beide werden nach Zürich mitgenommen: »Die Protektion eines französischen Grenz-Offiziers machte es möglich.« (An Kitty und Alfred Neumann, Briefe II).

30. Mai

Besuch der Druckerei ›Winterthur A.G.‹ in Winterthur, wo der ›Doktor Faustus‹ gedruckt wird.

3.–4. Juni

Der XIV. Internationale PEN-Kongreß in Zürich.

3. Juni

Eröffnung des Kongresses durch Begrüßungsworte des Schweizer Bundespräsidenten Etter, Begrüßungsworte des Generalsekretärs des Internationalen PEN-Clubs, Herman Ould, und Eröffnungsansprache des Präsidenten des Schweizer PEN-Clubs, Prof. Dr. Robert Faesi. Anschließend Th. M.s Vortrag ›Nietzsches Philosophie im Lichte unserer Erfahrung‹.

4. Juni

Diskussion um die Bildung einer deutschen Gruppe des PEN-Clubs. T. M. schlägt Ricarda Huch als Präsidentin vor und setzt sich für die anwesenden deutschen Schriftsteller Johannes R. Becher, Erich Kästner und Ernst Wiechert ein.

8. Juni

Lesung aus ›Doktor Faustus‹ (Das Fitelberg-Kapitel und ›Opus 111‹) im Züricher Schauspielhaus. »Eines Juni-Vormittags – und es war wie ein Traum – saß ich auf der Bühne des Zürcher Schauspielhauses, wo ich mich vor acht Jahren mit einer Vorlesung aus ›Lotte in Weimar‹ verabschiedet hatte, und führte, glücklich belebt von dem Wiedersehen mit der trauten Stadt, einem dies Wiedersehn freundlich mitbegehenden Publikum Fitelbergs Riccaut-Szene auf.« (›Die Entstehung des Doktor Faustus‹).

10. Juni

Ansprache vor Züricher Studenten mit anschließender Vorlesung im Auditorium maximum der Eidgenössischen Technischen Hochschule. »Ich glaube, daß unterhalb und oberhalb der blutigen Kämpfe und Umwälzungen dieser Zeit, in den Tiefen der Herzen und in den Höhen des Geistes, eine neue Liebe, ein neuer Glaube sich vorbereitet, ein neues Humanitätsgefühl, ja ein neuer Humanismus, der keineswegs die optimistische idyllische Liebe zum ›Menschengeschlecht‹ zu sein braucht, der das achtzehnte Jahrhundert sanfte Tränen weihte, keineswegs ein Humanismus der Naivität und Empfindsamkeit; es könnte und sollte ein männlich gewordener, ein wissender und vertiefter Humanismus sein, der, vielerfahren, durch alle neuen Erkundungen des Menschlichen hindurchgegangen ist und alles Untere und Dämonische mit hineingenommen hat in seine Ehrung des menschlichen Geheimnisses.« (›Ansprache an die Zürcher Studentenschaft‹, in ›Zürcher Student‹, Nr. 3, 1947).

Um den 12. Juni
Bern: Zweimal der Nietzsche-Vortrag. St. Gallen: Lesung aus ›Doktor Faustus‹ zugunsten des Münchener Waisenhauses.

14. Juni
Im Stadttheater Zürich die ›Götterdämmerung‹ gehört.

16. Juni
Basel: Nietzsche-Vortrag.

20. Juni–20. Juli
Erholungsaufenthalt in Flims, Graubünden, ›Waldhaus Grandhotel Surselva‹. »Hier ist es nun sehr schön und wohltuend nach all dem Saus und Braus: herrliche stille Tannenwälder mit Felsdekorationen und Schluchten wie von Doré, und der Anblick der Mauern, Zinnen und Hochmatten der umringenden Berge ist auch einmal etwas anderes nach dem ewigen Pacific.« (An Kitty und Alfred Neumann, Briefe II).

25. Juni
T. M. antwortet auf Hausmanns Angriff (›Briefe in die Nacht‹, in ›Neue Zeitung, München, 7. Juli 1947): »Warum er mir mit der sinnlosen Denunziation in den Rücken fällt, womit ich es um ihn verdient, was ich ihm zuleide getan habe, das weiß ich nicht. Ist er so zornig, weil ich heute ›nicht will‹, was ich damals ›nicht durfte‹?« Der von Hausmann erwähnte Brief T. M.s an das Reichsinnenministerium wird aufgefunden und mit T. M.s Genehmigung veröffentlicht (in ›Neue Zeitung‹, München, 8. August 1947): es ist das Gesuch um Rückgabe seines beschlagnahmten Eigentums aus dem Frühjahr 1934.

20. Juli
Rückkehr nach Zürich, Hotel ›Neues Schloß‹. Besuch Alberto Mondadoris, der im Namen seines Vaters T. M. und Frau in die Villa Meina am Lago Maggiore einlädt.

23. Juli
Fahrt nach Luzern zu einem Zusammentreffen mit Hermann Hesse und Frau im Hotel ›National‹. »Es war ein gutes Zusammensein, an das wir das ganze Jahr zurückdenken werden.« (An Hermann Hesse, Briefe II).

24.–25. Juli
»Familienbesuch aus Deutschland«.

30. Juli–2. August
Vier Tage in Meina am Lago Maggiore im Hause von T. M.s italienischem Verleger Arnoldo Mondadori: Presse-Konferenz mit italienischen und deutschen Journalisten.

3.–10. August
Wieder in Zürich, Hotel ›Baur au Lac‹. Besuch von Frans Masereel. T. M. schreibt das Vorwort zu Masereels neuem Bildband ›Jeunesse‹ (›Der Holzschneider Masereel‹, in ›Neue Zeitung‹, München, 14. März 1948).

5. August
Lesung aus ›Doktor Faustus‹ in Amriswil auf Einladung des Herausgebers der ›Internationalen Bodensee-Zeitschrift‹, Dino Larese. »In Amriswil war wohl die kleinste Gemeinde, in der ich je gelesen habe. An gebildet entgegenkommender Empfänglichkeit des Publikums, das sie stellte, kann sie es wahrhaftig mit jeder großen, berühmten Stadt und Kulturstätte aufnehmen.« (An Dino Larese, ›Internationale Bodensee-Zeitschrift‹, September 1955). Hier entsteht die Zeichnung des Uttwiler Malers Ernst E. Schlatter (Original im TMA, Zürich).

7. oder 8. August
Besuch bei Robert Faesi in seinem Landhaus Neugut oberhalb Wädenswil. Lesung des Teufelsgesprächs aus ›Doktor Faustus‹ vor einem kleinen Freundeskreis.

10. August
Flug von Zürich nach Amsterdam.

10.–18. August
Amsterdam, ›Amstel-Hotel‹. »In Amsterdam hat der Trubel mit Presse-Konferenzen, Empfängen und Vorträgen noch einmal ein bißchen von vorn angefangen.« (An Robert Faesi, Briefe).

14. August
Nietzsche-Vortrag im Kolonial-Institut Amsterdam.

18.–28. August
Erholungsaufenthalt in Nordwijk aan Zee, ›Huis ter Duin‹. T. M. verfaßt einen Nachruf auf Menno ter Braak (›In memoriam Menno ter Braak‹, in ›Het Parool‹, Amsterdam, 28. August 1947), der 1940 nach dem Einrücken der deutschen Truppen Selbstmord beging. »Es ist gut, die freien Niederlande wiederzusehen, nach dem Fall des Feindes, aber über diesem Wiedersehn, diesem glücklichen Aufenthalt liegt ein Schatten: der Gedanke an ihn, der zu

gehen beschloß, als Hitler kam, an sein tragisches Ende. Bei meinem letzten Besuch hier, 1939, war er es, unter anderen er, aber vor allem er, der mich beim Publikum einführte, und wer denn auch war legitimierter, den Mittler zu machen zwischen meiner Arbeit und den holländischen Literaturfreunden?« (›In memoriam Menno ter Braak‹).

23. August

Lesung aus ›Doktor Faustus‹ im Schauspielhaus von Den Haag.

29. August

Rückfahrt nach Amerika auf dem holländischen Dampfer ›Westerdam‹.

4. September

Auf dem Schiff schreibt T. M. einen Brief an Hans Reisiger in Stuttgart, der als Privatdruck mit dem Verbot der Veröffentlichung herausgegeben wird und eine Erklärung T. M.s zum ›Doktor Faustus‹ enthält.

8. September

Ankunft in New York.

14. September

Zurück in Pacific Palisades.

September 1947

Klaus Mann von einer Reise durch Frankreich – in Paris zu Besuch bei Jean Cocteau – zurück und wieder in New York.

T. M. bereitet mit Hilfe von Klaus Mann die Goethe-Auswahl vor (›The Permanent Goethe. Edited, Selected and with an Introduction by Thomas Mann‹. New York: The Dial Press 1948). »Ich habe nun eine vollständige Aufstellung des Inhalts, wie ich ihn wünschte, an Dial Press gesandt, nebst einem langen Begleitschreiben, worin ich auch all unsere Wissenschaft, die vorhandenen Übersetzungen betreffend, zum Besten gebe ... Vor allem handelt es sich doch darum, festzustellen, welche der in Aussicht genommenen Gedichte und Sprüche unübersetzt sind oder neu übersetzt werden müssen, damit ich mich an Auden, Spender oder Prokosch ... wegen bestimmter Aufgaben wenden kann ... Die ganze Sache wird gewiß noch viel Mühe und Kopfzerbrechen kosten, mehr, als mit 2000 $ bezahlt ist. Aber wenn ich überhaupt mitmachte, mußte ich schon das Ganze machen.« (An Klaus Mann, Briefe II).

Erika Mann, die durch die Tschechoslowakei und Polen gereist ist, kehrt nach Hause zurück.

5. Oktober 1947
Die ›Accademia dei Lincei‹, Rom, wählt T. M. zum ausländischen Mitglied der ›classe di Scienze morali, storiche e filosofiche‹.
6. Oktober–23. November 1947
Einleitung zur Goethe-Ausgabe. »Fürs erste warte ich, langsam und etwas zerstreut an einer ›Phantasie über Goethe‹ schreibend (für 1949), gespannt, wie nie zuvor, auf das Echo, die ›Wirkung‹, wenn von dergleichen die Rede sein kann, des ›Doktor Faustus‹, – der deutschen Ausgabe nämlich ...« (An Ida Herz, Briefe II).
9. Oktober 1947
Besuch des Films ›The Best Years of our Lives‹, den T. M. heftig gegen eine abwertende Kritik Agnes E. Meyers verteidigt: »... er gehört zum Vorzüglichsten, was mir auf diesem Gebiete vorgekommen, – von unübertrefflicher Natürlichkeit, grundanständig in der Gesinnung, glänzend gespielt und voll von echt amerikanischem Leben.« (An Agnes E. Meyer, Briefe II).
10. Oktober 1947
Neue Arbeitspläne: »In belebteren Stunden bewege ich allerlei Arbeitspläne: eine mittelalterliche Legenden-Novelle, die mit den ›Vertauschten Köpfen‹ und der Moses-Geschichte ›Trois contes‹ bilden könnte; den Ausbau des Felix Krull-Fragments zu einem modernen, in der Equipagenzeit spielenden Schelmen-Roman. Das Komische, das Lachen, der Humor erscheinen mir mehr und mehr als Heil der Seele ...« (An Agnes E. Meyer, Briefe II).
17. Oktober 1947
›Doktor Faustus‹ erscheint im Rahmen der ›Stockholmer Gesamtausgabe‹ (›Doktor Faustus. Das Leben des deutschen Tonsetzers Adrian Leverkühn, erzählt von einem Freunde‹, Stockholm: Bermann Fischer 1947, 1.–14. Tsd.); zur Wahrung der amerikanischen Urheberrechte wird in den USA eine mimeographische Ausgabe in einer Auflage von 50 Exemplaren hergestellt. »... die ersten Schweizer Besprechungen sind, wie Bermann mir kabelte, heraus: die früheste gleich, von Rychner, in der Zürcher ›Tat‹ soll enthusiastisch sein. Nun, an Dämpfern und Douchen wird es schon auch nicht fehlen.« (An Ida Herz, Briefe II).
10. November 1947
Glückwunsch zu Martin Gumperts 50. Geburtstag. »... erlauben Sie, daß ich dem jüngeren Freunde, dem älteren Freunde meiner Kinder, von dem auch ich immer nur Freundliches, Wohltuendes, Förderliches erfahren, und dem ich von meiner Seite immer gut war, von Herzen gratuliere und Ihnen den Ausdruck der Werthal-

tung und Sympathie erneuere, deren Zeichen an diesem Tage gewiß von vielen, vielen Seiten zu Ihnen kommen werden, – zu dem Arzt, dem Schriftsteller, dem Menschen.« (An Martin Gumpert, Briefe II).

Mitte November 1947

San Francisco, Fairmont Hotel. Nietzsche-Vortrag.

25. November 1947

»Derzeit tue ich gar nichts Rechtes, probiere innerlich dies und das (was würden Sie sagen, wenn ich das Felix Krull-Fragment zu einem richtigen Schelmenroman ausbaute, zur Unterhaltung auf meine alten Tage?) und schaue aus nach dem nun in die europäische Welt getretenen ›Doktor Faustus‹ ...« (An Hermann Hesse, Briefe II).

Dezember 1947

Vorwort zu dem Abdruck des Buddenbrook-Kapitels ›The Masters of Buddenbrooks‹ (des Schul-Kapitels) in der Anthologie ›The World's Best‹ in der ›Dial Press‹. »Es ist ein sinnvoller Zufall und vielleicht mehr als ein Zufall, also das, was man Fügung nennt, wenn ein Teil jenes melancholischen Jugendwerks, worin das Bürgerliche in Musik sich auflöst, in auszeichnendem anthologischen Rahmen wieder erscheint in dem Augenblick, wo die englisch-amerikanische Ausgabe eines von allen Schrecken der Epoche erschütterten Altersromans und späten Geschwisters der ›Buddenbrooks‹ in Druck geht ... Nach fünfzigjähriger Wanderung durch Raum und Zeit mündet mein Weg ins Heimatlich-Deutsche, Deutsch-Altstädtische, Deutsch-Musikalische wieder ein ...« (›Der ‚feste Punkt' im Menschen. Bemerkungen zu einem Kapitel aus ‚Buddenbrooks'‹, in ›Thema‹, Gauting 1949).

21. Dezember 1947

T. M. entscheidet sich für die Novelle ›Der Erwählte‹, wozu ihn die Schrift ›Urmensch und Mysterium‹ seines Freundes Karl Kerényi anregte. (Unveröff. Br. an W. Kamm, 16. 10. 1951).

Weihnachten 1947

»Jetzt kommen Kinder, Enkel, Getümmel und Feste.« (An Theodor W. Adorno, Briefe II).

31. Dezember 1947

»Ein Jahr geht zu Ende, das für mich persönlich nicht arm an Ereignissen war. Die Vollendung des ›Dr. Faustus‹, die Europa-Reise, das Erscheinen des Romans und sein Widerhall in der Schweiz, – ich blicke dankbar zurück.« (An Agnes E. Meyer, Briefe II).

Januar 1948
»Wir wollen uns dieses Jahr ruhig halten und nicht reisen. Aber im Frühling 1949, wenn wir leben und die werte Weltgeschichte es erlaubt, kommen wir wieder.« (An Robert Faesi, Briefe).

4. Januar 1948
T. M. sagt die Einladung zur Jahrhundertfeier der Paulskirche mit geplanter Ansprache beim Empfang im Palmengarten ab (›Brief an den Oberbürgermeister der Stadt Frankfurt‹, in ›Neue Zeitung‹, München, 5. Februar 1948). »Eine Einladung nach Frankfurt als Paulskirchenredner habe ich dankend abgelehnt. Über 48 könnte ich nur steif und ohne rechten Glauben reden.« (An Lavinia Mazzucchetti, unveröffentlichter Brief).

21. Januar 1948
Erste Zeilen der »Legende« ›Der Erwählte‹.

17. Februar 1948
»Jetzt lese ich viel Mittelhochdeutsch (Hartmann von Aue), mit Wörterbuch und informiere mich über die Kirchen im Rom des 9. und 10. Jahrhunderts. Ich möchte eine vielerzählte Legende des Mittelalters ›Gregorius auf dem Steine‹ in moderner Prosa noch einmal erzählen, eine Abart der Oedipus-Sage, die Erwählung eines furchtbar inzestuösen Sünders durch Gott selbst zum römischen Papst. Es ist eine fromme Groteske, bei deren Conception ich viel lachen muß, handelt aber eigentlich von der Gnade.« (An Agnes E. Meyer, 17. Februar 1948, unveröff.).

Ende Februar 1948
›Nietzsches Philosophie im Lichte unserer Erfahrung‹ erscheint (Berlin: Suhrkamp vorm. S. Fischer 1948, 1.–20. Tsd. Lizenzausgabe des Bermann Fischer Verlages Stockholm).

Ende Februar 1948
T. M. bricht sich bei einem Fall im Hause seines Freundes Max Horkheimer das linke Schlüsselbein; bald überwundene Behinderung beim Schreiben.

25. März 1948
T. M. protestiert gegen den Beschluß der Vereinigten Staaten, ihre Zustimmung zu der Errichtung eines jüdischen Staates in Palästina zurückzuziehen. »Der kleine jüdische Staat in Palästina würde eine Demokratie von Menschen gewesen sein, die willens sind zu arbeiten und sich ihre Kultur aufzubauen. Er hätte selbstverständlich die Sympathie eines Landes mit der amerikanischen Tradition finden müssen. Warum sind wir dazu verdammt, überall die

schlechte, die schmutzige Reaktion zu unterstützen, die von den Völkern gehaßt wird – in diesem Fall den Feudalismus der arabischen Ölmagnaten –, und die Demokratie zu zerstören, während wir vorgeben, sie zu verteidigen?« (›Gespenster von 1938‹, in ›Aufbau‹, New York, 26. März 1948).

März 1948

Vorrede zur amerikanischen Ausgabe des Joseph-Romans in einem Band. »Hier denn ist das Ganze zwischen zwei Deckeln, in Helen Lowe-Porters bewundernswerter Übersetzung – einer Leistung der Treue und Hingabe, die diese Frau nicht ohne Glauben an die Würde ihrer Aufgabe hätte vollbringen können. Darf ich ihn teilen, diesen Glauben? Wie wird die Nachwelt blicken auf dies Werk? Wird es ihr nur ein rasch verstaubendes Kuriosum für Archivare sein, ein leichter Raub der Vergänglichkeit? Oder wird sein Scherz noch diejenigen erheitern, die nach uns kommen, seine Rührung Spätere rühren? Wird man es gar zu großen Büchern reihen?« (›Sechzehn Jahre‹, in ›Neue Schweizer Rundschau‹, Zürich, März 1948).

April 1948

T. M. tritt aus ›The Authors' League of America‹ aus.

24. Mai 1948

»50 Seiten des Romans ›Der Erwählte‹ geschrieben.« (An Alfred Neumann, unveröffentlichter Brief).

Juni 1948

Die ›Neuen Studien‹ erscheinen, mit der Widmung in der deutschen Lizenzausgabe: »Dies kleine Buch, das in einem Jahr schmerzlich großen historischen Gedenkens erscheint, widme ich der Stadt Frankfurt am Main, in der der Geist der Paulskirche niemals erstarb und die ihn weiter in deutsche Zukunft tragen möge.« (›Neue Studien‹, Stockholm: Bermann Fischer 1948, 1.–7. Tsd. Zugleich erscheint eine Lizenzausgabe beim Suhrkamp Verlag vorm. S. Fischer in Berlin: 1.–11. Tsd.).

3. Juni 1948

Zu T. M.s 73. Geburtstag ›Fiorenza‹ in Hörspielfassung gesendet von der Sendergruppe Rot-Weiß-Rot.

6. Juni 1948

Ansprache in Hollywood an die ›Peace Group‹. »Ich muß etwas Politisches vorbereiten, eine Ansprache, die ich nächstens bei einer wichtigen Peace Konferenz halten will. Diese Bewegungen, von denen ein vernünftiger Ausgleich mit Sowjetrußland angestrebt wird und die sich gegen ein höchst unbesonnenes Spiel mit dem Kriegsgedanken hierzulande richten, muß man unterstützen.« (An Ida Herz, unveröffentlichter Brief).

Sommer 1948

Die Goethe-Auswahl ›The Permanent Goethe‹ erscheint. Die Einführung hierzu wird deutsch unter dem Titel ›Phantasie über Goethe‹ in ›Neue Studien‹ veröffentlicht.

21. Juli 1948

Unterbrechung der Arbeit am ›Erwählten‹, erste Zeilen an ›Die Entstehung des Doktor Faustus‹.

September 1948

Eine Lizenzausgabe der ›Ausgewählten Erzählungen‹ erscheint (Frankfurt am Main: S. Fischer Bibliothek Suhrkamp Verlag 1948, Lizenzausgabe des Bermann Fischer Verlages, Stockholm, 1.–30. Tsd.).

Herbst 1948

T. M. gibt einen ›Schopenhauer‹-Band heraus, eine gekürzte Fassung von ›Die Welt als Wille und Vorstellung‹ (Zürich: Werner Classen Verlag 1948). Die Einleitung: der ›Schopenhauer‹-Essay von 1938, ist ebenfalls gekürzt.

9. Oktober 1948

»Ich habe vor ein paar Wochen eine Äußerung über Strindberg geschrieben.« (An K. R. Gierow, unveröffentlichter Brief). (›Hyllning till August Strindberg‹, in ›Svenska Dagbladet‹, Stockholm, 27. Dezember 1948). »Das Erlebnis von August Strindbergs ungeheuer provozierendem, dem inneren und äußeren Umfange nach fast über Menschenmaß gehendem Werk und seiner oft grotesken, oft abstoßenden, dann wieder von hoher und rührender Schönheit umflossenen Menschlichkeit war ein unerläßliches Bildungszubehör zur Zeit meiner Jugend, und das wird nicht anders geworden sein in den sechsunddreißig Jahren seit seinem Tode.« (›August Strindberg‹).

21. Oktober 1948

Beendigung der Niederschrift ›Die Entstehung des Doktor Faustus‹ (Vorabdruck: ›Die Entstehung des Doktor Faustus‹, Kapitel I–VII, in ›Die Neue Rundschau‹, Amsterdam, Winter 1948/49). »Ich habe in letzter Zeit etwas Sonderbares geschrieben, die Vorgeschichte des Doktor Faustus in den bewegten Jahren 1943–1946, an Hand von Tagebuchaufzeichnungen, auf dem Hintergrund der Weltereignisse, mit dem klinischen Zwischenspiel und Allem. Es ist eigentlich nur etwas für Freunde, und ich weiß noch gar nicht, in welcher Form ich es veröffentlichen werde.« (An Viktor Mann, unveröffentlichter Brief).

Oktober 1948

Stiftung der im Augenblick verfügbaren Honorare aus Buchveröffentlichungen in Deutschland zur Erhaltung des Lübecker Memling-Altars und zum Wiederaufbau der Marienkirche.

November 1948

›Doctor Faustus‹ wird vom ›Book of the Month Club‹ für November ausgewählt und erscheint in einer Auflage von über 100000 Exemplaren.

Ende 1948

»Die Wintermonate 1948/49 waren vorzüglich wieder dem ›Erwählten‹ gewidmet. Daneben hatte Thomas Mann die Vorlesung zum Goethejahr (Goethe und die Demokratie) auszuarbeiten.« (Hans Wysling in ›Euphorion‹ 1963).

24. Februar 1949

T. M. wird mit großer Stimmenmehrheit zum Ehrenvorsitzenden der Bayerischen Akademie der Schönen Künste, Abteilung Schrifttum gewählt. Daraufhin Austritt Leopold Zieglers aus der Akademie als Protest gegen T.M.s Rede ›Deutschland und die Deutschen‹.

21. April 1949

Tod des Bruders Viktor Mann, Autor des Buches ›Wir waren fünf‹, in München. Er hatte die Jahre des Dritten Reiches in Deutschland miterlebt.

April 1949

Verleihung der Verdienstmedaille der amerikanischen ›Academy of Arts and Letters‹, die alle fünf Jahre an einen Schriftsteller verliehen wird.

April 1949

›Die Entstehung des Doktor Faustus‹ erscheint (Amsterdam: Bermann Fischer/Querido 1949 1.–10. Tsd.; zugleich erscheint eine Lizenzausgabe beim Suhrkamp Verlag vorm. S. Fischer in Berlin: 1.–10. Tsd).

2. Mai 1949

Vortrag im Coolidge Auditorium der ›Library of Congress‹, Washington: ›Goethe and Democracy‹.

3.–10. Mai 1949

Aufenthalt in New York, Hotel ›St. Regis‹, vor der Abreise nach

Europa. Vortrag im Hunter College über ›Goethe and Democracy‹ (›Goethe und die Demokratie‹, in ›Die Neue Rundschau‹, Amsterdam, Sommer 1949).
10. Mai
Abflug vom La Guardia Airport, New York, mit der BEA nach London. Erster Flug über den Atlantik.
11.–18. Mai
Aufenthalt in London, ›Savoy-Hotel‹, und in Oxford.
13. Mai
Ernennung zum Ehrendoktor der Universität Oxford. Da T. M. bei der allgemeinen Zeremonie der ›Honours Convocation‹ nicht anwesend sein konnte, war für ihn eine individuelle Zeremonie im ehrwürdigen Hörsaal der ›School of Divinity‹ anberaumt. Nach dem Dinner auf Einladung des Vice-Chancellor offizieller Empfang mit Vortrag T. M.s ›Goethe und die Demokratie‹ in deutscher Sprache im überfüllten Hörsaal des ›Taylorian Institute‹. Der Vortrag erscheint einige Monate später als ›Taylorian Lecture‹ deutsch in der ›Oxford University Press‹.
14. Mai
Ansprache bei einer Veranstaltung des ›PEN-Clubs Deutscher Autoren im Ausland‹, gemeinsam mit der Thomas-Mann-Gruppe in London.
16. Mai
Vortrag im ›Senate House‹ der Londoner Universität ›Goethe and Democracy‹ im Rahmen der English Goethe Society – nach Wien die älteste Goethe-Gesellschaft, gegründet 1886.
18. Mai
Rede in der ›Wiener Library‹ in London als Antwort auf die Begrüßungsansprache von L. G. Montefiore (In ›Mitteilungsblatt des PEN-Clubs Deutscher Autoren im Ausland‹, London, September 1949). »Diese Bücher sind ein Erinnerungsmittel an diese Zeit [Drittes Reich]. Man soll diese Zeit nicht vergessen, die Deutschen sind geneigt, sie zu vergessen, sie zu verdrängen. Sie wollen in Deutschland schon nichts mehr hören davon, habe ich mir sagen lassen. Es gilt für taktlos und unpatriotisch, an die Verbrechen der 12 Jahre zu erinnern. Aber die Deutschen sollten sich erinnern und sie sollten aus dieser Erinnerung den Antrieb schöpfen, das, was sie gefehlt haben, wieder gut zu machen.« (›Thomas Manns Rede in der Wiener Library‹). (Die ›Wiener Library‹ in London, gegründet von Dr. Alfred Wiener, der aus Berlin über Amsterdam nach London emigrierte, enthält alle

Literatur über, gegen und für den Nationalsozialismus und ist die bedeutendste und unerläßliche Quelle für alle Studien jener Zeit und Geschichte).

19.–31. Mai
Reise nach Schweden und Dänemark.

21. Mai
Freitod des Sohnes Klaus Mann in Cannes.

24. Mai
Vortrag im großen Börsensaal in Stockholm, veranstaltet von der Schwedischen Akademie: ›Goethe und die Demokratie‹.

25. Mai
Vortrag in der Universität Kopenhagen: ›Goethe und die Demokratie‹.

27. Mai
Verleihung der Ehrendoktorwürde der Universität Lund in der Domkirche, Überreichung eines ziselierten Ringes aus Dukatengold.

Juni
›The British Broadcasting Corporation‹ sendet die während des Londoner Aufenthaltes auf Band gesprochene Ansprache ›Goethe, the German Miracle‹ (›Goethe, das deutsche Wunder‹, in ›Der Monat‹, Berlin, August 1949).

1.–26. Juni
Aufenthalt in Zürich, Hotel ›Baur au Lac‹.

7. Juni
Festansprache zur Eröffnung der Junifestwochen im Zürcher Schauspielhaus ›Goethe und die Demokratie‹.

14. Juni
Lesung in Küsnacht aus dem ›Erwählten‹.

Juni
Vortrag in Bern ›Goethe und die Demokratie‹; Lesung in Zürich vor Studenten aus dem ›Erwählten‹.

24. Juni
Lesung, veranstaltet von der Basler Studentenschaft im Musiksaal des Stadtkasinos, Basel: aus dem ›Erwählten‹.

27. Juni–18. Juli
Erholungsaufenthalt in Vulpera/Schuls, Engadin, Hotel ›Schweizerhof‹. Niederschrift der ›Ansprache im Goethejahr 1949‹. Lektüre des Romans ›Der Atem‹ von Heinrich Mann.

19.–22. Juli
Wieder in Zürich, Hotel ›Baur au Lac‹.

23. Juli–16. August
Reise nach Deutschland. Erster Besuch nach 16 Jahren. »Die Rede ›Deutschland und die Deutschen‹, besonders aber auch der Roman vom Doktor Faustus, sollten alle Verständigen überzeugen, daß mein Herz bei Deutschland geblieben ist und daß ich am deutschen Schicksal gelitten habe wie nur einer ... Ich bin auch als amerikanischer Staatsbürger ein deutscher Schriftsteller geblieben, treu der deutschen Sprache, die ich als meine wahre Heimat betrachte.« (›Botschaft für das deutsche Volk‹, in ›Heute‹, München, Juli 1949).
Besuche in Frankfurt, Weimar und München mit Zwischenstationen in Stuttgart und Nürnberg.

14. Juli
Eintreffen in Frankfurt, empfangen am Bahnhof von Oberbürgermeister Kolb, Stadtrat Reinert und den Verlegern Gottfried Bermann Fischer und Peter Suhrkamp. Gast der Stadt Frankfurt in deren Gästehaus in Kronberg.

25. Juli
Pressekonferenz im Clubhaus der Gesellschaft für Handel, Industrie und Wissenschaften, als Abgesandter der Stadt Lübeck ist Dr. Siegfried Horstmann – Studienrat in Lübeck und damaliger Betreuer des Lübecker Thomas Mann-Archivs – anwesend.
Festvortrag in der Paulskirche zur Goethe-Feier (›Ansprache im Goethejahr‹, in ›Neue Zeitung‹, München, 26. Juli 1949), den er auf Einladung des Staatsrates der Deutschen Demokratischen Republik auch in Weimar halten wird. »Ich kenne keine Zonen. Mein Besuch gilt Deutschland selbst, Deutschland als Ganzem, und keinem Besatzungsgebiet. Wer sollte die Einheit Deutschlands gewährleisten und darstellen, wenn nicht ein unabhängiger Schriftsteller, dessen wahre Heimat, wie ich sagte, die freie, von Besatzungen unberührte Sprache ist?« (›Ansprache im Goethejahr‹).

26. Juli
Erklärung auf viele Proteste in der Bundesrepublik gegen den Besuch in Weimar, insbesondere auf die Forderung der ›Gesellschaft zur Bekämpfung der Unmenschlichkeit‹, das Lager Buchenwald zu besuchen (in ›Frankfurter Rundschau‹, 28. Juli 1949). T. M. lehnt ab, der Besuch würde seinem Wunsch, als gesamtdeutscher Dichter zu wirken, widersprechen. »Ich habe die Gründe, die mich bei dem Entschluß bestimmten, auf meiner Deutschlandreise im Goethejahr auch Weimar zu besuchen, wiederholt ...

auseinandergesetzt. Das Entscheidende ist, daß mein Besuch dem alten Vaterlande als Ganzem gilt und daß es mir unschön schiene, mich von der Bevölkerung der Ostzone fern zu halten, sie gewissermaßen links liegen zu lassen. Im Rahmen dieses Besuches Forderungen zu stellen, die die einladenden deutschen Behörden nicht erfüllen können, ist offensichtlich unmöglich, und die interpellierende Gesellschaft weiß das so gut wie ich.« (›Erklärung zu der Aufforderung der ‚Gesellschaft zur Bekämpfung der Unmenschlichkeit', Buchenwald zu besuchen‹).

27. Juli

Empfang im Prinz Karl-Palais, München, veranstaltet von der Bayerischen Akademie der Schönen Künste. Begrüßungsansprache von Ernst Penzoldt und Danksagung T. M.s.

29. Juli

Vormittags Presseempfang im Sitzungssaal des Rathauses. Offizielles Festessen der Stadt München im Rathaussaal in einem kleinen geladenen Kreis von Mitgliedern der Bayerischen Staatsregierung, Vertretern der amerikanischen Besatzungsbehörden, der Bundestagsparteien und einigen Freunden aus alter Zeit. Vortrag ›Goethe und die Demokratie‹ im großen Saal des Wirtschaftsministeriums. Nachmittags Wiederholung des Vortrages auf Einladung des Münchner Stadtrates und des Schutzverbands Deutscher Schriftsteller im Prinz Karl-Palais.

30. Juli

Weiterreise nach Weimar. T. M. wird in Bayreuth von dem Präsidenten des Kulturbundes der sowjetischen Besatzungszone Johannes R. Becher abgeholt und über die Grenze zwischen Ost und West begleitet. Unterwegs Mittagessen in Plauen/Vogtland.

1. August

Offizielles Frühstück mit General Tulpanow, dem sowjetischen Stadtkommandanten von Berlin, in Weimar. ›Ansprache im Goethejahr‹, gehalten im Nationaltheater Weimar (›Ansprache in Weimar‹, in ›Frankfurter Rundschau‹, 2. August 1949), Überreichung des Ehrenbürgerbriefes der Stadt Weimar durch Oberbürgermeister Dr. Buchterkirchen. »Eingedenk ihrer klassischen Tradition, die ins Lebendige fortzusetzen das Anliegen unserer Generation sein muß, ehrt die Stadt Weimar den berühmten Bewahrer und Mehrer Deutscher Sprache und Literatur und damit auch den würdigsten Repräsentanten des Humanismus in unserer Zeit.« (Aus der Verleihungsurkunde). Verleihung des Goethepreises in Höhe von 20000,– Ostmark, den T. M. für den

Wiederaufbau der Herderkirche in Weimar stiftet. »Es ist ein Faktum, das man nicht verkleinert, sondern dessen glückliche Bedeutsamkeit man anerkennen sollte, daß Ost- und Westdeutschland, abseits und oberhalb von allen Unterschieden ihrer staatlichen Regimente, aller ideologischen, politischen und ökonomischen Gegensätze auf kulturellem Grund sich gefunden und ihre Goethepreise in diesem besonders festlichen Jahr ein und derselben Schriftstellerpersönlichkeit zuerteilt haben.« (›Ansprache in Weimar‹).

5. August

Verleihung der Ehrenmitgliedschaft der ›Vereinigung der Verfolgten des Naziregimes‹, München. Ernennung zum Ehrenvorsitzenden des ›Schutzverbandes der Deutschen Schriftsteller‹, den vor Jahrzehnten T. M. mitbegründet hat.

6. August

Einschiffung in Le Havre auf dem Dampfer ›Nieuw Amsterdam‹ zur Überfahrt nach New York.

19. August

Ankunft in Pacific Palisades, Calif.

20. August 1949

Brief an den Oberbürgermeister der Stadt Frankfurt (in: Emrich ›Die Träger des Goethepreises der Stadt Frankfurt‹), verlesen durch Oberbürgermeister Dr. Kolb auf der Goethefeier am 28. August. »Seit 24 Stunden nach einem viermonatigen Getümmel von Abenteuern in den Frieden unseres Heims zurückgekehrt, ist es uns beiden, meiner Frau und mir, ein Herzensbedürfnis, Ihnen noch einmal für die großartig sorgsame, erquickende Gastfreundschaft zu danken, die wir in Frankfurt genossen ... Meine Erinnerung an unseren Aufenthalt in Frankfurt ist fleckenlos, keiner der Mißtöne, die Überbesorgte mir angekündigt hatten, hat ihn gestört, und Ihr Brief vom 8. d. Mts. bestätigt mir aufs Wohltuendste, daß ich mit meiner Ansprache am 25. Juli, der Sie mit Ihrer eigenen Rede so klug und gewinnend den Boden bereitet hatten, das Rechte getroffen habe. Man könnte sagen, daß es gar nicht so leicht zu treffen gewesen sei; und doch brauchte ich, um es zu tun, nur meinem Gefühl zu folgen ... wie ich denn mein Leben lang immer nur getan und gesagt habe, was mir natürlich war ...« (›Brief an den Oberbürgermeister der Stadt Frankfurt‹)

27. August 1949

Brief an den schwedischen Journalisten Paul Olberg (in ›Das Volksrecht‹, Zürich, 9. September 1949); Rechtfertigung der Reise nach Weimar.

28. August 1949
Verleihung des Goethepreises der Stadt Frankfurt in Höhe von 10000,– DM in Abwesenheit T. M.s.
Verleihung des Ehrenbürgerrechtes von Weimar.

August 1949
Die ›Ansprache im Goethejahr 1949‹ erscheint als Broschüre gleichzeitig in Frankfurt am Main und in Weimar (Frankfurt am Main: Suhrkamp, vorm. S. Fischer 1949 und Weimar: Thüringer Volksverlag GmbH 1949).

20. September 1949
Dankesbrief an den Weimarer Oberbürgermeister Dr. Buchterkirchen. »... Die einzelnen Etappen unseres Aufenthaltes, die schöne Feier im Nationaltheater, das Wiedersehn mit den Goethestätten, der Besuch im Liszt-Haus mit dem meisterhaften Vortrag von Beethovens op. 111, das an guten Reden so reiche Abschiedsbankett im Hotel, besonders dann aber die ergreifenden Huldigungen, die uns auf unserer Rückfahrt durch das Land Thüringen bereitet wurden, werden uns unvergeßlich bleiben, und immer werden wir mit Dankbarkeit daran zurückdenken.« (›Thomas Mann dankt‹, in ›Tägliche Rundschau‹, Berlin, 21. September 1949).

September 1949
Einstündiges Gespräch mit Pandit Nehru in San Francisco. »Ich habe ihm auf seinen Wunsch (wie käme ich sonst dazu) in San Francisco einen Besuch gemacht und achte die Stunde nicht für verloren, die ich mit ihm verbrachte. Ein höchst anziehender, kluger Mann.« (An Agnes E. Meyer, unveröffentlichter Brief).

10. Oktober 1949
Offizielle Gedenkrede im University-Campus von Berkeley ›Ansprache im Goethejahr‹.

14. Oktober 1949
Tod seines Münchener engen Freundes Paul Ehrenberg in Hof, bestattet in München.

Dezember 1949
Bericht über den Aufenthalt im Goethejahr in den beiden Deutschland. »Ich machte ihn [den Besuch] zum krönenden Ende meines an bunten Erlebnissen und mitteneinfallenden schmerzlichsten Erschütterungen ohnehin reichen europäischen Aufenthalts.« (›Reisebericht‹, in ›Neue Schweizer Rundschau‹, Zürich, Dezember 1949)

12. Januar 1950
Ansprache auf einer Veranstaltung des ›National Council of Arts, Science and Professions‹ in Beverly Hills. Verleihung der Ehrengabe des ›National Council‹.

12. März 1950
Tod des Bruders Heinrich Mann in Santa Monica, Kalifornien, kurz vor der beabsichtigten Rückkehr nach Berlin. »Denn die Tatsache, daß dieser nun Heimgegangene einer der größten Schriftsteller deutscher Sprache war, wird über kurz oder lang auch von dem widerstrebenden Bewußtsein der Deutschen Besitz ergreifen ... Er ruhe in Frieden, nach einem tatenreichen Leben, dessen Spur von dieser Erde, so meine ich, nur mit der Kultur selbst und der Selbstachtung des Menschen vergehen kann.« (›Ein Brief über Heinrich Mann‹, in ›Germanic Review‹, New York, Dezember 1950. Später unter dem Titel ›Brief über das Hinscheiden meines Bruders Heinrich‹, in ›Altes und Neues‹ aufgenommen).

März 1950
Unterbrechung der Arbeit an ›Der Erwählte‹, Ausarbeitung des Vortrages ›Meine Zeit‹ (Frankfurt am Main: S. Fischer 1950). »Z. Zt. arbeite ich einen Vortrag aus, der ›Meine Zeit‹ oder so ähnlich heißen soll und eine Art zusammengedrängte Autobiographie darstellen wird, die sich allerdings weniger mit meinem eigenen Leben als mit der durchlebten Epoche beschäftigt.« (An Benno Lee, unveröffentlichter Brief).

28. März 1950
Gedenkworte auf den verstorbenen Sohn Klaus (›Mein Sohn Klaus‹, in ›Die Welt‹, Hamburg, 20. Mai 1950): »... ich glaube ernstlich, daß er zu den Begabtesten seiner Generation gehörte, vielleicht der Allerbegabteste war ... In ihm aber mischte sich ein unaufhaltsam wachsendes, seinen guten Willen überwältigendes, durch Enttäuschung genährtes, leidendes Verlangen nach persönlicher Auslöschung mit der allgemeinen Verzweiflung der Intelligenz in dieser Zeit und an ihr, wie er sie schildert in seinem letzten, englisch geschriebenen Aufsatz ›Die Heimsuchung des Europäischen Geistes‹ ...«

19. April 1950
Vortrag ›The Years of my Life‹ (›Meine Zeit‹) in der University Chicago.

April 1950
Der in der ›Library of Congress‹, Washington, am 25. April vorgesehene Vortrag wird von der Library abgesagt, da die Stimmung

in den USA für T. M. nach seinem Besuch in Ostdeutschland im Jahre 1949 nicht günstig ist. »... wie die Dinge nun einmal liegen, gibt es gar nichts Vernünftigeres, als den Gedanken an die lecture lautlos fallen zu lassen, bevor Proteste laut werden. Mein Vortrag bringt zwar, am Schluß, außer einem Wort für den Frieden eine entschiedene und fundierte Absage an den Kommunismus, aber ich sehe ein, daß ich mir die Möglichkeit, dieses Bekenntnis in der Library abzulegen, verscherzt habe.« (An Agnes E. Meyer, Briefe III). »Möge das große und gute, nur überreizte Amerika mich nicht mißverstehen. Ich hänge an ihm und meine es mit ihm herzlich gut. Ich erzähle niemanden, daß ich in Washington nicht sprechen durfte und betone nur, daß ich es in Chicago und New York getan habe.« (An Agnes E. Meyer, Briefe III).

26.–30. April 1950

Aufenthalt in New York.

26. April

Vortrag ›Meine Zeit‹ im Kaufmann-Auditorium, Lexington Avenue, New York, veranstaltet von der deutschsprachigen Zeitschrift ›Aufbau‹, New York.

April 1950

Vorabdruck von drei Kapiteln aus ›Der Erwählte‹ (›Die Hochzeit‹, ›Jeschute‹, ›Der Abschied‹, in ›Die Neue Rundschau‹, Amsterdam, April 1950).

1. Mai 1950

Abflug von New York nach Stockholm.

3. Mai

Empfang im Börsensaal der Schwedischen Akademie in Stockholm auf Einladung von Prinz Wilhelm von Schweden und dem schwedischen PEN-Club. Vortrag ›Meine Zeit‹.

Mai

Vortrag ›Meine Zeit‹ in Lund. Einwöchiger Aufenthalt in Paris, Hotel ›Regina‹. Empfang im Hotel ›Ritz‹, veranstaltet von dem französischen Verleger Albin Michel anläßlich des Erscheinens der französischen Ausgabe des ›Doktor Faustus‹. Vortrag ›Meine Zeit‹ in der Sorbonne. Interview mit Claude Morgan, in dem dieser behauptet, T. M. habe den Stockholmer Appell über die Ächtung der Atombombe unterschrieben. »Der Mitarbeiter der ›Lettres Françaises‹ war mir zugeführt worden als Vertreter eines linksstehenden, nicht-kommunistischen Blattes. Daß ich in seiner Gegenwart den Aufruf zur Stockholmer Friedenskonferenz unterschrieben haben soll, ist ja offenkundiger Unsinn. Wenn ich ihn

überhaupt unterschrieben habe (ich bin mir dessen nicht sicher), so ist es geschehen, weil man mir die Sache als eine über-parteiliche, nicht kommunistisch determinierte Aktion zugunsten des Friedens dargestellt hat.« (An Janos Györki, Zürich, 12. Juni 1950, unveröff.)
16.–23. Mai
Aufenthalt in Zürich, Hotel ›Baur au Lac‹.
24.–30. Mai
Aufenthalt in Lugano, ›Parkhotel‹. Besuch bei Hermann Hesse in Montagnola.
31. Mai–23. Juni
Aufenthalt in Zürich, Hotel ›Baur au Lac‹.
Ende Mai
T. M. richtet in Lugano eine Botschaft an die Deutschen. »Ich grüße die alte Heimat recht herzlich inmitten meines achten Jahrzehnts. Was liegt daran, ob ich dort im Fleische zugegen bin oder nicht? Auch so, wie das Schicksal es gefügt hat, ist der Kontakt enger, als man denkt, und immer sind mit ihr meine Sorgen, Hoffnungen, Wünsche.« (›Eine Botschaft an die Deutschen‹, in ›Rhein-Neckar-Zeitung‹, Heidelberg, 3./4. Juni).
Geleitwort zu Heinrich Eduard Jacobs ›Joseph Haydn‹ (Paris: Corrêa 1950): »... ist Haydn hier neu entdeckt worden, ganz für sich und auf eigene Hand. Hier liegt ein Buch vor, wie es – soweit ich weiß – mit solcher Darstellungskunst, so gut, lebensvoll, anziehend, unterhaltend noch nicht über ihn geschrieben worden ist.«
5. Juni
Vortrag im Zürcher Schauspielhaus ›Meine Zeit‹ am Vorabend des 75. Geburtstages. Anschließend geben der Internationale PEN-Club für T. M. als Ehrenpräsident des Internationalen PEN-Club-Congresses und das Zürcher Schauspielhaus einen Empfang. Übergabe eines Ehrengeschenks durch den Zürcher Stadtpräsidenten Dr. Emil Landolt mit der Widmung ›Dem großen deutschen Dichter und Denker‹, Ansprachen von Fritz Strich, Carl Helbling und J. R. von Salis.
6. Juni
Zur Feier des 75. Geburtstages laden die Freunde Richard Schweizer und Georges Motschan zu einem Festessen im ›Zunfthaus zum Saffran‹ einen engeren Freundeskreis ein. Außer der Familie sind unter anderen anwesend: Verleger Dr. Emil Oprecht und Frau, Kurt Hirschfeld, Direktor des Schauspielhauses, Prof. Dr. Fritz

Strich, Vetter Heinrich Marty und Senator Hans Ewers aus der Heimatstadt Lübeck.

9. Juni–13. Juli

Aufenthalt Katja Manns nach einem chirurgischen Eingriff in der Klinik Hirslanden, Zürich.

10. Juni

Vortrag ›Meine Zeit‹ im Stadttheater Basel.

15. Juni

Der Vortrag ›Meine Zeit‹ wird vom Süddeutschen Rundfunk gesendet; der Text ist in Zürich auf Band gesprochen worden. Lesung aus dem ›Erwählten‹ im Züricher Schauspielhaus.

Juni

Annahme der Ehrenpräsidentschaft der in München gegründeten Heinrich Mann-Gesellschaft (an Karl Lemke, 4. Juni 1950, unveröff.).

Ende Juni

Während der Züricher Juni-Festspiele Besuch einer Aufführung von ›Figaros Hochzeit‹ unter Fritz Busch. In einem Interview in der ›Zürcher Weltwoche‹ vom 23. Juni heißt es: »Sehr und mit Herz hat er die Figaro-Aufführung des Stadttheaters gerühmt. ›Man spürt‹, sagt er mit der ihm eigenen, leicht burschikosen Gemessenheit, ›daß es Mozart auch politisch hinter den Ohren hatte.‹ Die Leistung des Dirigenten Professor Fritz Busch konnte er nicht genug loben. Dieser hingegen würdigte in seinem Interview Thomas Mann.«

Zum 75. Geburtstag Eröffnung einer Ausstellung der Yale University Library, New Haven, Conn., die 57 Jahre von Werk und Leben Thomas Manns umfaßt, von der 1893 von ihm herausgegebenen Schülerzeitschrift ›Der Frühlingssturm‹ mit eigenen poetischen Beiträgen bis zu dem im April-Heft der ›Neuen Rundschau‹ erschienenen Vorabdruck aus ›Der Erwählte‹. Die Dezember-Nummer der ›Germanic Review‹, herausgegeben vom ›Department of Germanic Languages and Literatures‹ der Columbia University, New York, erscheint als Festnummer zum 75. Geburtstag mit zahlreichen Huldigungsartikeln und ›Ein Brief über Heinrich Mann‹ im deutschen Originaltext.

23. Juni–14. Juli

Aufenthalt im ›Grandhotel Dolder‹, Zürich.

15. Juli–8. August

Aufenthalt in St. Moritz, Hotel ›Suvrettahaus‹. Aufsatz ›Michelangelo in seinen Dichtungen‹ als Ankündigung einer neuen

deutsch-italienischen Ausgabe von Michelangelos Dichtungen in der Übersetzung von Hans Mühlestein (in ›Du‹, Zürich, Oktober 1950; später unter dem Titel ›Die Erotik Michelangelos‹, in ›Altes und Neues‹ aufgenommen).
Mitgliedschaft der ›Amerikanischen Akademie für Kunst und Literatur‹. Überreichung der Medaille ›Pegasus‹.
11.–17. August
In Zürich, Hotel ›Baur au Lac‹.
17. August
Abflug nach London zu einem inoffiziellen Besuch.
17.–20. August 1950
London, ›Savoy-Hotel‹.
20. August
Abflug nach New York. Dort zweitägiger Aufenthalt im Hotel ›St. Regis‹.
23. August
Besuch der Thomas Mann-Ausstellung in Yale University Library in New Haven, Conn., mit einer Pressekonferenz. »Von New York aus statteten wir New Haven und der Yale Library einen Besuch ab, die eine erstaunliche Geburtstags-exhibition von Dokumenten meines Schriftsteller-Lebens zusammengebracht und wirklich sehr sinnig und beziehungsvoll organisiert hat ... Thornton Wilder, ein liebenswürdiger Mann, meinte entschieden, noch nie sei ein lebender Autor mit einer solchen Ausstellung geehrt worden.« (An Georges Motschan, unveröffentlichter Brief).
29. August
Rückkehr nach Pacific Palisades.
26. Oktober 1950
Beendigung des Romans ›Der Erwählte‹.
Oktober 1950
Erste einbändige Nachkriegsausgabe des ›Zauberberg‹.
Dezember 1950
Im BBC London, Third Program, zweimalige Sendung ›He was Mankind's Friend‹ – ein Nachruf auf Bernard Shaw (in ›The Listener‹, London, 18. Januar 1951).
21. Dezember 1950
»Für die Buchveröffentlichung von ›Die Erotik Michelangelos‹ muß sich noch die rechte Form finden. Mehreres ist hinzu entstanden: Ein Radio-Vortrag über Shaw, ein Aufsatz über unbekannte Briefe Richard Wagners, die hier gerade englisch erscheinen, und ein Neujahrsbrief an eine große Zeitung in Tokyo. Ich

denke manchmal daran, diese Dinge unter einem bescheidenen Titel, wie ›Vier (oder drei) kleine Arbeiten‹ herauszubringen. Bermann druckt jetzt den ›Erwählten‹, und so ist über andere Auskunft nachzudenken.« (An Hans Mühlestein, Briefe III). Der Plan wurde nicht verwirklicht.

Januar 1951

Besprechung der von Prof. John N. Burk herausgegebenen ›Letters of Richard Wagner‹ aus der Mary Burrell Collection für die ›Saturday Review of Literature‹ (›Briefe Richard Wagners‹, in ›Neue Schweizer Rundschau‹, Zürich, Januar 1951).

8. Januar 1951

Wiederaufnahme der Arbeit am ›Felix Krull‹. »Während sie nun in Frankfurt aus dem Abgetanen ein Buch fabrizieren, versuche ich an etwas vor 40 Jahren Liegengebliebenes wieder anzuknüpfen und an den Bekenntnissen Felix Krulls weiterzuschreiben. Gewissermaßen macht es mir Spaß, über all die Zeit und all das inzwischen Getane hinweg den Bogen zu schlagen. Aber es ist eben ein bißchen viel getan unterdessen und Felix von Joseph stark überhöht. Ich muß sehen, ob die Sache mir auf die Dauer noch schmeckt.« (An Otto Basler, Briefe).

Januar 1951

Brief an den Intendanten des Münchner Residenztheaters (›Erinnerungen an das Residenztheater‹, in der Festschrift zur Eröffnung am 28. Januar 1951, hrsg. von Alois Joh. Lippl, München 1951).

Februar 1951

Lesung aus ›Der Erwählte‹ im ›Jewish Club of 1933‹, Los Angeles. Der Artikel ›Robeson, Mann Join the Peace Crusade‹ in der ›New York Times‹ beschuldigt T. M. der Förderung kommunistisch gelenkter Friedenspropaganda. Er erklärt sofort seinen Austritt aus dieser Friedensbewegung und will in derselben Zeitung eine Entgegnung bringen. Sie wird auf Einwirken seines Verlegers Alfred A. Knopf unterdrückt (John C. Thirwall ›In Another Language‹, pp 138ff).

März 1951

›Der Erwählte‹ erscheint (New York und Frankfurt am Main: S. Fischer 1951). »*Der Erwählte* ist ein Spätwerk in jedem Sinn, nicht nur nach den Jahren seines Verfassers, sondern auch als Produkt einer Spätzeit, das mit Alt-Ehrwürdigem, einer langen Überlieferung sein Spiel treibt. Viel Travestie – nicht lieblos – mischt sich hinein. Höfische Epik, Wolframs *Parzival*, alte *Marienlieder*, das *Nibelungenlied* klingen parodistisch an, – Merkmale einer

Spätheit, für die Kultur und Parodie nah verwandte Begriffe sind. Amor fati – ich habe wenig dagegen, ein Spätgekommener und Letzter, ein Abschließender zu sein und glaube nicht, daß nach mir diese Geschichte und die Josephsgeschichten noch einmal erzählt werden.« (›Bemerkungen zu dem Roman ‚Der Erwählte‘‹, in ›Altes und Neues‹, Frankfurt am Main: S. Fischer 1953).

11. März 1951

Die Arbeit am ›Felix Krull‹ schreitet fort. »Verzeihen Sie, daß ich in den Stil des Krull verfalle! Er ist nun einmal jetzt meine Sprache (was hat man nicht schon alles für Sprachen geführt!), und jeden Morgen suche ich Zerstreuung in diesen Belustigungen ...« (An Alfred Neumann, Briefe III).

25. März 1951

Auch andere Pläne regen sich: »Ich bin nun ganz anders engagiert – mit dem vor 40 Jahren liegen Gelassenen, dem Weiterführen der Krull-Memoiren. Vielleicht ist es nur Unfug, aber noch macht es mir Spaß, und noch weiß ich für eine Weile weiter. Wenn ich nicht mehr weiter weiß, möchte ich eine richtige Conrad Ferdinand Meyer-Novelle über Erasmus-Hutten-Luther schreiben. So ist der alte Kopf noch immer voller Pläne.« (An Otto Basler, Briefe). In diesen Monaten tiefe Depression über die politische Lage und die Hetzstimmung in den USA: Erwägungen einer Rückkehr nach Europa.

Ende März 1951

Kontroverse mit dem Redakteur der Zeitschrift ›Freeman‹ Eugene Tillinger, der T. M. prokommunistische Tendenzen unterstellt. »Ich bin kein Kommunist und bin nie einer gewesen ... Daß aber für dieses Land, dessen Bürger zu werden mir eine Ehre und Freude war, der hysterische, irrationale und blinde Kommunistenhaß eine Gefahr darstellt, weit schrecklicher als der einheimische Kommunismus; ja, daß der Verfolgungswahnsinn und die Verfolgungswut, in die man verfallen und der sich mit Haut und Haar zu überlassen man im Begriffe scheint – daß all dies nicht nur zu nichts Gutem führen kann, sondern zum Schlimmsten führen wird, wenn man sich nicht schleunigst besinnt, wollte bei dieser Gelegenheit ausgesprochen sein.« (›Ich stelle fest‹, in ›Aufbau‹, New York, 13. April 1951).

April 1951

Jubiläumsausgabe der ›Buddenbrooks‹ zum 50. Jahr des Erscheinens.

10. Mai 1951
Zur Einweihung des wiederaufgebauten Goethehauses in Frankfurt am Main: »Was kann man besseres wünschen, als daß im deutschen Volk der Geist seines besten Sohnes, dieses Fürsten des Friedens und der Gesittung immer fester und tiefer Wurzeln schlagen möge!« (›Glückwunsch zur Einweihung des wiedererrichteten Goethehauses in Frankfurt am 10. Mai 1951‹, in ›Frankfurter Neue Presse‹, 11. Mai 1951).

14. Mai 1951
Verhandlungen über den Verkauf von Thomas Mann-Handschriften ›in globo‹ an die Yale University Library für 40000,– Dollar. Der Verkauf kommt nicht zustande.

18. Juni 1951
Angriffe gegen T. M. in der amerikanischen Zeitschrift ›New Leader‹ wegen seines Grußes an Johannes R. Becher: »Mehr noch ... als den Poeten und Schriftsteller liebe und ehre ich in Johannes R. Becher den Menschen – dies drängend bewegte, von innigen Impulsen getriebene Herz, das ich mir bei so mancher Begegnung, besonders aber in Weimar 1949, entgegenschlagen fühlte.« (›Johannes R. Becher zum Gruß‹, in ›Aufbau‹, Berlin, Mai 1951).

4. Juli–9. Oktober 1951
Aufbruch zur Europareise mit mehrtägigem Aufenthalt in Chicago und mit einem Tag in New York.

10. Juli
Einschiffung in New York auf dem Dampfer ›De Grasse‹. Ruhige Überfahrt. Lektüre von Lion Feuchtwangers Goya-Roman.

19. Juli
Ankunft in Le Havre, abgeholt von Erika Mann, und Fahrt im Wagen nach Zürich.

21.–31. Juli
Aufenthalt in Zürich, Hotel ›Baur au Lac‹.

1. August
Kurzer Privatbesuch in München.

6.–16. August
Aufenthalt in Strobl/Wolfgangsee, ›Grandhotel‹. Besprechung des Buches von Albert J. Guérard über André Gide. »... schwankt – oder spielt – dieser Geist beständig zwischen Ordnung, nach der es ihn aufs tiefste verlangt, und Anarchie, die ihm gleicherweise eingeboren ist, – bis er den Zustand selbst der Oszillation zur Grundlage einer neuen Ethik macht.« (›Zu Albert J. Guérards

‚André Gide'‹, in ›Neue Schweizer Rundschau‹, Zürich, November 1951).

13. August

Salzburg: Lesung aus ›Felix Krull‹ im Rahmen der Internationalen Sommerakademie des Mozarteums zugunsten des Stipendienfonds für junge Musiker: aus ›Felix Krull‹. Besuch der Aufführung von Büchners ›Wozzeck‹.

17. August–6. September

Dreiwöchiger Kuraufenthalt in Bad Gastein, die ersten zwei Tage zuerst im Hotel ›Kaiserhof‹, dann ›Haus Gerke‹, wegen arthritisch-rheumatischer Beschwerden in Hüfte und Arm. Wiederbegegnung mit Arthur und Grete Nikisch.

19. August

Gruß zur Siebenhundertjahrfeier von St. Marien in Lübeck. »Von der Kanzel der Marienkirche herab, in deren Schatten das Haus meiner Großeltern stand, deren Glockenspiel in meine Kindheit hineinklang, und in der ich konfirmiert wurde, ist allezeit viel die Rede gewesen von Tod und Auferstehung. Im 13. Jahrhundert waren es reiche Bürger, die zur Ehre Gottes und ihrer Stadt ihre Mittel an die Errichtung des herrlichen Bauwerks wandten. Heute trägt, wie Sie mir schreiben, noch der Ärmste sein Schärflein bei, damit es aus dem traurigen Zustande, worein das Erdbeben der Zeit es versetzt, langsam zu alter Würde und Schönheit wieder erstehe.« (›Thomas Mann grüßt St. Marien‹, in ›Lübecker Nachrichten‹, 2. September 1951).

6.–13. September

Aufenthalt in Lugano, ›Villa Castagnola‹. Besuch von Hermann Hesse. Zusammentreffen mit Karl Kerényi.

13.–29. September

Aufenthalt in Zürich, Hotel ›Waldhaus Dolder‹.

24. September

Ansprache im Züricher Schauspielhaus mit Wünschen für dessen Erhaltung und Lesung der Kapitel ›Reise und Ankunft‹ und ›Cirkus‹ aus ›Felix Krull‹ (in: Schauspielhaus Zürich, Programmheft ›Chr. Fry, Die Dame ist nicht fürs Feuer‹, 27. September 1951).

September

Über die ›Meistersinger‹ anläßlich einer Aufführung im Stadttheater Basel. »... denn die ›Meistersinger‹ sind ein herrliches Werk, ein Festspiel, wenn es je eins gab, ein Gedicht, worin Weisheit und Kühnheit, das Würdige und das Revolutionäre, Tradition

und Zukunft sich auf eine großartig heitere, Begeisterung für das Leben und für die Kunst tief aufweckende Weise vermählen.« (›Brief an den Intendanten des Stadttheaters Basel‹, in ›Theaterzeitung des Stadttheaters Basel‹, 17. September 1951).
Zum ›Book of the Month‹ für September wurde ›The Holy Sinner‹ (›Der Erwählte‹) gewählt und in einer Auflage von mindestens 100000 Exemplaren gedruckt.

29. September

Rückflug in die Vereinigten Staaten vom Flughafen Kloten bei Zürich. Eintägiger Aufenthalt in New York. Für drei Tage zu Besuch bei der jüngsten Tochter Elisabeth Mann-Borgese in Chicago. Besuch des ›Museums of Natural History‹ in Chicago, das im ›Felix Krull‹ eine Rolle spielt. »Chicago hat ein hervorragendes ›Museum of natural history‹, das wir nicht nur einmal, sondern auf meinem Wunsch noch ein zweites Mal besuchten. Es sind da die Anfänge des organischen Lebens – im Meere, als die Erde noch wüst und leer war –, die ganze Tierwelt, Aussehen und Leben des Frühmenschen (auf Grund der Skelettfunde plastisch rekonstruiert) höchst anschaulich dargestellt. Die Gruppe der Neandertaler (mit deren Typ eine Entwicklungslinie abbricht) in ihrer Höhle vergesse ich nie und nicht die hingebungsvoll hockenden Ur-Künstler, die die Felswände, wahrscheinlich zu magischen Zwecken, mit Tierbildern in Pflanzenfarben bemalen. Ich war völlig fasziniert, und eine eigentümliche Sympathie ist es, die einen bei diesen Gesichten erwärmt und bezaubert.« (An Hermann Hesse, Briefe III).

9. Oktober 1951

Wieder zu Hause in Pacific Palisades.

12. Oktober 1951

Brief über die Quellen zu ›Der Erwählte‹ an Erich Auerbach, Professor der romanischen Sprachen am ›Institute of Advanced Studies‹ in Princeton (in ›Germanic Review‹, New York, April 1952).

20. November 1951

Vorabdruck der Kapitel ›Reise und Ankunft‹ und ›Cirkus‹ aus ›Felix Krull‹ (in ›Die Neue Rundschau‹, Frankfurt am Main, November 1951). »Daß die Stücke aus der Fortsetzung der Krull-Memoiren in der ›Neuen Rundschau‹ Sie unterhalten haben, will etwas besagen; ich habe sie nur herausgegeben, weil Bermann sie haben wollte, nachdem ich sie im Zürcher Schauspielhaus vorgelesen. Die Vollendung steht in weiter Ferne. Es ist mir oft zweifelhaft, ob ich noch die Laune aufbringen werde, das Buch durchzuführen.« (An Hermann Kesten, unveröffentlichter Brief).

30. November 1951

Ehrenvolle Aufnahme in die ›Academy of Arts and Letters‹ in New York. »Gerade hat es [Amerika] mich durch seine ›Academy of Arts and Letters‹ mit großer Publicity unter seine 50 Unsterblichen aufgenommen ›as a creative artist whose works are likely to achieve a permanent place in the Nation's culture‹.« (An Ida Herz, unveröffentlichter Brief).

Rückkehr nach Europa

11. Februar 1952
›Lob der Vergänglichkeit‹ (in ›Eckart‹, Witten, Juli–Sept. 1952) geschrieben für eine Rundfunksendung ›I Believe‹ des Columbia Pacific Network, Los Angeles.
22. Februar 1952
Zur zehnten Wiederkehr des Todestages Stefan Zweigs: »Es ist wahr, daß selbst diese ihm tödliche Welt seinem ungeheueren Ansehen unter den Menschen nichts anhaben konnte. Sein literarischer Ruhm reichte bis in den letzten Winkel der Erde, – ein merkwürdiges Vorkommnis bei der geringen Popularität, deren sonst deutsches Schrifttum im Vergleich mit französischem und englischem sich erfreut. Vielleicht ist seit den Tagen des Erasmus (über den er glänzend gearbeitet hat) kein Schriftsteller mehr so berühmt gewesen wie Stefan Zweig. Aber nie ist mit tieferer Bescheidenheit, feinerer Scham, ungeheuchelterer Demut ein Weltruhm getragen worden.« (›Stefan Zweig zum zehnten Todestag‹, in ›Altes und Neues‹, Frankfurt am Main: S. Fischer 1953). Korrespondenz mit Berner Behörden über die Übersiedlung in die Schweiz.
11. März 1952
Neben ›Felix Krull‹ laufen andere Arbeiten; »etwas Halbstündiges für BBC über ›Der Künstler und die Gesellschaft‹ ! ist aufzusetzen, eine Essay-Sammlung, Material aus fünf Jahrzehnten, zu redigieren und zu bevorworten, und vor Lese-Zumutungen und Briefschulden weiß ich oft nicht mehr ein noch aus.« (An Emil Preetorius, Briefe III).
16. Mai 1952
Unterbrechung der Arbeit am ›Felix Krull‹ nach Beendigung des Kapitels mit dem Kuckuck-Gespräch. Beginn der Erzählung ›Die Betrogene‹. »Ich bin zur Zeit oft recht müde, aber arbeite stetig, nicht gerade an dem Krull Manuskript im Augenblick, sondern an einer Novelle, die, denke ich, das weitläufige Werk ganz wohltuend unterbrechen wird. Ich möchte einmal wieder mit etwas fertig werden.« (An Ida Herz, unveröffentlichter Brief).

28. und 30. Mai 1952
Sendungen des ›Third Program of BBC ‚The Artist and Society'‹ (in ›The Listener‹, London, 5. Juni 1952).
12. Juni 1952
Italienischer Literaturpreis (Antonio Feltrinelli) in Höhe von 5 Millionen Lire verliehen durch die ›Accademia Nazionale dei Lincei‹, Rom. »In dem offiziellen Dokument, das von Professor Francesco Flora (Mailand) verfaßt ist, heißt es, daß mit dem Preis nicht nur mein ›gewaltiges‹ literarisches Werk geehrt werden solle, sondern ganz besonders ›das seltene Beispiel eines erreichten *lebendigen Humanismus*, der geistig die Spaltungen unserer Zeit überragt und somit eine Weisung allen geistig Schaffenden gibt‹.« (An Agnes E. Meyer, Briefe III).
14. Juni 1952
Glückwunsch zum 75. Geburtstag Hermann Hesses. »Daß ich Ihnen in Bewunderung von Herzen gut bin, das weiß ich. Aber das wissen schon alle und Sie auch. Lassen Sie mich's zu Ihrem Fünfundsiebzigsten einfach noch einmal sagen und Sie recht aufrichtig beglückwünschen zu dem gesegneten, Freude spendenden Leben, das Sie geführt haben, Ihnen Glück und Frieden und Heiterkeit wünschen auch für den immer noch schenkenden Feierabend dieses uns kostbar bleibenden Lebens.« (›Brief an Hermann Hesse‹, in ›Neue Schweizer Rundschau‹, Zürich, Juli 1952).
24. Juni 1952
Abreise aus Pacific Palisades.
24.–29. Juni 1952
Letzte Aufenthalte in Chicago und in New York, Hotel ›St. Regis‹.
29. Juni 1952
Abflug von New York über Amsterdam nach Zürich. T. M. reist nur mit der Aktentasche und kleinem Gepäck. Es ist sein Abschied von den USA, wohin er nicht mehr zurückkehrt. Letzte Besucher vor der Abreise im Hotel Klaus W. Jonas und Frau, Professor für deutsche Literatur an der University Pittsburgh und Verfasser der bei der University of Minnesota erschienenen Bibliographie ›Fifty Years of Thomas Mann Studies‹. Der Wunsch, wieder in Europa zu leben, und die Enttäuschung über die politischen Verhältnisse in USA, ausgelöst durch die McCarthy-Gruppe, sind der Grund für die Aufgabe des Wohnsitzes in Kalifornien. »Dennoch ist es eine seelische Tatsache, daß ich mir, je länger ich dort lebte, desto mehr meines Europäertums bewußt wurde, und trotz bequemster Lebensbedingungen ließ mein schon weit vorgeschrittenes Alter

den fast ängstlichen Wunsch nach Heimkehr zur alten Erde, in der ich einst ruhen möchte, immer dringender werden . . . ich will nur zugeben, daß ähnlich wie im Jahre 1933, das Politische nicht unbeteiligt war an diesem Entschluß. Eine unglückselige Welt-Konstellation hat Veränderungen in der Atmosphäre des so begünstigten, zu ungeheuerer Macht aufgestiegenen Landes hervorgebracht, die wohl als bedrückend und besorgniserregend empfunden werden können.« (›Comprendre‹, in ›Nachlese‹, Frankfurt am Main: S. Fischer 1956).

30. Juni 1952
Ankunft auf dem Flughafen Kloten bei Zürich.

9.–29. Juli 1952
Erholungsaufenthalt in Kandersteg, Hotel ›Regina-Waldrand‹.

30. Juli–8. August 1952
Aufenthalt in Zürich, ›Waldhaus Dolder‹.

9.–12. August 1952
Aufenthalt in Salzburg.

10. August 1952
Vortrag im Mozarteum, Salzburg, ›Der Künstler und die Gesellschaft‹ zu Gunsten der Mozartstiftung (Herausgegeben im Auftrage der Österreichischen Unesco-Kommission mit einem Vorwort des Herausgebers. Wien: Wilhelm Frick 1953).

12.–19. August 1952
In St. Wolfgang, Ober-Österreich, Pension ›Appesbach‹.

19. August 1952
Besuch der Oper ›Danae‹ von Richard Strauss in Salzburg. »Ein so recht glückliches Werk ist es nicht, wie Sie ja andeuten mit Ihrem guten Bild von den ungleichen Beinen, und wird sich kaum die Welt erobern. Gregor hat schlecht gedichtet, und Hofmannsthal würde hastig auf seine Nägel blicken. In der Musik natürlich viel Schönes und Reizendes, aber zuviel Pauke, zuviel Pomp und Leere doch auch. Ihre Ausstattung freilich ist schlechthin unübertrefflich, eine ständige Augenweide. Und die Vergoldungsszene, beginnend mit einer kleinen pompejanischen Vase ist ja auch technisch ganz ausgezeichnet.« (An Emil Preetorius, Briefe III).

20. August–10. September 1952
Drei Wochen Bad Gastein, ›Haus Gerke‹. »Ich bin Ihnen dankbar, wenn Sie mich nicht nach neuen Plänen fragen. Ich möchte in Ruhe Europa atmen. Bei zunehmendem Alter rührt sich eben der Drang nach der Ursprungsstätte; man zieht dorthin, von wo man einstmals ausging.« (Aus einem Gespräch).

September 1952
Vortrag ›Der Künstler und die Gesellschaft‹, gehalten auf dem Kongreß der Unesco in Venedig.
11. September–24. Dezember 1952
Aufenthalt in Zürich, Hotel ›Waldhaus Dolder‹, unterbrochen von einigen kürzeren Reisen.
17. September 1952
Lesung aus ›Felix Krull‹ im kleinen Tonhalle-Saal, veranstaltet von der Büchergilde Gutenberg.
29. September 1952
Vortrag im Schauspielhaus Zürich ›Der Künstler und die Gesellschaft‹.
30. September 1952
Tod von Hans Feist während der Berliner Erstaufführung des von ihm übersetzten Stückes von Christopher Fry ›Der Erstgeborene‹. Feist, auch Übersetzer von Jules Romains und Benedetto Croce, war ein Freund des Hauses Mann. (›Hans Feist zum Gedächtnis‹, in ›Gesammelte Werke in zwölf Bänden, Band X‹. Frankfurt am Main: S. Fischer 1960).
3. Oktober 1952
Tod von Alfred Neumann. Hermann Kesten spricht die Abschiedsworte T. M.s bei der Gedenkfeier in den Münchner Kammerspielen am 24. Oktober. »Ich habe ihn sehr, sehr gern gehabt in seiner besonnenen Milde, seiner Gerechtigkeit, seiner männlichen Ruhe und Güte und ihn bewundert, weil ihm gegönnt war, nicht einen einzigen Feind zu haben ... Mir war das Los anders gefallen ... Über ihn habe ich nie aus eines Menschen Mund ein böses, abgünstiges Wort gehört.« (›Für Alfred Neumann‹, in ›Neue Zeitung‹, München 25./26. Oktober 1952).
18.–19. Oktober 1952
Besuch mit Frau Katja und Erika Mann in München, Hotel ›Vier Jahreszeiten‹. Empfang durch den Leiter des Nachtstudios im ›Bayerischen Rundfunk‹ Dr. Gerhard Szczesny. Zusammentreffen mit dem Schriftsteller Ernst Penzoldt und dem Verleger Kurt Desch. Lesung aus ›Felix Krull‹ in den Kammerspielen.
13. Oktober 1952
Gedenkrede für den Verleger und Freund Dr. Emil Oprecht im Krematorium Zürich. »... Meine schönste Erinnerung an ihn ist die an die Stunde, Silvesterabend 1936, als ich ihm in einem seiner Geschäftsräume den eben geschriebenen Brief nach Bonn, jene Streitschrift gegen die Verderber Deutschlands, vorlas, die dann

dank seiner Initiative ihren Weg um die Welt machte.« (›Abschied von Emil Oprecht‹, in ›Weltwoche‹, Zürich, 17. Oktober 1952)

4. November 1952

Wahl Dwight D. Eisenhowers zum Präsidenten der Vereinigten Staaten von Amerika.

9. November 1952

Rede zu Gerhart Hauptmanns 90. Geburtstag im Schauspielhaus Frankfurt am Main in Anwesenheit der Witwe, Frau Margarete Hauptmann, und des Sohnes Benvenuto, des Hessischen Kultusministers Metzger und des Oberbürgermeisters der Stadt Frankfurt Walter Kolb (›Hauptmann, der große gütige Freund‹, in ›Neue Zeitung‹, München, 15./16. November 1952). Begrüßung durch den Frankfurter Intendanten Buckwitz.

10. November 1952

Lesung aus ›Felix Krull‹ in der Frankfurter Universität. »Erregende Lebendigkeit strömte aus von dem kaum ergrauten 77jährigen, die Lebendigkeit des wachen Geistes, unterstrichen von einer Handbewegung, einem Schulterzucken, dem Spiel der starken dunklen Augenbrauen.« (Rolf Schroers).

17.–26. November 1952

Aufenthalt in Wien.

18. November 1952

Vortrag ›Der Künstler und die Gesellschaft‹ im Mozartsaal des Konzerthauses Wien. Zuvor Pressekonferenz (›T. M.s Bekenntnis zur westlichen Welt‹, in ›Aufbau‹, New York, 19. Dezember 1952, Nr. 51). Einladung in Wien durch den österreichischen PEN-Club.

2. Dezember 1952

T. M. mietet in Erlenbach bei Zürich, Glärnischstraße 12, ein Haus. »Wir haben in Erlenbach, hoch überm See, ein Häuschen gemietet und hoffen, Mitte des Monats dort einziehen zu können. Es ist die Wiederaufnahme der Lebensform von 1933–1938, die ich mir in 15 amerikanischen Jahren eigentlich immer zurückgewünscht habe. In meiner Niederlassungsbewilligung (gleich Niederlassung, generöser Weise) steht als Zweck des Aufenthaltes: ›Verbringung des Lebensabends und schriftstellerische Betätigung.‹ Ist doch hübsch, nicht wahr?« (An Robert Faesi, Briefe).

4. Dezember 1952

Tod des Schwiegersohnes Prof. Giuseppe Antonio Borgese in Fiesole.

16. Dezember 1952
Die französische Regierung verleiht T. M. das Offizierskreuz der Ehrenlegion mit der offiziellen Begründung: »Cette distinction est un hommage rendu par la France à l'exceptionelle valeur et à la signification mondiale de votre œuvre littéraire ainsi qu'à la lutte que vous n'avez cessé de mener dans l'intérêt de la liberté et de la dignité humaine.«

26. Dezember 1952
»Ein schöneres Weihnachtsgeschenk, wahrhaftig, konnte mir nicht beschert werden. Es ist keine Redensart, wenn ich sage, daß nie eine Ehrung, die meiner Arbeit von irgend einer Seite zu teil wurde, mir solche Freude gemacht hat, wie diese; und besonders tief und glücklich berührt bin ich von den Worten, mit welchen die französische Regierung die hohe Auszeichnung begründet, die sie mir gewährt.« (An Robert Schuman, Briefe III). Anfang Januar 1953 überreicht Schuman persönlich in Erlenbach die Auszeichnung. T. M. trägt die kleine rote Rosette des Ordens immer im Knopfloch.

Dezember 1952
Richtigstellung von mißverstandenen Äußerungen auf der Wiener Pressekonferenz vom 18. November 1952. »All mein Tun und Streben, all meine Bücher und Schriften und all mein Sein erweisen mich als unablässig bemüht, nach meinen Kräften beizutragen zum großen kulturellen Erbe des Westens; ein wenig mehr Freude, Erkenntnis und höhere Heiterkeit zu verbreiten unter meinen Mitmenschen; ihnen so zu dienen und so meine Existenz zu rechtfertigen durch mein Werk. Daß Terror, Gewalt, Lüge und Unrecht mir ein Greuel sind – kann irgendwer es verkennen, der auch nur eines meiner Bücher wirklich gelesen hat?« (›Bekenntnis zur westlichen Welt‹).

24. Dezember 1952
Einzug in das neue Haus.

Dezember 1952/Januar 1953
Schwere Grippe, von der sich T. M. nur langsam erholt. »Nach den Reisen in Deutschland und Österreich, bei denen ich mir eine schwere Bronchitis holte, kam die Übersiedlung vom Hotel in dieses Haus, das Eintreffen unserer kalifornischen Habe, die in den viel beschränkteren Verhältnissen schlecht unterzubringen ist, – besonders das Aufstellen der Bibliothek machte unsinnige Mühe – und die noch immer nicht behobene Unfertigkeit quälte mich. Zu meiner Nervosität tragen drückende Briefschulden bei und man-

gelnde Arbeitsenergie, die mich mit einer bis zu einem gewissen Punkte ganz wohlgelungenen, nun aber stockenden Erzählung nicht zu Rande kommen läßt. Kurz, es geht mir schlecht ... Die Weltlage und die Unausstehlichkeit, die sie im Menschlichen zeitigt, tun ein Übriges. Oft habe ich's satt, bin aber zu gesund, als daß Todeswünsche nicht komisch wären.« (An Karl Kerényi, Briefe).

3. Februar 1953

Besuch von Ignazio Silone in Erlenbach.

12. Februar 1953

Besuch der Premiere von Shaws ›Pygmalion‹ im Zürcher Schauspielhaus.

13. März 1953

Lesung aus der ›Betrogenen‹ im Zunfthaus zu Saffran, Zürich, veranstaltet vom PEN-Club (in ›Merkur‹, Stuttgart, Mai–Juli 1953).

18. März 1953

Beendigung der Erzählung ›Die Betrogene‹.

März 1953

Der Essayband ›Altes und Neues‹ erscheint (›Prosa aus fünf Jahrzehnten‹. Frankfurt am Main: S. Fischer 1953, 1.–8. Tsd.). »Autobiographie aber ist alles, und was das Buch für mich selbst an Reiz besitzt, beruht darauf, daß es Leben festhält, Situationen im Worte bewahrt, die, zu einem guten Teil unter persönlichem Einsatz, durchgestanden sein wollten und auf die ich mit der kuriosen Genugtuung zurückblicke, mit der man sich eben des Lebens, eines bestandenen Lebens erinnert.« (Vorwort zu ›Altes und Neues‹).

April 1953

T. M. schreibt zu Klaus W. Jonas' Bibliographie ›Fifty Years of Thomas Mann Studies‹ das Vorwort ›Ein Wort hierzu‹ (in ›Begegnungen‹, Jahrbuch der ›Freien Akademie der Künste‹, Hamburg 1953).

11. April 1953

Weiterarbeit am ›Felix Krull‹. »Jene Frauengeschichte ist fertig, und nun sitze ich wahrhaftig wieder über dem alten Material zum ›Krull‹, lese nach, was ich zuletzt geschrieben und suche den spezifischen ›Sangeston‹ wiederzufinden.« (An Max Rychner, Briefe III).

20.–30. April 1953

Reise nach Rom, um offiziell der ›Accademia Nazionale dei Lincei‹ für den internationalen Antonio Feltrinelli-Preis zu danken. Die

Accademia gibt zu T. M.s Ehren einen Empfang, ebenso die beiden Verleger der italienischen Ausgaben seiner Bücher, Einaudi und Mondadori.

Privataudienz bei Papst Pius XII. »Den Papst zu besuchen, wenn ich schon einmal in Rom wäre, hatte ich mir gleich vorgenommen, und obgleich die Frist zur Erlangung einer Audienz sehr knapp war, ließ sie sich merkwürdigerweise, mit Hilfe der Akademie und eines Herrn vom ›Osservatore Romano‹ (!) in wenigen Tagen arrangieren. Es war, nach langsamem Vorrücken durch die Vorzimmer ein Gespräch unter vier Augen von einer kleinen Viertelstunde und für mich doch ein merkwürdiger und rührender Lebensaugenblick, vor der weißen Gestalt zu stehen, die so vieles vergegenwärtigt. Er war äußerst herzlich ... er spricht sehr gut deutsch ... Zum Zeichen, daß es ein Ende haben muß (es warten ja so viele) schenkt er einem eine kleine silberne Medaille mit seinem Bildnis zum Andenken, und man beugt noch einmal das Knie, was mir sehr leicht und natürlich vonstattenging. Ich denke gern und mit einer gewissen Weichheit an das Vorkommnis zurück.« (An Gottfried Bermann Fischer, Briefe III).

Nach vielen Jahren Besuch des kleinen Bergorts Palestrina, wo T. M. 1896 mit seinem Bruder Heinrich »einen langen, glutvollen, italienischen Sommer verbrachte«. Das Haus an der Treppe ist im ›Doktor Faustus‹ neu vergegenwärtigt, dort findet die Begegnung Adrians mit dem Teufel statt.

2. Juni 1953

Vorwort zu einem Bildband über Zürich. »Wenn ich aber ›Europa‹ dachte und sagte, so meinte ich immer die Schweiz, genauer: ›den trauten Ort‹, den ich von frühan geliebt hatte, und in dessen Schutz ich fünf Jahre lang glücklich-tätig gewesen war.« (›Die liebe Züristadt ...‹, in ›Zürich‹, Zürich: Oprecht 1953).

3. Juni 1953

Flug nach London vom Flugplatz bei Zürich mit der Swissair. Von dort mit dem Auto der Cambridge University weiter nach Cambridge, wo T. M. und Frau Katja Gäste von Sir Charles Darwin, dem Sohn des berühmten Naturwissenschaftlers Charles Darwin, sind.

4. Juni 1953

Verleihung des Ehrendoktors im ›Senate House‹ der University, zusammen mit 9 anderen Kandidaten, darunter Pandit Nehru und Sir Frank Whittle, Erfinder des ›Jet‹-Flugzeugs.

5. Juni 1953
Rückreise nach London, ›Savoy-Hotel‹.
5.–7. Juni 1953
Privater Aufenthalt ohne offizielle Verpflichtungen in London.
7. Juni 1953
Ankunft in Hamburg auf Einladung des Intendanten des ›Norddeutschen Rundfunks‹ Ernst Schnabel, des Rektors der Hamburger Universität, Prof. Bruno Snell, und des Vorsitzenden der ›Goethe-Gesellschaft‹ in Hamburg, Verleger Christian Wegner. Wohnung im Gästehaus der Stadt Hamburg.
8. Juni 1953
Ansprache und Lesung aus ›Felix Krull‹ vor Studenten in der Hamburger Universität (›Ansprache vor Hamburger Studenten‹, in ›nebelhorn‹, Hamburg, 12. Juni 1953).
9. Juni 1953
Lesung aus ›Felix Krull‹ in der Musikhalle Hamburg auf Einladung der Hamburger Goethe-Gesellschaft; die einleitenden Worte spricht Prof. Hans Pyritz.
10. Juni 1953
Einladung zum Besuch Lübecks, in Hamburg überbracht vom Lübecker Bischof Pautke, von Senator a. D. Ewers und Kultus-Senatorin Frau Dr. Klinsmann.
11. Juni 1953
Kurzer Aufenthalt in Travemünde und Lübeck, erstmals seit 1931. »Ich freue mich so sehr, daß ich meinen längst im voraus heimlich gefaßten Entschluß, gelegentlich meines Besuches in Hamburg auch Lübeck und Travemünde wiederzusehen, ausgeführt habe. Der Himmel gab seinen Segen dazu; es war ein so schöner Tag inmitten lauter schlechten Wetters. Namentlich der Gedanke, die Luft Travemündes, des Kindheitsparadieses, noch einmal geatmet zu haben, ›sitzt lächelnd um mein Herz‹ – ›sits smiling to my heart‹ – wie es im ›Hamlet‹ heißt.« (›Ein Brief Thomas Manns‹, in ›Lübecker Freie Presse‹, 4. Juli 1953).
24. Juli 1953
Feier zum 70. Geburtstag Katja Manns im Hotel ›Eden au Lac‹, Zürich, veranstaltet von den Freunden Richard Schweizer und Georges Motschan, unter anderen anwesend Kapellmeister Klaus Pringsheim, der Zwillingsbruder Katja Manns. Ansprache T. M.s: »Wenn irgend ein Nachleben mir, der Essenz meines Seins, meinem Werk beschieden ist, so wird sie mit mir leben, mir zur Seite. Solange Menschen meiner gedenken, wird ihrer gedacht sein. Die

Nachwelt, hat sie ein gutes Wort für mich, ihr zugleich wird es gelten, zum Lohn ihrer Lebendigkeit, ihrer aktiven Treue, unendlichen Geduld und Tapferkeit.« (›Katja Mann zum siebzigsten Geburtstag‹, in ›Nachlese‹, Frankfurt am Main: S. Fischer 1956).

Juli 1953

Suche nach einem neuen Heim. Das Haus in Erlenbach genügt nicht, vor allem das Arbeitszimmer ist zu klein. Pläne für eine Übersiedlung an den Genfer See werden erwogen, eine Niederlassung am Zürichsee wird aber vorgezogen.

6. September 1953

Bericht über die eigene Lektüre an Ida Herz: »Viel Gutes bekommt man ja nicht zu lesen, soviel auch hereinströmt. Aber ich gebe acht so gut ich kann, und habe sogar etwas Interessantes Deutsches gefunden: Geschichten von Ilse Aichinger, ›Der Gefesselte‹, sehr begabte surrealistische Skizzen, manchmal mit leichtem Kafka-Einschlag und generationsmäßig gewissen neuen amerikanischen Produkten verwandt ... Man muß doch zusehen, was die grünen Nachkommenden so anstellen. Das Sicherste ist freilich immer, sich ans große Alte zu halten, wie ich denn zur Zeit, in der handlichen kleinen Rowohlt'schen Ausgabe, die der Verlag mir schenkte, einen Band Balzac nach dem anderen lese, um nicht zu sagen: verschlinge. Denn zum Verschlingen ist das ja eigentlich alles gemacht: spannend, sensationell, mächtig fabuliert, oft unerträglich romantisch, obgleich es sich fast immer um Geld handelt, sentimental, sogar frömmlerisch, aber mit enormem Sinn für das Gesellschaftliche, zugleich mit abenteuerlicher Sympathie für verbrecherische Revolte *gegen* die Gesellschaft und im Ganzen von einer wilden Größe, die mir immer geradezu das französische Format zu sprengen scheint. Auch paßt mir der Stil jetzt ganz gut in den eigenen Kram, den ›Krull‹ ...« (An Ida Herz, Briefe III).

September 1953

Die Erzählung ›Die Betrogene‹ erscheint als Buch (Frankfurt am Main: S. Fischer 1953, 1.–15. Tsd.). »›Die Betrogene‹, die erste Erzählung, die ich wieder in Europa schrieb? Nun ja, das ist ein umstrittenes Ding, viel gescholten, von einigen auch wieder herzlich geschätzt, ich will auf seinen Wert nicht trotzen, bin vielmehr der erste, zuzugeben, daß das ein problematisches Produkt ist ... Ich habe mir den Stoff nicht ausgedacht; er kam zu mir als Anekdote aus dem Leben, als Vorkommnis, von dem ich hörte und das mich packte durch die grausame Natur-Dämonie, die sich darin ausdrückt, und da es mich betroffen machte, mich sofort produktiv anzog.« (›Rückkehr‹, in ›Nachlese‹, Frankfurt am Main: S. Fischer 1956)

10.–14. September 1953

Fahrt an den Genfer See (Genf, Lausanne, Vevey) zur Besichtigung »erschwinglicher und dabei stattlicher Wohnobjekte«.

15. September–1. Oktober 1953

Aufenthalt in Lugano, ›Villa Castagnola‹. Besuch bei Hermann Hesse in Montagnola.

6. Oktober 1953

T. M. wird zum Ehrenmitglied der Gerhart Hauptmann-Gesellschaft gewählt.

22. Oktober 1953

Feier zum siebzigsten Geburtstag von Robert Faesi im ›Zürcher Schriftstellerverein‹.

18. Dezember 1953

T. M. sagt die Teilnahme an der Herder-Feier in Weimar ab. »Meine Gesundheit steht gar nicht mehr auf festen Füßen, die Wiederanpassung an das mitteleuropäische Klima wird meinen Jahren doch schwerer, als ich gedacht.« (›Gruß an Weimar‹, in ›Sonntag‹, Berlin, 20. Dezember 1953)

27. Dezember 1953

Unter dem Titel ›Sprache und Humor in meinem Werk‹ wird eine im September in Zürich vom ›Süddeutschen Rundfunk‹ aufgenommene Rundfunkdiskussion T. M.s mit Werner Weber und Carl Helbling unter der Leitung von Oskar Jancke gesendet. »Nun lassen Sie mich folgendes sagen, Sie werden es schon aus gelegentlichen privaten Äußerungen von mir gemerkt haben, daß ich mich immer ein bißchen gelangweilt fühle, wenn die Kritik meine persönliche Arbeit so ganz und gar auf den Begriff der Ironie festlegt und mich so durchaus als einen Ironiker betrachtet, ohne den Begriff des Humors dabei mit in Betracht zu ziehen, der doch in meinem Falle, wie mir scheint, nicht ganz wegfallen kann und darf ... Ich freue mich immer, wenn man in mir weniger einen Ironiker als einen Humoristen sieht, und ich glaube, daß es nicht schwer sein wird, in meinem Schreibwerk das humoristische Element nachzuweisen.« (›Humor und Ironie – Beitrag zu einer Rundfunkdiskussion‹, in ›Nachlese‹, Frankfurt am Main: S. Fischer 1956).

4. Januar 1954

Das Hörspiel ›Königliche Hoheit‹ wird erstmals vom ›Südwestdeutschen Rundfunk‹ und der ›Schweizerischen Rundspruchgesellschaft‹ gesendet. T. M. schreibt ein Vorwort dazu, worin er den Sinn des Romans deutet und von der Kritik, die er gefunden hat, spricht: »Und nun also bringt das Radio Basel, im Verein mit dem Südwestdeutschen Rundfunk die Geschichte Klaus Heinrichs und Immas als Hörspiel in einer Flucht von Fortsetzungen heraus, – wobei es, auch das ist hübsch und bemerkenswert, zum ersten Mal geschieht, daß ein Schweizer Sender so Arm in Arm mit einem deutschen arbeitet ... Ja, so verhält es sich wohl: Die anspielungsreiche Analyse des fürstlichen Daseins als eines formalen, unsachlichen, übersachlichen, mit einem Worte: *artistischen* Daseins und die Erlösung der Hoheit durch die Liebe ist, unter der Oberfläche oder hinter dem Vordergrund des ›Hofromans‹, des Buches Inhalt, und die Geschichte des kleinen einsamen Prinzen, der auf so scherzhafte Art zum Ehemann, Volkswirt und Volksbeglücker gemacht wird, ist nicht sowohl ein realistisches Sittenbild aus dem Hofleben zu Anfang des zwanzigsten Jahrhunderts, sondern ein allegorisches Märchen.« (›Vorwort zu dem Hörspiel ‚Königliche Hoheit'‹, in ›Nachlese‹, Frankfurt am Main: S. Fischer 1956)

Ende Januar 1954

Das Ehepaar Mann erwirbt das Haus in Kilchberg am Zürichsee, Alte Landstraße 39. »Nach so viel Wanderung und Wechsel, die das Leben mit sich brachte, soll es meine definitiv letzte Adresse sein.« (›Rückkehr‹)

17. Januar 1954

Eröffnung der Thomas Mann-Ausstellung des ›Literarischen Zirkels‹ im ›Café ABC‹ in Basel.

19. Januar 1954

»An den Bekenntnissen des Felix Krull habe ich mich längst wieder müde geschrieben. Es ist genug Manuskript da, daß ich erst einmal einen ›I. Teil‹ abstoßen kann. Findet man dann diese Scherze allzusehr unter meinen Jahren, so fange ich noch etwas ganz anderes an, – wobei mir immer wieder etwas vorschwebt wie die Ausführung der Achilleis als Prosa-Roman, nach Goethes psychologischen Absichten. Der dazu nötige Ratgeber wäre vorhanden ...« (An Karl Kerényi, Briefe).

Kerényi, der in seinem Antwortbrief die »Andeutung einer möglichen, ja bevorstehenden, Mann'schen Achilleis begeisternd« nennt, bietet seine materialsammelnde Mitarbeit an. Der Plan wird aber nicht ausgeführt.

Februar 1954

Besprechung einer Buchausgabe der Briefe Theodor Fontanes an

Georg Friedländer (›Noch einmal der alte Fontane‹, in ›Die Weltwoche‹, Zürich, 5. Februar 1954). »Den alten Fontane habe ich nicht mehr gekannt. Ich hätte ihn wohl in München treffen können, im Hause des Verteidigers Bernstein, aber damals verkehrte ich noch nicht dort, ich war zu jung. Ist ›Der kleine Herr Friedemann‹ wirklich noch zu seinen Lebzeiten erschienen? Ich wüßte es nicht zu sagen. Jedenfalls bin ich nicht auf den Gedanken gekommen, ihm ein Exemplar zu schicken.« (An Henry Remak, Briefe III)

Abschluß der Arbeit am ›Felix Krull‹ nach 44 Jahren (begonnen im November 1909) (›Bekenntnisse des Hochstaplers Felix Krull/ Der Memoiren Erster Teil‹. New York: S. Fischer 1954 – mimeographierte Ausgabe). »Das ist nun ein Band von vierhundertvierzig und einigen Seiten, ›Der Memoiren Erster Teil‹, der im September erscheinen soll – Fragment immer noch, aber Fragment wird das wunderliche Buch wohl bleiben, auch wenn mir Zeit und Laune gegeben sein sollten, es noch um vierhundertvierzig Seiten weiterzuführen ... Das ist wohl das Charakteristischste, was ich darüber sagen kann: Daß es wohl einmal abbrechen und aufhören, aber nie fertig werden wird. Im übrigen gehört es zum Typ und zur Tradition des pikaresken, des Abenteurer-Romans, dessen deutsches Urbild der ›Simplicius Simplicissimus‹ ist.« (›Rückkehr‹)

4. Februar–Anfang März 1954

Reise nach Sizilien.

4.–5. Februar

Aufenthalt in Rom.

6.–21. Februar

In Taormina (Sizilien), Hotel ›San Domenico Palace‹. T. M. erkrankt an einer fiebrigen Bronchitis.

22.–Ende Februar

Rückreise; Station in Rom und Besuch bei der Tochter Elisabeth Mann-Borgese in Florenz.

Anfang März 1954

Rückkehr nach Zürich.

März 1954

T. M. schreibt das Vorwort zu dem Buch ›Lettere di condannati a morte della resistenza europea‹ (ed. Piero Malvezzi, Giovanni Pirelli. Torino: Einaudi 1954), das 1955 deutsch unter dem Titel ›Und die Flamme soll Euch nicht versengen‹ erscheint.

25. März–15. April 1954
Aufenthalt im Hotel ›Waldhaus Dolder‹, da das in Erlenbach gemietete Haus aufgegeben ist.

April 1954
T. M. schreibt Lion Feuchtwanger einen Gruß zum siebenzigsten Geburtstag (›Freund Feuchtwanger‹, in ›Aufbau‹, Berlin, Juli 1954).

15. April 1954
Einzug in das Haus in Kilchberg.

Mitte April–Ende August 1954
Korrekturarbeiten am ›Felix Krull‹.

18. April 1954
»Wir sind froh, wieder in einem eigenen Haus zu leben. Es liegt sehr hübsch überm See, ist geräumig und bequem. Im Arbeitszimmer habe ich wieder mein kalifornisches Sofa, das in dem vorigen keinen Platz hatte, und in dessen Ecke ich große Teile des ›Faustus‹ und des ›Erwählten‹ schrieb. Jetzt lese ich darin die Korrekturen des ›Krull‹, der ›Memoiren ersten Teil‹. In drei Büchern.« (An Kuno Fiedler, unveröffentlichter Brief)

Mai 1954
Arbeit an dem Essay ›Heinrich von Kleist und seine Erzählungen‹, geschrieben als Einleitung zu einer amerikanischen Ausgabe von Kleists Novellen (in ›Gesammelte Werke in zwölf Bänden, Band IX‹, Frankfurt am Main: S. Fischer 1960).
Brief über die Bedeutung des Films. »Ich kann da ja aus eigener Erfahrung sprechen, denn der prächtige Farbfilm, den man aus meinem Roman ›Königliche Hoheit‹ gemacht hat ... ist wirklich eine vergnügliche Darbietung, und ich verstehe vollkommen den Beifall und Zulauf, den er in vielen deutschen und österreichischen Städten gefunden hat.« (›Unterhaltungsmacht Film‹, in ›Filmfesttage in Berlin‹, Festschrift der 4. Internationalen Filmfestspiele, hrsg. von Fritz Frank und Felix Henseleit, Berlin 1954).

6. Juni 1954
Feier des 79. Geburtstags in Kilchberg: »Zu meiner Bestürzung ist meines 79. Geburtstages so vielfach, an so vielen Orten der Erde, in zahlreichen freundlichen Zuschriften gedacht worden, daß ich außerstande bin, anders als in dieser summarischen Form meiner Erkenntlichkeit Ausdruck zu geben. Jeden einzelnen bitte ich, meinen Dank als ganz persönlich und aufs herzlichste an ihn gerichtet zu betrachten.« (An die Geburtstagsgratulanten, Briefe III)

7. Juni 1954
In einem Brief an seine Tochter Erika skizziert T. M. seine zukünftigen Arbeitspläne. »Mir schwebt etwas vor, wie eine kleine Charakter-Galerie aus der Reformationsepoche, Momentbilder von Luther, Hutten, Erasmus, Karl V., Leo X., Zwingli, Münzer, Tilman Riemenschneider, und wie da das Verbindende der Zeitgenossenschaft und die völlige Verschiedenheit der persönlichen Stand- und Blickpunkte, des individuellen Schicksals, bis zur Komik gegen einanderstehen.« (An Erika Mann, Briefe III).
Die Pläne treten zurück, T. M. beschäftigt sich bis zu seinem Tode mit einem Schauspiel ›Luthers Hochzeit‹, es liegen 46 handgeschriebene Oktavseiten mit Notizen vor (unveröffentlicht).

Ende Juli 1954
Einladung von Bundespräsident Theodor Heuss, bei der Schillerfeier in Stuttgart im Mai 1955 die Festrede zu halten.

August 1954
Aufenthalt für mehrere Wochen im ›Waldhaus Sils Maria‹. Zusammentreffen mit Hermann Hesse und Frau, die im selben Hotel wohnen. An den Vormittagen arbeitet T. M. an dem Essay ›Versuch über Tschechow‹ (in ›Sinn und Form‹, Berlin, September/Dezember 1954).

Ende August 1954
Fahrt ins Rheinland, zum ersten Mal nach über 20 Jahren.

24. August
Eintreffen in Köln, Empfang im ›Domhotel‹. Lesung aus ›Felix Krull‹ vor Teilnehmern des Internationalen Sommerkurses der Universität auf Vermittlung von Prof. Dr. Wilhelm Emrich. Letzter Besuch bei Ernst Bertram in Köln-Marienburg.

25. August
Weiterreise nach Düsseldorf, Hotel ›Breidenbacher Hof‹.

26. August
Vormittags Besuch in der Buchhandlung Schrobsdorff und Besichtigung einer Sonderausstellung seiner Werke, darunter vieler Erstausgaben aus der Sammlung Hans-Otto Mayer. »Sie haben viel mehr, als ich noch besitze. Meine Ausgaben wurden mir aus meinem Haus in Nidden im Dritten Reich gestohlen.« (Aus einem Gespräch). Abends Lesung aus ›Felix Krull‹ im Schumann-Saal, auf Einladung der ›Arbeitsgemeinschaft kultureller Organisationen‹. Die einleitenden Worte spricht Generalintendant Gustav Lindemann. Anschließend Empfang im historischen ›Malkasten‹.

27. August

Besichtigung der Ausstellung ›Meisterwerke aus São Paulo‹ im ›Düsseldorfer Kunstverein‹. Danach besucht T. M. in Begleitung des nordrhein-westfälischen Kultusministers Werner Schütz Schloß und Park Benrath, den Schauplatz seiner Erzählung ›Die Betrogene‹.

Rückkehr nach Kilchberg. Arbeitsunlust und Müdigkeit.

6. September 1954

»Scherz beiseite: Meine Verfassung ist nicht die beste, ein quälender Mangel an Energie beherrscht mich, meine produktiven Kräfte scheinen erschöpft. Am Ende ist das physiologisch, und ich sollte mich drein ergeben, es wie Hesse machen, der sich entschlossen zur Ruhe gesetzt hat ... Aber ich verstehe mich nicht darauf, weiß nicht, wie ohne Arbeit die Tage verbringen und ringe nach Leistung, ohne die Spannkraft zu finden, die sie ermöglicht. Ein quälender Zustand ... So gebe ich jetzt das zum Roman-Band erweiterte Fragment des ›Felix Krull‹ heraus, als ›Ersten Teil‹ des Ganzen, und tue, als ob die Fortsetzung dieser Scherze unterwegs wäre, während doch von Weiterem noch kein Wort auf dem Papier steht und ich im Grunde weiß, daß ich das Unding nie zu Ende führen werde. Ich möchte auch eigentlich ganz anderes machen, Würdigeres, meinen Jahren Angemesseneres ...« (An Emil Preetorius, Briefe III)

Mitte September–Ende Dezember 1954

T. M. vermag dieser Müdigkeit Herr zu werden. Die Arbeit an der Schillerrede wird aufgenommen und intensiv fortgeführt (›Versuch über Schiller‹. Frankfurt am Main: S. Fischer 1955, 1.–15., 16.–25. Tsd.). »Die Arbeit am ›Versuch über Schiller‹ ging weiter, – oder vielmehr waren es die Vorarbeiten, die meinen Vater noch immer beschäftigten, und von denen er sich so bald nicht losreißen würde. Er las, exzerpierte, versenkte sich mit wahrer Leidenschaft – nicht nur in alles, was Schiller je geschrieben, erlebt und geplant, sondern überdies in alles dem Gegenstand irgendwie Benachbarte oder damit Befaßte. Am Ende waren es mehrere Bücher, die er hätte schreiben mögen. ... Monate verflossen. Als ahnte er, daß es ums Letzte ging, rang T. M. mit der Überfülle des Stoffes. ›Ach‹, seufzte er aus tiefster Brust, ›die Arbeit macht mir *solche Sorge!* ... Dabei‹, fügte er hinzu und lächelte auf eine zugleich zärtliche und wie um Entschuldigung bittende Art, – ›dabei ist die Arbeit doch meine einzige Freude!‹ (Erika Mann, ›Das letzte Jahr‹).

Ende September 1954
Die ›Bekenntnisse des Hochstaplers Felix Krull‹ erscheinen (Frankfurt am Main: S. Fischer 1954, 1.–20. Tsd.).

26. Oktober 1954
Gründung des ›Thomas Mann-Arbeitskreises‹, einer Literatur-Arbeitsgemeinschaft im ›Deutschen Kulturbund‹ mit Sitz in Potsdam. Gründer sind Prof. Dr. Hans Schlemmer und Georg Wenzel.

Oktober 1954
Gustav Seitz modelliert im Auftrag der DDR eine Portraitbüste von T. M. »Ich glaube, daß Seitz seine Sache ausgezeichnet gemacht hat. Meine Frau stimmt mit mir darin überein, daß die etwas überlebensgroße Büste sehr ähnlich ist und dabei wirklich etwas von monumentaler Verewigung hat.«

Oktober 1954
Glückwunsch zum siebzigsten Geburtstag des Freundes Hans Reisiger (›Festgruß an Hans Reisiger‹, in ›Stuttgarter Zeitung‹, 16. Oktober 1954). »Mein lieber Freund und Freund meines Hauses seit vielen Jahren, Hans Reisiger, der Dichter und Übersetzer, gleich nobel in beiden Eigenschaften, begeht seinen siebzigsten Geburtstag. Da lege ich alles bei Seite, um, beglückwünschend ihn zu seinem hohen Tage, beglückwünschend mich selbst, weil das Leben ihn mir zuführte, seiner wohltuenden Person, seiner Verdienste ums deutsche Wort und seiner Treue, die ich immer von Herzen erwiderte, in Sympathie, Hochachtung, Rührung zu gedenken.« (›Hans Reisiger‹)

November 1954
»Krull ist seit ein paar Wochen vergriffen, das 21.–40. Tausend ist noch nicht da.« (An Anna Jacobson, unveröffentlichter Brief)

25. November 1954
Im Auftrag der Schweizer Zeitschrift ›Du‹ zeichnet Marino Marini T. M. in Kilchberg für die Festnummer zum bevorstehenden achtzigsten Geburtstag.

30. November 1954
Vortrag ›Kleist und seine Erzählungen‹ im Auditorium maximum der Eidgenössischen Technischen Hochschule Zürich auf Einladung der Studentenschaft.

Weihnachten 1954
Das Manuskript ›Versuch über Schiller‹ ist abgeschlossen. Es umfaßt 120 statt 20 Maschinenseiten, wie für die Dauer der ›Ansprache im Schillerjahr‹ vorgesehen. Die notwendigen Kürzungen nimmt Erika Mann vor.

Dezember 1954
T. M. spricht in Kilchberg den ›Versuch über Tschechow‹ in englischer Übersetzung für ›BBC London‹ auf Band.

DAS LETZTE JAHR

18. Januar 1955
Abreise von Zürich zum Kuraufenthalt nach Arosa, Hotel ›Excelsior‹.
20. Januar 1955
Erkrankung an einer schweren Virusinfektion.
27. Januar–5. Februar 1955
Behandlung im Kantonsspital in Chur nach einem Kreislaufkollaps. Rückkehr nach Kilchberg.
11. Februar 1955
Goldener Hochzeitstag, Feier im kleinsten Familienkreis in Kilchberg. Die Kinder schenkten den Eltern einen Pudel: Nico.
27. Februar 1955
Sendung des Tschechow-Vortrags in englischer Sprache im ›BBC London‹.
Anfang März 1955
Die gekürzte Schiller-Rede wird im Entwurf Bundespräsident Heuss und dem Präsidenten der Schiller-Gesellschaft, die beide auf der Stuttgarter Feier ebenfalls sprechen werden, übersandt. »Aus einer Festrede, mit der man mich beauftragte und die ich in Stuttgart und Weimar, den beiden Schillerstädten, halten will, ist ein umfangreicher Essay geworden, von dem ich kaum den vierten Teil mündlich werde vorbringen können, und der nach Worten sucht, die spezifische Größe dieses Genius zu feiern – eine Großheit, generös, hochfliegend, flammend, emporreißend, wie selbst Goethes weisere Natur-Majestät sie nicht bietet, weltalltrunken und menschheitlich-kulturpädagogisch, männlich in alldem aufs höchste, durchaus nicht verschwärmt, mit stark realistischen Zügen, zu vornehmsten Erfolgen bestimmt und erdentüchtig, im Tiefsten aber nach dem Himmlischen, nach Entkleidung vom Irdischen, nach Verklärung dürstend.« (An die Redaktion des ›Sonntag‹, Berlin, Briefe III)
3. März 1955
Annahme der Ehrenbürgerschaft von Lübeck. »Ich habe mit

Rührung gehört, wie sinnig und freundlich die Vaterstadt es mit mir meint.« (›Thomas Mann an den Bürgermeister von Lübeck‹, in ›Lübecker Freie Presse‹, 11. März 1955).

16. März 1955

Weiterarbeit an ›Luthers Hochzeit‹. »Neues von ›Krull‹ kann ich Ihnen nicht schicken. Es steht von der Fortsetzung noch kein Wort auf dem Papier. Unter uns gesagt habe ich ganz anderes im Kopf, nämlich ein aufführbares Stück: ›Luthers Hochzeit‹, wofür ich viel lese und notiere, ohne etwa sicher zu sein, daß ich es zustande bringe.« (An Agnes E. Meyer, Briefe III)

22. März 1955

Lesung ›Versuch über Tschechow‹ im Hotel ›Elite‹, Zürich, auf Einladung des ›Zürcher Schriftstellervereins‹.

24. März 1955

Verleihung der Ehrenmitgliedschaft der ›Deutschen Akademie der Wissenschaften‹ in Berlin.

April 1955

Geleitwort zu Alexander M. Freys Roman ›Kleine Menagerie‹ (›Liebenswerte Menagerie‹. Wiesbaden: Limes-Verlag 1955).

16. April 1955

Gründung des ›Thomas Mann-Archivs zur Pflege und Erforschung seines Werkes‹ als Abteilung des ›Instituts für deutsche Sprache und Literatur‹ auf Beschluß des Präsidiums der Deutschen Akademie der Künste zu Berlin.

18. April 1955

Tod von Albert Einstein in Princeton. »Tief erschüttert durch die Nachricht vom Tode Albert Einsteins, vermag ich im Augenblick nur zu sagen, daß durch den Hingang dieses Mannes, dessen Ruhm schon zu Lebzeiten legendären Charakter angenommen hatte, für mich ein Licht erlosch, das mir seit vielen Jahren ein Trost war im trüben Wirrsal unserer Zeit.« (›Zum Tode Albert Einsteins‹, in ›Neue Zürcher Zeitung‹, 19. April 1955).

April 1955

Tonbandaufnahme der Novelle ›Tonio Kröger‹ durch den ›Nordwestdeutschen Rundfunk‹ im Kilchberger Haus.

6. Mai 1955

Sendung der ungekürzten und ungeteilten Tonbandaufnahme des ›Tonio Kröger‹. »Es dauerte von Sonnenuntergang bis Mitternacht, und die Hörer ließen uns wissen, so sei es gut gewesen.« (Ernst Schnabel, Intendant des ›Norddeutschen Rundfunks‹, im Beiheft zur Schallplattenkassette ›Tonio Kröger‹).

7. Mai 1955
Abreise mit Frau und Tochter Erika im Auto von Zürich über Rottweil nach Stuttgart, ›Parkhotel‹. Nachmittags Zusammentreffen mit Bundespräsident Heuss. Abends im kleinen Kreis mit Hans Reisiger, dem Ehepaar Bermann Fischer und Rudolf Hirsch.

8. Mai 1955
11 Uhr Schillerfeier im Großen Haus des Stuttgarter Landestheaters mit der Festrede T. M.s und Ansprachen von Bundespräsident Heuss, Ministerpräsident Gebhard Müller und dem Präsidenten der ›Schiller-Gesellschaft‹, W. Hoffmann. »Man spürte, mit welcher stolzen Freudigkeit Thomas Mann diesen Auftrag, der ihn als Bitte von außen erreichte, zur inneren Pflicht verwandelt hatte. Er war von dem großen Gegenstand aufs tiefste gepackt worden. Die freie, ausdrucksreiche und unverstellte Huldigung an den dichterischen Genius, an den Moralisten und Denker, an den meisterlichen Gestalter und Regisseur geschichtlicher Staatsaktionen war in der Unterströmung nun doch etwas ganz anderes als das ästhetisch und geistig wertende Wort eines Dichters über einen Dichter, eines Lebenden über einen in seiner Wirkkraft nicht Gestorbenen – es war ein Wort der sorgenden Mahnung an diese *seine* Zeit, an dieses deutsche Volk *seiner* Gegenwart.« (Theodor Heuss in ›Die Neue Rundschau‹ 1956). Abends Besuch der Festaufführung von ›Maria Stuart‹.

9. Mai 1955
Besuch des Schiller-Nationalmuseums in Marbach am Neckar; nachmittags zu Gast bei Rudolf Pechel in Stuttgart.

10.–13. Mai 1955
Einige Tage Aufenthalt in Bad Kissingen. »Hier ruhen wir uns ein paar Tage aus. In Stuttgart wurde ich so hart hergenommen wie ein Schweizer Soldat. Aber die Schiller-Rede hat gefallen. Am Ende erhoben die Leute sich von den Plätzen.« (An Robert Faesi, Briefe).

13. Mai 1955
Weiterreise nach Weimar. Empfang in Wartha durch den Minister für Kultur, Johannes R. Becher.

14. Mai 1955
Schillerfeier im Weimarer Nationaltheater. Festvortrag T. M.s nach einführenden Worten von Minister Johannes R. Becher. Abends Besuch der Festaufführung von Schillers ›Jungfrau von Orleans‹.

15. Mai 1955
Verleihung der Ehrendoktorwürde der Friedrich Schiller-Universität Jena im Weißen Saal des Weimarer Schlosses mit Laudatio von Prof. Dr. Müller und Dankesworte T. M.s (in ›Wissenschaftliche Annalen‹, Berlin, September 1956). Ernennung zum Ehrenpräsidenten der ›Deutschen Schillergesellschaft‹ in Weimar. Weiterreise nach Göttingen.
16.–21. Mai 1955
Aufenthalt in Lübeck und Travemünde.
19. Mai
Hauskonzert mit alten Instrumenten im Possehlhaus, Travemünde.
20. Mai
11 Uhr vormittags Verleihung der Ehrenbürgerschaft im Lübecker Rathaus mit Dankesworten T. M.s (in ›Lübecker Nachrichten‹, 21. Mai 1955).
21. Mai
Lesung aus ›Tonio Kröger‹, ›Das bunte Kleid‹ aus ›Der junge Joseph‹ und das ›Zirkus‹-Kapitel aus ›Felix Krull‹ im Stadttheater Lübeck. Den Reinerlös aus dem Kartenverkauf erhält auf T. M.s Wunsch das Altersheim ›Hospital zum Heiligen Geist‹.
4. Juni 1955
Mittags Geburtstagsvorfeier veranstaltet vom Züricher Stadtrat im Muraltengut. Stadtpräsident Dr. Emil Landolt überbringt in einer Ansprache die offiziellen Glückwünsche der Stadt. Nachmittags Feier der Gemeinde Kilchberg im Conrad Ferdinand Meyer-Haus mit Ansprache des schweizerischen Bundespräsidenten Dr. Max Petitpierre. Überreichung des Diploms eines Ehrendoktors der Naturwissenschaften an der Eidgenössischen Technischen Hochschule Zürich durch deren Rektor, Prof. Dr. Karl Schmid. Abendessen im Restaurant ›Löwen‹ in Kilchberg mit dem Bundespräsidenten und anderen Gästen.
5. Juni 1955
Abends Feier im Züricher Schauspielhaus. Bruno Walter, der zu Ehren des alten Freundes überraschend nach Zürich geflogen ist, dirigiert Mozarts ›Kleine Nachtmusik‹. Lesung aus dem Werk durch Maria Becker, Therese Giehse, Gustav Knuth, Erwin Parker und Hermann Wlach. Ansprachen von Richard Schweizer und Fritz Strich. Dankesworte T. M.s und Lesung aus ›Felix Krull‹. Anschließend Empfang und Abendessen auf Einladung von Gottfried und Frau Brigitte Bermann Fischer im ›Zunfthaus zum

Rüden‹ mit etwa 100 Gästen – Maler, Schriftsteller, Musiker, Schauspieler, Journalisten – mit Ansprachen von Dr. Bermann Fischer und Albrecht Goes.

6. Juni 1955

Vormittags Geburtstagsempfang im Kilchberger Haus. Aus der ganzen Welt kommen Geburtstagsgrüße und Geschenke. »Alle halbe Stunde brachte der Briefträger Stöße von Telegrammen.« Gustav Seitz übergibt die von ihm geschaffene Portraitbüste. Der Bremer Senator Dehnkamp, Präsident der Ständigen Konferenz der Kultusminister Westdeutschlands, überbringt die von den Ländervertretungen beschlossene Schenkungsurkunde der ›Thomas Mann-Spende‹ in Höhe von 50000,– DM zur Unterstützung kranker und hilfsbedürftiger deutscher Schriftsteller. Übergabe der zwölfbändigen Gesamtausgabe des Aufbau-Verlags in Berlin.

Das Geschenk des S. Fischer Verlags sind die Zeichnungen von Gunther Böhmer für die Novelle ›Herr und Hund‹ in der Lizenzausgabe der Fischer Bücherei. Als Vorzugsausgabe werden anläßlich des Geburtstages 500 Exemplare der ›Bekenntnisse des Hochstaplers Felix Krull‹ in Kalbsleder gebunden, numeriert und vom Autor signiert.

Mit einer Festschrift ›Hommage de la France‹ huldigen etwa 200 führende Persönlichkeiten des französischen Geisteslebens und der Politik T. M. anläßlich seines 80. Geburtstages. Unter den Gratulanten sind unter anderen der Präsident der Republik Vincent Auriol, der Ehrenpräsident der Nationalversammlung Édouard Herriot, der Außenminister Robert Schuman, der frühere französische Botschafter in Berlin André François-Poncet, Albert Camus, André Malraux, Roger Martin Du Gard, Pablo Picasso, Albert Schweitzer, Marguerite Yourcenar. »Thomas Mann a maintenu durant la traversée la gloire intacte du genie allemand. Sa vie illustre son oeuvre. Sa grandeur n'appartient pas seulement aux lettres. Il a su, au temps de l'asservissement, demeurer un esprit libre. Il a préservé l'honneur de l'Allemagne.« (François Mauriac)

Die Deutsche Akademie für Sprache und Dichtung in Darmstadt verleiht T. M. die Ehrenmitgliedschaft, ebenso die Freie Akademie der Künste in Hamburg gleichzeitig mit Überreichung ihrer ersten Plakette. Nach dem Geburtstagsempfang im Kilchberger Haus Lunch im Hotel ›Eden au Lac‹ auf Einladung des amerikanischen Verlegers Alfred A. Knopf. Abendessen im Freundeskreis, gegeben von Emmie Oprecht, Richard Schweizer und Georges Motschan im Hotel ›Baur au Lac‹, Zürich.

7. Juni 1955

Allgemeine Danksagung (in: Erika Mann ›Das letzte Jahr‹, Frankfurt am Main: S. Fischer 1956): »Ich habe viel zu danken, viel zu viel, als daß die physische Möglichkeit bestände, es mit eigener Hand, von Person zu Person zu tun. Aus aller Welt sind mir in diesen Tagen, da ich mein achtzigstes Lebensjahr vollende, Kundgebungen der Sympathie, der rührenden Anteilnahme an meiner Existenz, meinem Streben und Wirken in Form von Briefen, Telegrammen, herrlichen Blumen und sinnigen Geschenken in so unglaublicher, noch heute unübersehbarer Fülle zugekommen, daß es mich verwirrt, beschämt, beglückt, und daß ich zu dem summarischen Mittel dieser Druckzeilen greifen muß, um jedem, der mich grüßte, meine Freude darüber zum Ausdruck zu bringen, daß es mir vergönnt war, meinem Sein und Tun, dessen Unvollkommenheit ich kenne, meinem Werben im Wort um das Gute und Rechte, doch so viele Freunde zu gewinnen.«

Juni 1955

Der ›Versuch über Schiller‹ erscheint als Einzelausgabe.

12. Juni 1955

Gedenkfeier für den Schriftsteller Ernst Penzoldt im Münchner Residenztheater. T. M.s Erinnerungsworte werden durch den Staatsintendanten Kurt Horwitz vorgelesen (›Ernst Penzoldt zum Abschied‹, in ›Schwäbische Landeszeitung‹, Augsburg, 14. Juni 1955).

18. Juni 1955

Gedenkwort zum zehnten Todestag von Bruno Frank (›In memoriam Bruno Frank‹, in ›Die Welt‹, Hamburg, 18. Juni 1955).

30. Juni 1955

Abflug von Zürich nach Amsterdam.

1. Juli 1955

Pressekonferenz im ›Amstelhotel‹, Amsterdam. Abends Vortrag ›Versuch über Schiller‹ in der Universität. Einleitung durch Prof. D. N. A. Donkersloot und Verleihung des Ordenskreuzes von Oranje-Nassau im Kommandeursrang namens der Königin durch Außenminister Dr. J. W. Beyen. Dankesworte T. M.s. »Ehre zu empfangen von einem Land, das so viel Leid getragen ohne sich zu beugen, ist *hohe* Ehre, die mir bis ans Ende meines Lebens zum Stolz und zur Freude gereichen wird.« (›Ansprache nach der

Verleihung des Ordenskreuzes von Oranje-Nassau‹, in: Erika Mann ›Das letzte Jahr‹, Frankfurt am Main: S. Fischer 1956).

2.–4. Juli 1955
Aufenthalt in Den Haag, ›Hotel des Indes‹. Abendessen und Empfang beim Deutschen Botschafter Dr. Mühlefeld. Opernbesuch von Rossinis ›Italienerin in Algier‹ in der Aufführung der Mailänder Scala.

3.–4. Juli
Im Rahmen des ›Holland Festival‹ Vortrag ›Versuch über Schiller‹.

5.–23. Juli 1955
Aufenthalt in Noordwijk aan Zee, ›Huis ter Duin‹.

8. Juli
Holländische Premiere des Filmes ›Königliche Hoheit‹ in Anwesenheit von Thomas Mann und Katja Mann.

11. Juli
Audienz bei der holländischen Königin auf ihrem Sommersitz Schloß Soestdijk, Provinz Utrecht.

Juli 1955
Geleitwort zu einer Neuinszenierung von ›Fiorenza‹ in Bremen (›Thomas Mann schreibt über ‚Fiorenza'‹, in ›Weserkurier‹, Bremen, 23. Juli 1955).

12. Juli
Antwort auf eine Rundfrage ›Film und Roman‹ (›Film en Roman‹, in ›De Kim, Literair Pamflet‹, Amsterdam, Mai 1956).

Juli 1955
Geleitwort zu ›Die schönsten Erzählungen der Welt‹, die letzte Arbeit T. M.s (›Das letzte Manuskript‹, in ›Die Gegenwart‹, Frankfurt am Main, 27. August 1955): »Dies ist ein Buch – nie sah ich seinesgleichen. Ich schreibe ihm ein Vorwort aus lauter Staunen über die Weite seines Horizontes, aus hellem Vergnügen an seinem Universalismus ... Nicht, daß es nicht auch für jedes andere Stück dieser Sammlung gälte – aber, ausdrücklich: Melvilles ›Billy Budd‹ ist wirklich eine der *Schönsten Erzählungen der Welt!*«

18. Juli 1955
Erste Anzeichen der Erkrankung durch Schmerzen im linken Bein.

20. Juli 1955
Besuch des Malers und Graphikers Paul Citroen, der eine Kohlezeichnung, das letzte Abbild vor dem Tode, anfertigt.

21. Juli 1955
Untersuchung durch Prof. Mulder aus Leyden. Eine Thrombose wird konstatiert, absolute Bettruhe notwendig.

23. Juli 1955
Da klinische Behandlung erforderlich und Überführung im Flugzeug nach Zürich möglich erscheint, wird der Flug nach Kloten in Begleitung von Frau Katja angetreten. T. M. kommt in die Privatabteilung von Prof. Löffler im Zürcher Kantonsspital.

23. Juli–12. August 1955
Aufenthalt im Kantonsspital. Nach einem Abklingen der Thrombose langsame Besserung des Allgemeinzustandes bei völliger Appetitlosigkeit. Besuch von Freunden (Erich Katzenstein, Richard Schweizer), gelegentlich Korrespondenz, Anhören von »Lieblingsplatten«, insbesondere Beethovens Streichquartett Nr. 15 in a-moll, opus 132, »aber viel davon vertragen meine Nerven gar nicht, und ich tue besser, in dem Buch von Alfred Einstein über Mozart zu lesen, das doch sehr gut ist ...«; die letzte Lektüre.

August 1955
In Israel, in der Nähe von Jerusalem, wird ein ›Thomas Mann-Hain‹ vom jüdischen Nationalfonds als Ehrung zum achtzigsten Geburtstag gepflanzt. Initiatoren sind Pinhas F. Rosen, damals Justizminister Israels, Elias Auerbach, Haifa, und Erich Bloch, Naharia.

10. August 1955
Wahl in die Friedensklasse des Ordens ›Pour le Mérite‹. Telegraphische Mitteilung durch den hessischen Minister für Erziehung und Volksbildung Arno Hennig.
Letzter Brief an Lavinia Mazzucchetti, die Übersetzerin und Herausgeberin der gesammelten Werke in italienischer Sprache (›Letzter Brief‹, in ›Almanach, das 77. Jahr‹, Frankfurt am Main: S. Fischer 1963): »Mein Kopf ist leer, mein Magen schwer, als ob ich zuviel gegessen hätte, wo es doch beinahe nichts ist, was ich esse. Aber diese Schwächen ... sind nur Nebenerscheinungen des Hauptübels, der Stauung im Bein, die in steter *Besserung* begriffen ist, so daß die Hoffnung auf Rückkehr zu einem normalen Dasein näher rückt.«
Der Pariser Verleger und Buchhändler Martin Flinker ist einer der letzten Besucher im Kantonsspital. T. M., im Lehnstuhl, äußert, nichts habe ihm so viel Freude gemacht wie der von Flinker herausgegebene Band ›Hommage de la France à Thomas Mann‹.

11. August 1955
Gegen Abend Schwächeanfall.
12. August 1955
Am Morgen schwerer Kollaps, der Blutdruck nicht mehr meßbar. Bluttransfusion, stimulierende Injektionen und alle möglichen Infusionen bleiben erfolglos. T. M. ist den ganzen Tag über bei Bewußtsein, vor dem Einschlafen verlangt er seine Brille. Er schläft friedlich atmend, entspannt und schmerzlos. Um acht Uhr abends steht sein Herz still, unbemerkt von der neben seinem Bett sitzenden Lebensgefährtin.
Die Todesursache ist eine schwere Verkalkung der großen Beinarterie: durch Reibung ist ein kleiner Riß in der Vene entstanden, durch den das Blut in das vegetative System sickert und es außer Funktion setzt.
13.–15. August 1955
Aufbahrung in der Klinik.
16. August 1955
Beisetzung auf dem Friedhof in Kilchberg unweit des Grabes von Conrad Ferdinand Meyer. Auf Wunsch der Familie soll die Begräbnisfeier in engem Rahmen stattfinden. Doch viele hundert Abschiednehmende sind gekommen. Innenminister Bundesrat Dr. Etter in Vertretung der Schweizer Regierung, der westdeutsche Gesandte Dr. Holzapfel, aus der DDR Johannes R. Becher, Minister für Kultur. Ferner Rektoren zahlreicher deutscher Hochschulen, Intendanten deutscher Bühnen, eine Delegation der Heimatstadt Lübeck und viele Freunde T. M.s. Ansprache und kirchliche Aussegnung durch den evangelischen Ortspfarrer Schweingruber.
Auf Wunsch der Familie hält Thomas Manns Freund Richard Schweizer die Gedächtnisrede: »Unser Schmerz ist groß, aber welch unerhörte Vollendung ist diesem Leben zuteil geworden. Im Laufe weniger Monate konnte Thomas Mann die Goldene Hochzeit und den achtzigsten Geburtstag feiern, in Deutschland zum Ruhme Schillers seine letzte große Rede halten, und noch war es ihm beschieden, den Geruch der Nordsee einzuatmen, der ihm in seiner Jugend vertraut war ... Gedenken wir der tiefen Ruhe, die der rastlos Tätige gefunden hat ... Jedes Schaffen schließt unsägliche Mühe in sich. Unvergeßlich bleibt jenes Wort der Erleichterung, das uns in der ›Entstehung des Doktor Faustus‹ überliefert ist: ›Ich bin fertig‹ – ein paar Zeilen später heißt es allerdings: ›In Wahrheit hatte ich nicht das Gefühl, fertig zu sein,

nur weil das Wort ‚Ende' geschrieben war.‹ Dieser Satz, so scheint mir, fällt heute in ein besonderes Licht. Wenn auch unter dem Leben Thomas Manns das Wort ›Ende‹ geschrieben steht, will das nicht sagen, nun sei alles abgeschlossen. Sein Geist ist gegenwärtig, hier und jetzt – wer unter uns würde ihn nicht spüren?«
›Worte des Abschieds‹ von Carl Zuckmayer. »An diesem Sarg verstummt die Meinung des Tages. Ein Leben hat sich erfüllt, das nur einem einzigen Inhalt gewidmet war: dem Werk deutscher Sprache, dem Fortbestand europäischen Geistes ... Man trägt, so heißt es, sein Vaterland an den Schuhsohlen mit. Thomas Mann trug es wie eine Last unter dem Herzen, als müsse er es neu gebären. Schmerzlich, oft bis zur Unerträglichkeit, war das Ringen des Dichters in der Verbannung um das geprüfte, das erschütterte, das zerrissene Deutschland. Sein Gedächtnis und das Geschenk seines großen Werkes sind nun der dauernde Besitz jenes unteilbaren Deutschland geworden, zu dem wir alle gehören, heute und immer, unter welchen Himmeln auch unsere Häuser stehen.«
Der Abschiedsgruß Hermann Hesses: »In tiefer Trauer nehme ich von Thomas Mann Abschied, dem lieben Freund und großen Kollegen, dem Meister deutscher Prosa, dem trotz allen Ehrungen und Erfolgen viel Verkannten. Was hinter seiner Ironie und seiner Virtuosität an Herz, an Treue, Verantwortlichkeit und Liebesfähigkeit stand, jahrzehntelang völlig unbegriffen vom großen deutschen Publikum, das wird sein Werk und Andenken weit über unsere verworrenen Zeiten hinaus lebendig erhalten.«

ABKÜRZUNGEN

Briefe I	Thomas Mann, Briefe 1889–1936, hrsg. von Erika Mann. Frankfurt am Main: S. Fischer Verlag 1961.
Briefe II	Thomas Mann, Briefe 1937–1947, hrsg. von Erika Mann. Frankfurt am Main: S. Fischer Verlag 1963.
Briefe III	Thomas Mann, Briefe 1948–1955 und Nachlese, hrsg. von Erika Mann. Frankfurt am Main: S. Fischer Verlag 1965.

Briefe (ohne römische Ziffer): die Zitate aus diesen Briefen sind folgenden Veröffentlichungen entnommen:

Paul Amann	Briefe Thomas Manns an Paul Amann, hrsg. von Paul Wegener. Lübeck: Schmidt-Römhild Verlag 1960.
Julius Bab	Letters by Thomas Mann to Julius Bab, ed. by John F. Frank. The Germanic Review, New York, vol. 36, no. 3, 1961.
Otto Basler	Briefe von Thomas Mann, vorgelegt von Otto Basler. Blätter der Thomas Mann-Gesellschaft, Zürich, Nr. 5, 1965.
Ernst Bertram	Thomas Mann an Ernst Bertram. Briefe aus den Jahren 1910–1955, hrsg. von Inge Jens. Pfullingen: Neske Verlag 1960.
Robert Faesi	Thomas Mann/Robert Faesi, Briefwechsel. Zürich: Atlantis Verlag 1962.
Karl Kerényi	Thomas Mann–Karl Kerényi, Gespräch in Briefen. Zürich: Rhein-Verlag 1960.
Heinrich Mann	Alfred Kantorowicz, Heinrich und Thomas Mann. Die persönlichen, literarischen und weltanschaulichen Beziehungen der Brüder. Berlin: Aufbau-Verlag 1956.
Emil Preetorius	Aus dem Briefwechsel Thomas Mann–Emil Preetorius, eingeführt und erläutert von Hans Wysling. Blätter der Thomas Mann-Gesellschaft, Zürich, Nr. 4, 1963.
Briefe Stargardt	Auktionskataloge der Firma Stargardt, Marburg.
T.-M.-A., Zürich	Thomas Mann-Archiv, Zürich.
T. M. Not. B.	Aus den Notizbüchern Thomas Manns im Besitz des Thomas Mann-Archivs, Zürich.

Thomas Mann-Zitate nach den Gesammelten Werken in zwölf Bänden, Frankfurt am Main: S. Fischer Verlag 1960.

WERKREGISTER

Das Register folgt dem System in ›Gesammelte Werke in 12 Bänden‹, S. Fischer Verlag, Frankfurt/Main 1960.: Die Titel sind nach ihrem Wortlaut alphabetisch geordnet. Eine Ausnahme bilden Reden und Aufsätze, wenn sie einen Personennamen oder den Titel eines Werkes von Thomas Mann enthalten. Bei mehreren Personennamen gilt der erste als Stichwort. Maßgebend ist die Bibliographie von Hans Bürgin ›Das Werk Thomas Manns‹, S. Fischer Verlag, Frankfurt/Main 1959.

PERSONENREGISTER

(Ziffern in Kursiv bedeuten, daß der Personenname auf der betreffenden Seite nur als Empfänger eines Briefes von Thomas Mann genannt wird.)

ORTSREGISTER